# ANDORRA SEKTOR

## DIE WÖLFE DES X-CLANS

USA TODAY BESTSELLERAUTORIN

# LEXI C. FOSS

Deutsche Übersetzung: Well Read Translations

Umschlagdesign: Krys Janae, TakeCover Design Fiends

Cover-Fotografie: CJC Fotografie

Modelle: Riley Rebecca & Taylor Scott

Herausgegeben von: Ninja Newt Publishing, LLC

eBook:

ISBN: 978-1-954183-64-3

Taschenbuch:

ISBN: 978-1-954183-65-0

❀ Erstellt mit Vellum

Katriana erstarrte. Ihre zierlichen Hände umklammerten die Bettdecke auf beiden Seiten ihrer Hüften. „Ander, bitte …"

„Oh, wir sind über den Punkt des Bettelns hinaus", sagte ich und zog meinen Gürtel durch die Schlaufen. „Spreiz deine Beine, Omega."

Sie tat es nicht, denn ihr Instinkt zu rebellieren, war zu stark.

Ihr das abzugewöhnen, würde Zeit in Anspruch nehmen.

Zum Glück war ich sehr geduldig.

Ich ließ meinen Ledergürtel auf den Boden fallen und öffnete den Knopf an meiner Hose. „Du wirst feststellen, dass ich mich nicht gerne wiederhole, Katriana." Ihre Augen folgten meinen Bewegungen, als ich den Reißverschluss nach unten zog. „Du wirst gleich lernen, was passiert, wenn eine Omega aus der Reihe tanzt."

Wolfsrudel folgten nicht ohne Grund einer Hierarchie. Alphas an der Spitze, Betas mittendrin und Omegas am unteren Ende der Nahrungskette. Omegas waren geschätzte Mitglieder des Rudels, die ihren Alpha-Gefährten gehorchten und von ihnen beschützt wurden.

Katriana war meine Omega.

Mein zu Bestrafen.

Mein zu Ficken.

Mein zu schwängern, und …

Mein zu Beschützen.

Ich konnte mit Letzterem nicht beginnen, während sie noch wild entschlossen war, meine Befehle zu ignorieren.

Ich zog meine Stiefel und Socken aus und streifte meine Hose ab, sodass ich nur noch in einem Paar Boxershorts vor ihr stand, die viel zu eng für meine wachsende Erregung waren.

Katrianas Augen weiteten sich. „Nein", hauchte sie.

„Du brauchst keine Angst zu haben. Es wird nicht wehtun", versprach ich ihr. Trotz ihrer zierlichen Taillen waren Omegas so gebaut, dass sie den Schwanz eines Alphas problemlos in sich aufnehmen konnten, aber Katriana schüttelte vehement den Kopf und zog ihre Knie an die Brust.

„Nein", wiederholte sie mit einem Knurren.

Meine Lippen zuckten amüsiert und ich musste mir ein Schmunzeln verkneifen.

Sie war nicht die Einzige, die solche Laute von sich geben konnte.

Ich entgegnete ihrem Knurren mit meinem eigenen. Meines hatte jedoch besondere Eigenschaften. Eine Art Ruf, dem sich ein Omega nicht widersetzen konnte.

Sie zuckte heftig zusammen und die Härchen auf ihrem Armen stellten sich vor Vorfreude auf. „Oh Gott."

.

*An Katie.*

*Für all die langen Gespräche, das Brainstorming, dafür, dass sie mir auf langen Autofahrten nach Florida Gesellschaft geleistet hat, und dafür, dass sie eine erstaunliche Freundin ist. Ich bin so froh, dass das Schicksal uns zusammengeführt hat, und ich freue mich auf viele weitere Jahre. Oh, und danke, dass ich mir eine Variation deines Namens ausleihen durfte. Diese Geschichte ist für dich.*

*<3*

# Andorra Sektor

## Die Wölfe des X-Clans

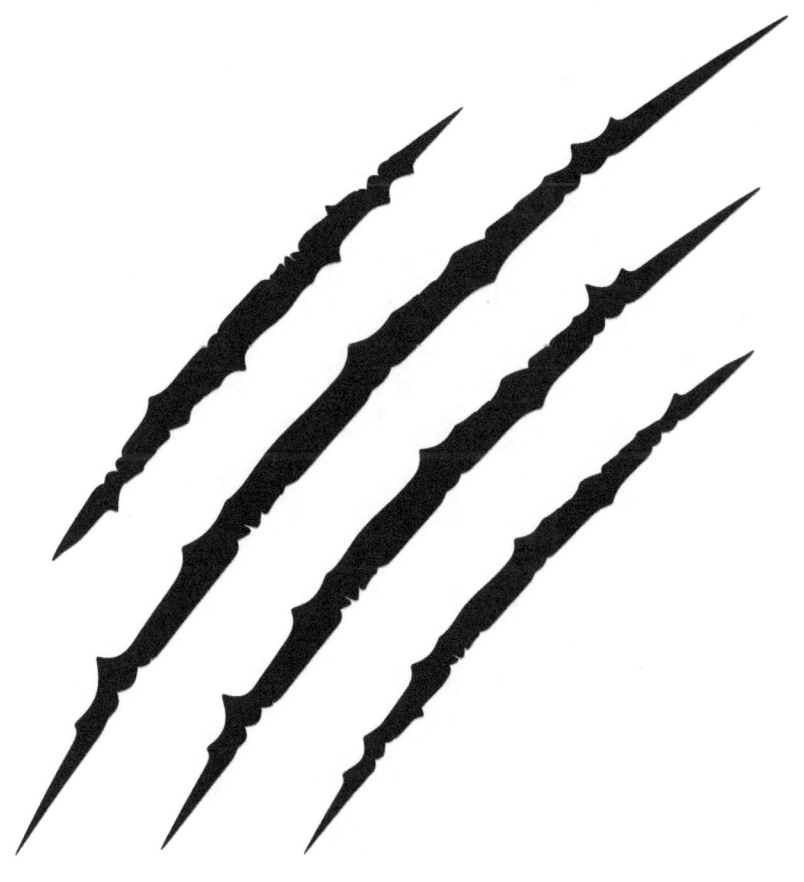

# ANDORRA SEKTOR

## DIE WÖLFE DES X-CLANS

**Katriana Cardona**

Mein Leben endete in dem Moment, als die X-Clan Wölfe
mich fanden.

Mich Bissen.
Mich Verwandelten.
Und mich für ihren Clan beanspruchten.

Meine genetischen Marker kennzeichnen mich als eine
seltene Omega, aber geistig bin ich eine Alpha-Wölfin.
Ich werde mich nicht unterwerfen. Nicht einmal für den
Alpha des Andorra Sektors.

Ander Cain verspricht mir Schutz.
Eine neue Welt voller Vergnügen und Schmerz.
Im Gegenzug will er mich besitzen.

Selbst, wenn es bedeutet, mich mit Gewalt zu nehmen.
Ich soll verdammt sein, wenn ich mich ohne Kampf ergebe.
Ich habe die letzten 20 Jahre damit verbracht, gegen
Zombies zu kämpfen. Diese Wölfe wissen gar nicht, wie
ihnen geschieht, bis ich mit ihnen fertig bin.

**Ander Cain**

Mein Leben begann in dem Moment, als ich sie fand.

Meine süße kleine Gefährtin.

Sie ist die Naturgewalt, die der Andorra Sektor braucht, um uns Hoffnung auf eine Zukunft zu geben. Einen Grund, weiterzumachen und unser Land vor der Zombie-Plage zu schützen.

Doch sie weigert sich, nach unseren Regeln zu spielen.

Geboren in einer Zeit, in der Menschen alles tun, um zu überleben, ist sie nicht an die Rudelhierarchie oder die Gesetze gewöhnt, an die sich unsere Art hält.

Oh, aber sie wird es lernen.

Und ich werde es sehr genießen, derjenige zu sein, der sie schult.

Katriana Cardona kann gegen mich kämpfen, so viel sie will, aber am Ende wird sie mir gehören.

Ob sie sich unterwirft oder nicht.

## Eine Anmerkung der Autorin

Liebe LeserInnen,

Omegaverse ist ein Genre, das manchmal etwas unangenehm sein kann. Es involviert strukturierte Rangordnungen aus Alphas, Betas und Omegas, wo Alphas regieren und alle anderen gehorchen.
Omegas werden als Eigentum angesehen, da sie die Einzigen sind, die sich erfolgreich mit Alphas paaren können, um Kinder zu kreieren.

In Andorra Sektor habe ich das Omegaverse-Genre benutzt, um meine eigene Welt voller Gestaltwandler zu erschaffen. Ich habe mein Omega-Weibchen etwas stärker kreiert, als du bisher wahrscheinlich in anderen Omegaverse-Reihen gelesen hast.

Falls dir fragwürdige Einwilligungen unangenehm sind, solltest du diese Reihe auslassen, denn meine Wölfe glauben an einen kompletten Machtaustausch.

Alphas regieren, und ich gebe ihren Stimmen und Geschichten lediglich ein Publikum …

Willkommen in der Zukunft, wo circa neunzig Prozent der menschlichen Bevölkerung in Zombie-artige Kreaturen verwandelt worden sind, auch bekannt als *die Infizierten*.

Katriana ist eine der wenigen überlebenden Menschen.

Bis Ander Cain sie zu seiner macht …

Viel Spaß,
Lexi

# ANDER

Lieber Mensch,

meine Welt ist anders als deine. Wir haben Regeln. Alphas
führen, Omegas unterwerfen sich und Betas haben Glück,
wenn sie überleben. Wenn Machtaustausch nicht dein Ding
ist, würde ich aufhören zu lesen, aber, wenn du erfahren
willst, wie ich mein Kätzchen zur Vernunft gebracht habe,
lies weiter. Trau dich …

Keine Sorge, sie bietet mir Paroli.

Ander Cain

# KAT

„Was zum Teufel hast du dir dabei gedacht?", fragte ich und duckte mich hinter einer Tanne. Wir waren so aufgeschmissen.

„Halt einfach die Klappe und beweg dich!", schnauzte Maxim und rannte den verschneiten Hügel hinunter.

Mit einem Fluch auf den Lippen sprintete ich ihm, mit Molly und Peter dicht auf meinen Fersen, hinterher. Sie waren genauso wütend wie ich.

Die Wut auf unseren Anführer brodelte wie Lava in meinem Inneren, trug aber dennoch wenig dazu bei, die Kälte der Nachmittagsluft zu vertreiben.

Wir hatten Jack und Serif bereits vor einer Meile verloren, als der Überfall stattfand.

Ich dachte, es sei ein Angriff auf einen Lebensmitteltransport, der für den Andorra Sektor bestimmt war. *Maxim hatte seinen verdammten Verstand verloren*, da war ich mir sicher. Als er behauptete, eine Nahrungsquelle gefunden zu haben, ergriff ich sofort die Gelegenheit, zu helfen. Ich dachte, wir würden *jagen* gehen und nicht ein verdammtes Wolfsrudel bestehlen.

*Wenn wir das überleben, werde ich …*

Ein Schuss hallte durch die Luft und zischte über meine Schulter. Ich sprang aus der Schusslinie und rollte mich zur

Seite, bevor die nächste Kugel an der Stelle einschlug, wo sich vor Kurzem noch mein Kopf befunden hatte.

Dann landete ein riesiger Wolf vor Maxim und schnitt uns den Weg ab. Wir saßen in der Falle.

*Oh, Mist …*

Ich senkte sofort den Kopf, denn ich wusste, dass ich den riesigen Wolf vor uns nicht herausfordern sollte. Er war wahrscheinlich nur ein Beta, aber das würde keine Rolle spielen. Ein Mensch wie ich, hatte keine Chance gegen die Wölfe des Andorra Sektors anzukämpfen.

Den Grund, warum Maxim einen Todeswunsch besaß, kannte ich nicht. Hätte ich gewusst, was er vorhatte, wäre ich ihm nie hierher gefolgt, aber jetzt war es zu spät, um diese Entscheidung zu bereuen.

Molly sank an meiner Seite zu Boden und Peter ging hinter mir in die Knie. Maxim hingegen blieb aufrecht stehen und wirkte wie versteinert. *Dieser Idiot*, dachte ich.

Der Schnee wirbelte um uns herum, während weitere Gestaltwandler in Wolfs- und Menschenform aus dem Wald auf die Lichtung strömten. Aber ich sah nicht auf. Ich hielt meinen Blick auf den Schnee gerichtet, denn ich wollte sie nicht herausfordern.

Wir brauchten schnellstens eine Ausrede. Einen Plan. Etwas, das erklärte, warum wir auf den Truck gesprungen waren, abgesehen vom Offensichtlichen. Es würde nicht gut ankommen, ihnen zu sagen, dass wir ihre Nahrungslieferung für uns beanspruchen wollten.

Winter war immer die schlimmste Jahreszeit um genügend Nahrung zu beschaffen, denn in den Bergen zu leben bedeutete, im Schnee zu versinken. Wir konnten die Sicherheit unserer Städte nicht riskieren, da einfach zu viele Infizierte herumliefen. Wir hielten uns immer in der Nähe von Andorra auf, denn es bot uns eine Art Anschein von Sicherheit. Die Wölfe vertrieben die anderen Raubtiere unserer Welt. Sie waren selbst Raubtiere und mochten es nicht, wenn wir Menschen herumstreunten. Die aktuelle Jahreszeit verringerte unseren Nahrungsvorrat und wir wussten uns nicht anders zu helfen, als jagen zu gehen.

Daher unsere Verzweiflung.

„Na, wen haben wir denn da?", meldete sich eine tiefe Stimme zu Wort.

Ich schluckte, als im Schnee ein Paar Stiefel vor uns auftauchten, die in eine schwarze Jeans übergingen und sich an kräftige, muskulöse Beine schmiegten.

*Eindeutig ein Alpha.*

Das stand außer Frage.

Ich hoffte nur, dass es nicht Ander Cain war. Allein sein Name jagte mir einen gewaltigen Schauer über den Rücken. Ich hatte ihn noch nie gesehen und hatte auch nicht das Bedürfnis, ihm zu begegnen. Sein Ruf, grausam zu sein und mit eiserner Faust zu regieren, war wohlbekannt, selbst bei uns Menschen, die außerhalb der Kuppel lebten.

Die Luft schien elektrisch geladen, als das Rudel begann, uns einzukreisen und ihre Absichten durch Drohungen in aller Deutlichkeit unterstrichen.

Ich schluckte. *Reagiere nicht*, sagte ich mir. *Nicht rennen. Nicht …*

Maxim bewegte sich blitzschnell, aber seine Kleidung wurde vom hellen Sonnenlicht reflektiert, das durch die dichten Wälder drang, und gab seinen Standort preis. Ein Knurren erfüllte die Lichtung, bevor es unnatürlich still wurde.

Molly schrie, als unser ehemaliger Anführer von mehreren Wölfen überrumpelt und zu Boden geworfen wurde. Blutspritzer bedeckten den Schnee und ein Revolver wurde dem Alpha vor die Füße geworfen, als wäre es eine Opfergabe.

*Der Schwachkopf hat versucht, einen von ihnen zu erschießen.*

Ich unterdrückte ein Augenrollen und zwang mich, ruhig zu bleiben, als sich das Gemetzel keine fünf Meter von mir entfernt entfaltete. Molly ergriff meine Hand, wurde aber umgehend von einem knurrenden Mann weggezerrt, der ihr sagte, sie solle die Klappe halten.

Das provozierte Peter.

Noch mehr Reißen, Knurren und Knirschen erfüllte die Lichtung.

Mit gesenktem Kopf blieb ich auf meinen Knien und tat mein Bestes, angesichts der Gewalt um mich herum, nicht zusammenzuzucken. Ja, das waren meine Freunde, die bedroht und angegriffen wurden, aber ich hatte nicht so lange überlebt, um jetzt einem hungrigen Wolfsrudel zum Opfer zu fallen.

Der Alpha trat einen Schritt vor und hob seine Hand, um mit einem Finger durch meine verworrenen, kastanienbraunen Haare zu fahren.

*Einatmen, eins, zwei, drei.*

*Ausatmen, eins, zwei, drei.*

Das Problem war jedoch, dass sein holziger Duft mich mit jedem Einatmen mehr übermannte und mich mein Mantra vergessen ließ. Sein Duft war ungezähmt und überwältigend männlich. Ganz anders als der Duft der Jungs zu Hause.

Er selbst sah aus, als wäre er frisch gebadet. Eine weitere ungewöhnliche Eigenschaft für diese Jahreszeit, denn es war schwierig, sich draußen zu waschen, wenn alle Bäche zugefroren waren. Natürlich schien das für die Bewohner des Andorra Sektor kein Problem zu sein.

„Du scheinst die einzig intelligente Person in deiner Crew zu sein", murmelte er und strich mit einem Finger über mein Kinn. „Sag mir, was ihr vorhattet, und vielleicht lasse ich dich am Leben."

Er kannte unser Ziel bereits. Es war zu offensichtlich, um

es für etwas anderes als Diebstahl zu halten, also hatte ich kein Problem damit, ihm die Wahrheit zu sagen, auch wenn ich sehr bezweifelte, dass er mich tatsächlich am Leben lassen würde.

Aber mitzuspielen war meine einzige Option.

*Es ist besser, es zu versuchen, statt sofort aufzugeben,* dachte ich.

Ich räusperte mich und gestand ihm „Maxim hat uns gesagt, er hätte eine Nahrungsquelle gefunden. Was er nicht erwähnt hat, waren die Besitzer dieser Vorräte. Wir anderen erfuhren zu spät, dass wir einen Nahrungstransport überfallen würden." Die Worte klangen schroffer, als mir lieb war, was vor allem an meinem unangekündigten Sprint durch den Winterwald lag.

„Und wer ist Maxim?"

Ganz langsam zeigte ich in Richtung des blutigen Haufens zu meiner Rechten, an dem sich die Wölfe noch immer labten und sagte mit zitternder Stimme, „Das ist Maxim."

„Ich verstehe." Seine Finger wanderten erneut hinunter zu meinem Kinn, um es zu ergreifen. Er riss meinen Kopf am Kinn nach oben und taxierte, musterte und streichelte mich seinen dunklen Augen von Kopf bis Fuß. „Meine Güte, du bist aber eine Hübsche."

Mein Herz setzte einen Schlag aus, nicht nur wegen seiner Worte, sondern wegen des dunklen Flackerns von Interesse, das in seinem Blick aufblühte. Männliche Wölfe fragten nicht nach Erlaubnis. Sie nahmen sich, was sie wollten, und obwohl sie es normalerweise vorzogen, ihre eigenen Artgenossen zu besteigen, war es nicht ungewöhnlich, dass ein Gestaltwandler sich ein menschliches Haustier nahm.

Er neigte meinen Kopf zu einer Seite und dann zur anderen. „Wie ist dein Name, Mensch?"

Da meine Zunge wie gelähmt war, brauchte ich einen Moment, um zu antworten. „Kat."

„Kat", wiederholte er und kräuselte seine Lippen. „Wie treffend. Du erinnerst mich *tatsächlich* an ein neugieriges Kätzchen." Er warf einen Blick über meinen Kopf, aber ich konnte nicht erkennen, wen er ansah. „Ich mag schnurrende Katzen."

Ein Schmunzeln begleitete seine Bemerkung und die feinen Härchen auf meinen Armen stellten sich auf.

„Steh auf, Miezekatze", forderte er und ließ mein Kinn los. „Ich will dich besser betrachten."

Er streckte mir seine Hand entgegen.

Ich nahm sie nicht und verließ mich stattdessen auf meine eigene Kraft, um aufzustehen.

Das Grinsen auf seinen vollen Lippen verriet mir, dass er es guthieß und meine trotzige Ader amüsant fand. *Vielleicht hätte ich doch seine Hand nehmen sollen …*

„Dreh dich um", wies er mich an und machte eine kreisende Bewegung mit dem Finger, falls ich seinen Befehl nicht verstehen würde.

*Scheißkerl.*

Mit einem Kloß im Hals tat ich, was er verlangte, und bemühte mich, das Gemetzel um mich herum nicht wahrzunehmen.

Aber es war schwer, das vergossene Blut meiner Freunde zu ignorieren.

*Sie sind alle tot, sogar Molly.*

Als sie ihr befohlen hatten, die Klappe zu halten, dachte ich, sie hätte den Anweisungen Folge geleistet, aber nein, sie hatten sie zum Schweigen gebracht.

Für immer …

Ich war völlig allein und von mindestens zwanzig männlichen Wesen umgeben. Wahrscheinlich waren es noch mehr, aber der Rest von ihnen verbarg sich wahrscheinlich im Wald.

Es gab keine Frage bezüglich meines Schicksals. Wenn ich überlebte, dann nicht, weil sie mir erlaubten zu gehen.

Als ich dem Alpha wieder gegenüberstand, brauchte ich einen neuen Plan und beschloss, vorerst mitzuspielen und später zu fliehen, wenn ich einen Ausweg gefunden hatte.

Ich kannte die Wände der Kuppel gut, wusste, wo alle Eingänge und Ausgänge waren, denn ich hatte mein Leben damit verbracht, sie zu meiden. Zum ersten Mal würde ich sie aufsuchen, um dann zu fliehen.

„Hm …" Seine Augen glühten förmlich vor Neugier und etwas Dunklerem, was durch das tiefe Schwarz des Nachthimmels nur noch bedrohlicher wirkte. Etwas, das ein mulmiges Gefühl in mir entfesselte.

Er könnte mich mit einem Hieb töten, und die Intensität, die von seinem Gesichtsausdruck ausging, bestätigte, dass er es in Erwägung zog.

„Du behauptest, Maxim sei der Organisator dieses albernen Angriffs", sagte er nachdenklich. „Zu seinem Nachteil kann er deine Aussage nicht mehr bezeugen." Er trat einen Schritt näher und zwang mich, den Kopf in den Nacken zu legen, um ihn weiter ansehen zu können. „Verrate mir eins, Schätzchen. Von welcher Nahrungsquelle wolltest du stehlen, wenn nicht von einer aus dem Andorra Sektor? Wir sind die einzige Kolonie in einem Radius von über dreihundert Kilometern."

„Wir wussten nicht, dass es eine Lebensmittellieferung war." Ich räusperte mich in der Hoffnung, das Stocken aus meiner Stimme zu verbannen. Es kostete mich große Mühe, seinem Blick standzuhalten. Meine Instinkte drängten mich, mich hinzuknien und meinen Blick auf seine Stiefel zu senken, aber ich wusste, dass er die Wahrheit in meinen Augen erkennen würde. Es war die einzige Möglichkeit, ihn von meiner Unschuld zu überzeugen und am Leben zu bleiben.

Und ich war in der Tat unschuldig.

„Ich dachte, wir würden jagen gehen", fuhr ich mit heiserer Stimme fort. „Ich wusste nicht, dass unser Ziel ein Lieferwagen war, bis wir die Straße erreichten."

Der Alpha betrachtete mich schweigend. Es tat körperlich weh, ihn weiter anzustarren, und mein gesunder Menschenverstand sagte mir, ich sollte meinen Blick senken.

*Er war zu groß.*

*Zu stark.*

*Zu gebieterisch.*

Ich blinzelte und meine Unterlippe begann zu schlottern.

Er sagte nichts und sein Rudel war so tödlich still wie er selbst.

Ich zitterte am ganzen Körper und mein Herzschlag beschleunigte sich.

Ich hielt es keine Sekunde länger aus, bis ein Seufzen über meine Lippen kam und meine Beine nachgaben. Ich ließ mich gehorsam zu Boden sinken und kniete vor ihm.

Meine Knie schmerzten höllisch, als ich auf dem Boden aufprallte, denn meine dünne Jeans schützte meine Haut kaum. Der Geruch von Blut lag in der Luft. Vielleicht war es meins, vielleicht gehörte es aber auch den Toten, die auf der Lichtung massakriert worden waren. Ich war mir nicht sicher, denn mein Verstand war vom Aroma des Alphas wie benebelt.

Ich war kein Wolf, aber ich *spürte* seine Dominanz tief in meiner Seele. Obwohl ich mit seiner Art nicht unvertraut war, war ich doch noch nie einem Gestaltwandler so nah gekommen, geschweige denn einem Clan.

Ich würde mich viel lieber einer Armee von Infizierten stellen. Zumindest wusste ich, wie man sie töten konnte … mit einer Kugel zwischen die Augen.

Der Gestaltwandler stellte ein weitaus größeres Problem dar.

„Du unterwirfst dich sehr gut", lobte der Alpha und streichelte mein Haar. Seine Finger wanderten an meinen Hals hinunter und ich empfand seine Berührung als trügerisch sanft. „Ich muss zugeben, dass ich neugierig bin, die Bilder auf deiner Haut zu erkunden."

Bei diesem Gedanken erschauderte ich und mir wurde *eiskalt.*

Er meinte meine Tattoos. Die Motive schmückten die linke Seite meines Körpers und ich war stolz auf sie. Jedes Stück hatte eine einzigartige Bedeutung, und er strich ausgerechnet über das wichtigste Motiv von allen, das sich an meiner Kehle befand. Es war eine zu Krallen aufblühende Blume, ein Muster, welches meine Mutter kurz vor ihrem Tod gezeichnet hatte.

„Schön, aber tödlich, das ist meine Katriana", hatte sie gesagt. „Es passt zu dir."

„Sollen wir sie behalten?", fragte der Alpha seine Gefolgschaft, während seine Handfläche in einem äußerst dominanten Griff in meinen Nacken glitt. „Ich denke, sie könnte ein nettes, kleines Haustier für unsere Grenzeinheit abgeben und für uns schnurren."

Ein zustimmendes Grummeln begleitete seinen Vorschlag, wovon mir jedes einzelne einen bitterkalten Schauer über den Rücken jagte und mir in der Magengegend ganz flau wurde.

*Spiel mit,* dachte ich. Unter vier Augen hätte ich eine bessere Chance, um meine Freiheit zu betteln, als im Moment, denn ich saß in der Falle.

Ich hatte in den letzten zwei Jahrzehnten meines Lebens gegen viele Kreaturen gekämpft, und obwohl die Infizierten vielleicht nicht so intelligent oder stark waren wie die Wölfe, waren meine Verteidigungsmechanismen in einem Kampf universell.

*Ich kann das schaffen*, schwor ich mir. *Es wird nur …*

Etwas Hartes schlug seitlich gegen meinen Kopf und stieß mich zur Seite.

Meine Sicht verschwamm und Schmerz schoss durch all meine Glieder, bevor mir Schwarz vor Augen wurde.

# ANDER

Elias klopfte einmal, bevor er mein Büro betrat. Ich wusste, dass er es war, denn niemand sonst würde so einen dreisten Schritt wagen, aber mein Vize hatte keine Angst vor mir. Das war genau der Grund, warum er als meine rechte Hand diente.

„Irgendwelche Komplikationen?", fragte ich, ohne von meinem Bildschirm aufzublicken.

Mein bester Freund ließ sich auf die Ledercouch fallen und legte seine Füße auf den Couchtisch, eine Angewohnheit, von der er wusste, dass sie mich maßlos ärgerte. „Ein kleiner Zwischenfall mit ein paar Outsidern."

Ich zog eine Augenbraue hoch und schenkte ihm meine volle Aufmerksamkeit. „Wirklich?"

Er zuckte mit den Schultern und sagte „Es ist mitten im Winter und sie sind am Verhungern. Das beeinträchtigt ihre geistigen Fähigkeiten."

Ihre Verzweiflung war nicht der Teil, der mich überraschte. Mich beschäftigte eher eine andere Frage. „Woher wussten sie von der Lieferung?"

„Das weiß ich noch nicht, aber ich habe ein paar Männer darauf angesetzt", antwortete er und bewies damit seinen Wert als mein Vize. „Die Information müssen aus unseren

Reihen nach außen gedrungen sein, wenn man die Entfernung zu ihrem nächsten Stützpunkt bedenkt."

Ja, denn die Outsider hatten weder die Technologie noch die Mittel, um mit unseren Lieferanten zu kommunizieren.

Diese niederen Kreaturen überlebten nur, weil wir ihnen erlaubten, in den Berghöhlen unseres Territoriums zu existieren. Sie dienten unseren Wölfen gelegentlich als Jagdspaß und waren die erste Verteidigungslinie gegen die Infizierten. Wir konnten ihre Schreie hören, bevor die hirnlosen Monster über uns herfielen, was uns genug Zeit gab, uns zu verteidigen.

Die wandelnden Toten waren ein größeres Ärgernis als alles andere, da der Virus, der nicht auf Wölfe übertragbar war, fast neunzig Prozent der Menschheit in Zombies verwandelt hatte. Ich zog es einfach vor, meine Straßen sauber und unberührt zu halten. Es war schon schwer genug, die Ordnung aufrechtzuerhalten, ohne dass hirnlose Kreaturen hinzukamen.

Ich konzentrierte mich wieder auf meinen Bildschirm und sah mir die technischen Daten von Drake, dem Leiter meines Forschungsteams, an. „Ich nehme an, du hast dich angemessen um die Menschen gekümmert." Es war keine Frage, nur eine Feststellung. Elias wusste, was ich über Outsider dachte. Ihr Nutzen war genau das, *draußen zu bleiben.*

„Wir haben fünf getötet und eine Frau behalten", sagte er.

„Du hast eine Frau behalten?", wiederholte ich blinzelnd und lenkte meine Aufmerksamkeit wieder auf ihn. „Warum zum Teufel solltest du eine behalten?"

„Zwei Worte: unterwürfiger Rotschopf."

Ich rollte mit den Augen. „Verdammt noch mal, Elias." Das Letzte, was wir hier brauchten, war ein weiteres Maul, das wir stopfen müssen.

„Der Arzt untersucht sie gerade, um festzustellen, ob sie

für den Wandel infrage kommt." Er sah auf seine Uhr. „Wahrscheinlich hat er ihr schon eine Injektion gegeben. Ich will sie dann der Grenzpatrouille als Spielzeug überlassen, um sie zu brechen. Betrachte es als ein Geschenk an die Truppe."

„Eines, das du zuerst zu probieren gedenkst", murmelte ich.

„Natürlich." Er grinste. „Willst du sie mit mir einweihen?"

Ich schnaubte. Elias liebte es, seine weiblichen Spielzeuge zu teilen. Es half ihm, etwas von seiner Alpha-Aggression abzulassen. *Wenn das nur bei mir funktionieren würde,* dachte ich. „Sie würde es nicht überleben", gab ich zu bedenken.

„Wahrscheinlich nicht", stimmte er zu und verschränkte die Finger hinter dem Kopf, wobei seine dunkelbraunen Locken einen starken Kontrast zu seiner blassen Haut bildeten. „Aber das ist nur der halbe Spaß."

„Als wir das letzte Mal eine Outsiderin gevögelt haben, ist sie gestorben, bevor wir fertig waren." Das hatte den Moment enorm ruiniert.

„Ja, vor einem Jahrzehnt", spottete er. „Und sie war noch ein Mensch."

„Deshalb ficke ich keine Outsider mehr", erinnerte ich ihn. Sterbliche waren zu zerbrechlich, um meine Bedürfnisse zu befriedigen.

„Und das ist der Grund, warum ich den Arzt gebeten habe, sie zu injizieren", informierte er mich. „Gestaltwandler, sogar brandneue Betas, sind schwerer zu brechen."

Ich lehnte mich in meinem Stuhl zurück. „Du langweilst mich."

„Wo wir gerade von Langeweile sprechen …" Er zog eine Augenbraue hoch. „Hast du die Vereinbarung mit den Ash Wolves schon unterzeichnet?"

Meine Laune verschlechterte sich augenblicklich. Der

Alpha des Shadowlands Sektors verhandelte hart. „Er will zehn Fahrzeuge, für Land und Luft, pro Omega-Weibchen."

Elias pfiff leise. „Scheiße."

„Jap." Ich massierte mir mit der Hand den Nacken und blickte wieder auf meinen Bildschirm. „Drake hat die Details für mich ausgearbeitet. Es wird eine teure Investition werden." Aber es würde meinen Vize von seiner Langeweile heilen und mich bei Laune halten, falls eine von den neuen Omega-Weibchen eine potenzielle Gefährtin wäre.

Ich fuhr mir mit der Hand über mein Gesicht und schüttelte den Kopf. „Er weiß, dass wir keine andere Wahl haben", fügte ich hinzu, unfähig, meine Irritation zu verbergen.

Der Andorra Sektor hatte seit über fünfzig Jahren keine Geburt einer Omega erlebt, trotz der endlosen Tests und Fruchtbarkeitsbehandlungen unserer Forscher. Die wenigen, die wir noch hatten, wurden meist von ihren Alpha-Gefährten in Schutzgefangenschaft gehalten, und leider hatten all ihre Paarungen nur Alpha- und Beta-Nachkommen hervorgebracht.

„Er hat zugestimmt, die biologischen Proben nächste Woche zu schicken", fuhr ich fort, „Er will aber zuerst eine Anzahlung in Form von zehn Fahrzeugen, um zu sehen, ob wir unsere Abmachungen einhalten."

„Und wenn sich die Ash Wolves als inkompatibel mit unserer X-Clan-Genetik erweisen?", fragte Elias.

„Dann haben wir ein Riesenproblem", knurrte ich, denn keiner der X-Clan-Wolfssektoren würde uns eine ihrer wertvollen Omegas zur Paarung zur Verfügung stellen. Nicht einmal mein Vater konnte im Norse Sektor Omegas entbehren.

So blieb mir nichts anderes übrig, als mich mit Dušans Rudel zu arrangieren. Ihre hierarchische Struktur unterschied sich von unserer, aber die allgemeinen Prinzipien galten. Sie hatten Alphas, Betas und Omegas, genau wie wir.

„Kontere ihm", sagte Elias hitzig. „Sag ihm, er soll im Gegenzug für die erste Lieferung von Fahrzeugen eine Omega herschicken. Wir können unsere eigenen Proben nehmen."

Meine Lippen zuckten und ich musste ein Lächeln unterdrücken. „Das steht in der Nachricht, die ich ihm vor dreißig Minuten geschickt habe. Ich warte immer noch auf eine Antwort."

Elias schmunzelte. „Ich wette, er liebte …"

Ein schriller Alarm schnitt ihm das Wort ab und wir kamen gleichzeitig auf unsere Beine.

„Es kommt aus dem Labor", sagte Elias, der bereits auf meine Bürotür zusteuerte.

„Los."

Er brauchte mein Kommando nicht, denn er war schon unterwegs.

Ich überprüfte meine Monitore auf der Suche nach der Quelle des Problems und entdeckte darauf eine zierliche Rothaarige, die nur mit einem Krankenhauskittel bekleidet durch meinen Flur sprintete.

Meine Augenbrauen schossen in die Höhe, als sie zwei Forscher mit einem Skalpell niederschlug. Ihre Fähigkeiten waren bewundernswert für einen Menschen, und dass sie es schaffte, zwei Gestaltwandler zu überwältigen, beeindruckte mich nur noch mehr, aber natürlich war sie keine ausgebildete Kämpferin, wie meine Wachen oder die Grenzpatrouille.

Sie drückte sich mit dem Rücken gegen die Betonwand und spähte um die Ecke, bevor sie ins Blickfeld der nächsten Kamera trat.

Ich verschränkte amüsiert meine Arme. Vielleicht hatte

Elias recht damit, sie brechen zu wollen. Sie brauchte auf jeden Fall etwas Disziplin.

Sie duckte sich in einen Untersuchungsraum, als zwei Wächter auftauchten, was mich zu einem belustigten Schnauben veranlasste. „Schlechter Zug, Kleine." Sie hatte sich selbst in eine Sackgasse gedrängt, aus der sie so leicht nicht entkommen würde.

Ich seufzte. *So viel dazu ... Ich hätte mehr von ihr erwartet.*

Ich wollte mich gerade wieder setzen, als ihr rotes Haar erneut über den Bildschirm flimmerte und Blut spritzte. Sie streckte zwei meiner Offiziere nieder, bevor sie die Schwelle überqueren konnten.

„Oh, Mist", knurrte ich und stützte meine Hände auf der Oberfläche meines Schreibtisches ab.

Sie war schon wieder auf Trab und suchte nach einem Fluchtweg.

Ich verfolgte ihren Fluchtversuch und berechnete, wo sie landen würde, als sie innehielt, um sich an einer Wand abzustützen und sich ihre Handflächen auf den Bauch legte. Ich zoomte heran und suchte nach Anzeichen von Verletzungen. Das Blut auf ihrem Kleid machte es schwer zu erkennen, aber sie schien auf jeden Fall Schmerzen zu haben. Wenn man bedenkt, dass sie es gerade mit zwei männlichen Beta-Wachen aufgenommen hatte, konnte ich verstehen, warum.

Entschlossenheit zeichnete sich auf ihren Gesichtszügen ab, als sie sich erneut auf den Weg machte und mit ihren nackten Füßen den Flur hinunterrannte.

„In Ordnung, Schätzchen. Du hast meine Aufmerksamkeit", sagte ich, stieß mich von meinem Schreibtisch ab und verließ mein Büro. Es gab nur einen Ort, zu dem sie auf ihrem derzeitigen Weg gehen konnte und ich würde sie mit Freude am anderen Ende willkommen heißen.

In das Gerät an meinem Handgelenk sprechend, befahl ich allen, sich zurückzuhalten, auch Elias.

Dieses kleine Biest gehörte mir.

Sie würde noch den Tag bereuen, an dem sie die Aufmerksamkeit des Alphas des Andorra Sektors auf sich gezogen hat.

*Du gehörst jetzt mir, Schätzchen …*

# KAT

*Fünf Minuten zuvor*

IGITT ... Ich hatte keine Ahnung, womit mich dieser Dreckskerl von Alpha geschlagen hatte, aber mein Schädel brummte.

Mich bewusstlos zu schlagen, war auch nicht nötig gewesen. Ich hätte mitgespielt ... Vorübergehend jedenfalls.

Jetzt hatte ich keinen blassen Schimmer, wo ich mich innerhalb der Kuppel befand. Ein steriles Zimmer, in dem es viele medizinische Instrumente gab, die ich nicht kannte. Ich bemerkte, dass sie mich gebadet hatten, da ich tausendmal besser roch als noch vor wenigen Stunden. Ich nahm einen angenehm süßen Geruch wahr, ähnlich wie Obst, und genoss das Gefühl, sauber zu sein. Oder vielleicht war das der Kerl, der mir eine unbekannte Substanz in meine Arme spritzte. Ich nahm an, dass es ein Mann war, der Größe seiner Hände nach zu Urteilen.

Mein medizinischer Folterknecht entfernte sich etwas von mir und das Klirren deutete darauf hin, dass er die Nadel auf das Tablett fallen gelassen hatte. Es kostete mich beträchtliche Anstrengung, ruhig zu bleiben und meine Augen geschlossen zu halten, aber ich wusste, dass der einzige Ausweg in dieser Situation ein Überraschungsmoment war.

Als der Mann sich entfernte, hallten seine Schritte in dem klinischen Raum wider.

Ich hörte etwas, das wie das Öffnen einer Tür klang und das Einrasten des Schlosses bestätigte es mir.

Ich wartete und versuchte zu hören, ob sich noch jemand im Raum aufhielt. Ich hörte nichts, nicht einmal ein Atemzug, außer meinem eigenen.

*Es kann nicht so einfach sein*, dachte ich. Es mussten Kameras auf mich gerichtet sein, oder Wachen vor der Tür stehen, *irgendetwas*, um sicherzustellen, dass ich an Ort und Stelle blieb. Natürlich war ich nur ein einfacher Mensch in ihren Köpfen. Wie könnte ich eine Bedrohung darstellen?

Nun, das sollten sie noch herausfinden.

Ich musterte meine Umgebung und erkannte eine Vielfalt von medizinischen Geräten. Der Raum war andernfalls eher karg ausgestattet. *Wow*, dachte ich. Ich hatte so einen klinisch sauberen Raum noch nie in echt gesehen, nur auf Fotos. Die Medizin in unserer neuen Welt bestand hauptsächlich aus dem Kampf des Überlebens, was eigentlich nur bedeutete, nicht gebissen zu werden, um sich nicht zu infizieren.

Ein Biss genügte, um das Virus zu verbreiten und Menschen in Zombies zu verwandeln.

Es gab Gerüchte über Menschen, die in Laboren nach einem Heilmittel suchten, aber ich lernte vor langer Zeit, dass das nur Märchen waren, die Kindern erzählt wurden, um ihnen Hoffnung zu geben.

Es gab kein Heilmittel.

Nur den Tod.

*Nicht heute*, dachte ich und rollte mich vom Tisch. Meine Glieder protestierten und ließen vermuten, dass ich eine Weile bewusstlos war. Ich verspürte ein Ziehen in meinem Arm, das meine Aufmerksamkeit auf einen Ständer lenkte, an dem ein Beutel hing, an dem ich angeschlossen war. *Aha, eine intravenöse Pumpe*, sagte mir mein Verstand. *Ich schätze, diese Forschungsbücher, die meine Mutter mich als Kind lesen lassen hat, sind endlich nützlich.*

Ich beäugte die Injektionsstelle und zog vorsichtig die große, scharfe Nadel aus meinem Arm. Mit einem Blick in die Runde fand ich einen Verband und ein Pflaster, um die Wunde zu verbinden. Das Letzte, was ich jetzt brauchte, war der Geruch meines Blutes, der die Aufmerksamkeit der Wölfe auf mich lenkte.

*Jetzt musste ich meine Kleidung finden.*

Ich fand meine Klamotten nicht in diesem Raum und nahm zwei scharfe Instrumente vom Tisch, drückte mich mit dem Rücken gegen die Wand neben der Tür und holte tief Luft. *Jetzt oder nie, Kat,* sagte ich mir.

*Los jetzt,* sprach ich mir selbst Mut zu.

Ich öffnete die Tür und zuckte zusammen, als der Alarm im Flur ausgelöst wurde.

*Verdammter Mist,* fluchte ich. Offenbar brauchte man eine Art Code, um hier rauszukommen, ohne das ganze verfluchte Gebäude in Alarmbereitschaft zu versetzten.

Wenigstens gab es keine Wachen … *zumindest noch nicht.*

Ich lief gerade den Flur entlang, als zwei Männer in weißen Kitteln um die Ecke bogen. Ich dachte nicht nach und handelte vollkommen reflexartig.

Mit dem Skalpell schnitt ich in ihre Kehlen und sie versuchten, mit ihren Händen gegen die Wunden zu pressen, um den Blutverlust zu stoppen. Es schien, als wären sie vorerst abgelenkt. Die Schnitte würden sie nicht töten, falls sie Wölfe waren, wie ich annahm. Es würde nur ihre Reaktionszeiten immens verlangsamen.

Ich rannte um sie herum, einen weiteren Korridor hinunter, und drückte mich mit dem Rücken an die Wand.

Dieser Ort war wie ein weißes, helles Labyrinth. Sobald ich einen Ausgang gefunden hatte und den Himmel sehen konnte, würde es mir besser gehen. Die Berge würden mich leiten, denn die Kuppel hatte lediglich Glaswände. Nun, kein echtes Glas. Es war eine verbesserte Technologie, die die Wölfe bei Laune hielt und sie vor äußeren Einflüssen schützte, ihnen aber trotzdem erlaubte, die Landschaft dahinter zu sehen.

*Diese reichen Säcke*, dachte ich.

Ich warf einen Blick um die Ecke und ging einen Schritt den Flur hinunter, der leer erschien. Das Echo von Stiefeln, die auf den Betonboden aufschlugen, drang an meine Ohren und zwang mich, in den nächstgelegenen Raum zu hechten.

Wölfe hatten ein verstärktes Gehör und einen verschärften Geruchssinn, was mein behelfsmäßiges Versteck leicht verraten würde.

Ich hatte vielleicht zwanzig Sekunden Zeit, um mir etwas einfallen zu lassen.

Als ich den Raum mit meinen Augen abtaste, fand ich nur weitere medizinische Geräte. Ich rannte hin und schnappte mir ein weiteres Skalpell und etwas, das wie eine Art Säge aussah, bevor ich mich unter den Untersuchungstisch hockte und abwartete.

Die beiden Gestaltwandler stürmten in den Raum. Ihr Knurren bestärkte mich in meiner Entschlossenheit, zu fliehen und nicht hier zu sterben. *Nicht heute, ihr Wichser*, dachte ich mir. Meine einzige Stärke bestand darin, dass man meine Größe falsch einschätzte. Jeder unterschätzte mich.

Genau wie diese beiden jetzt, die mich ein paar Meter entfernt entdeckten und einen verwirrten Blick austauschten, der sagte, „*Wirklich*, dieser kleine *Mensch* verursacht solche Probleme?"

Was sie nicht erkannten, war, dass ich aufgrund meiner

geringen Größe schnell und wendig war. Es erlaubte mir, zwischen ihnen über den Boden zu gleiten.

Die Säge in meiner linken Hand erwischte die Bänder des Knöchels des einen Kerls, während das Skalpell in meiner rechten Hand die Kniekehle des anderen durchtrennte.

Die großen, bösen Jungs fielen zu Boden, wo ich ihnen meine scharfen Instrumente in die Brust rammte, bevor ich durch die Tür verschwand.

Schnell.

Emotionslos.

Effizient.

Adrenalin pumpte durch meine Adern und trieb mich vorwärts, bis ein gewaltiger Schmerz meinen Unterleib so heftig durchfuhr, dass ich gegen eine Wand knallte.

Ein Stöhnen löste sich von meinen Lippen, sodass ich in mich zusammensackte. Ich untersuchte meinen Bauch, suchte nach Anzeichen für einen Einstich oder eine Wunde, fand aber nichts. „*Was zum* …?" Ich atmete tief durch und zuckte zusammen, als sich der Schmerz verstärkte.

Lag eine Art Abwehrmechanismus in der Luft?

*Ich muss mich bewegen*, dachte ich und zwang mich stolpernd vorwärts zu laufen. *Ignoriere den Schmerz, atme tief durch und renn*, befahl ich mit Nachdruck.

Der Alarm schrillte noch immer über mir, und ich hatte keinen Zweifel, dass noch mehr Wachen die Verfolgung aufnehmen würden.

Es war meine einzige Chance.

Ich hatte meinen Schachzug zu früh durchgeführt. Im Nachhinein betrachtet, hätte ich in dem Raum bleiben sollen, um mir einen besseren Überblick über meine Umgebung zu verschaffen.

Jetzt war es zu spät, um es sich anders zu überlegen.

Ich musste weitergehen. *Jetzt oder nie*, sagte ich mir wieder und drängte mich weiterzulaufen.

Die Alarme erstarben so plötzlich, wie sie begonnen hatten, und ließen mich innehalten. Meine Lippen kräuselten sich. *War ich nicht diejenige, die sie ausgelöst hatte?* Fragte ich mich, während ich den leeren Korridor auf und ab schaute. *Nein, Zufälle gibt es nicht*, dachte ich.

Das bedeutete, dass jemand den Alarm abgestellt haben musste.

*Aber warum?*

Ich kroch vorwärts. Meine Sinne waren geschärft und in höchster Alarmbereitschaft, als ein weiterer unerträglicher Schmerz in mein Inneres stach und mich fast zu Boden sinken ließ.

*Was zum Teufel geschieht mit mir?*

Meine Knie drohten nachzugeben, als ich keuchend nach vorne kippte.

*Das kann nicht … Ich muss …*

Mir wurde Schwarz vor Augen und ich konnte die Welt nur noch verschwommen wahrnehmen.

„*Verdammter Mist*", hauchte ich und zitterte, als ich mich zwang, einen weiteren Schritt nach vorne zu machen, nur um wieder gegen die Wand zu fallen. „Was …?"

„Die Verwandlung hat angefangen", informierte mich eine ruhige, sehr tiefe Stimme. Eisige Kälte überkam mich und ließ mich erstarren. „Du hättest in deinem Zimmer bleiben sollen. Die Infusion hätte den Prozess einfacher gemacht."

Ich zitterte und mein Blick wanderte nach oben, um denjenigen zu sehen, der mich angesprochen hatte. Er entspannte sich, während er sich an die Wand gegenüber von mir lehnte. Ich hatte nicht einmal gehört, wie er sich genähert hatte.

*Eindeutig ein Alpha*, dachte ich.

Und nicht irgendein Alpha, sondern ein erbarmungsloser noch dazu, wenn die Kälte seiner goldenen Augen ein Hinweis dafür war.

Mein Magen hob sich und lenkte meinen Blick zurück auf den Boden, während ich darum kämpfte, aufrecht stehenzubleiben. Laufen war in meinem derzeitigen Zustand keine Option mehr, und schon gar nicht in der Gegenwart dieses Raubtiers, das mir gegenüberstand …

Finger kämmten durch mein Haar und ich bemerkte, dass der Mann sich erneut unbemerkt an mich herangeschlichen hatte. Wärme strömte über meine kalte Haut, als er sich an mich drängte und ich seinen heißen Atem an meinem Hals spürte.

Das Skalpell, das ich immer noch fest in meiner Hand hielt, schoss reflexartig hoch. Er fing mein Handgelenk mit Leichtigkeit ab und zwang mich, die Waffe fallen zu lassen, indem er Druck auf mein Handgelenk ausübte. „Das wirst du bereuen, Kleines."

*Das tat ich bereits.*

Denn jetzt stand ich praktisch mit dem Rücken zur Wand, während schmerzhafte Krämpfe meine Miene verzehrten und meinen Lippen einen Fluch und ein barsches „*Warum?*" entlockten. Er hatte gesagt, dass ich eine Verwandlung durchmachte.

*Was zum Teufel bedeutete das überhaupt?*

*Sie würden nicht …*

Ein gequälter Schrei entrang sich meiner Kehle, als ich zu Boden sackte und meine Eingeweide randalierten.

Knurren ertönte in der Halle, eine Drohung, die der Mann über mir mit seinem eigenen Knurren beantwortete, und dann brach die Hölle los.

Blut.

Schreie.

Heulen.

*Chaos.*

Ich wimmerte und rollte mich zu einer Kugel zusammen, verängstigt und allein. Es tat so weh, als würden sich Feuer und Eis in meinem Blut paaren, während mich ein Strudel von Gefühlen überfiel.

*Schwach.*

*Gebrochen.*

*Atemlos …*

Es fühlte sich an, als würde ich sterben.

Ich hatte schon unzählige Male Schmerzen erlebt, aber nie so etwas. Meine Seele löste sich buchstäblich von meinem Körper und gebar eine neue Form. Nur, dass ich die ganze Zeit menschlicher Gestalt blieb und meine Glieder heftig zitterten.

Wärme umfing mich, was allerdings meine klappernden Zähne kaum beruhigte.

Vibrationen trafen auf meinen Rücken.

Ich fühlte mich schwerelos und erkannte nur vage, dass ich getragen wurde.

Um mich herum erschien alles dunkel.

Worte wurden ausgetauscht, aber ich konnte sie nicht verstehen.

*Forderungen.*

Eine allgemeine Aura des Unglaubens.

Ich versuchte, mich zu konzentrieren und zuzuhören, aber mein Verstand konnte sich nicht über das Gefühl des Unrechts hinaus konzentrieren, das mich verschlang. *Was war in dieser Injektion?* Fragte ich mich wie im Delirium.

*Sie macht die Verwandlung durch …*

*In einen Wolf?*

Oder hatten sie mich infiziert?

Ich schmiegte meinen Kopf an die harte Brust eines überdurchschnittlich heißen Mannes.

*Der Alpha?*

*Wieso?*

Ich versuchte, zu blinzeln, sehnte mich danach ihn zu *sehen*, konnte aber nichts erkennen. Mir war Schwarz vor Augen und meine Umgebung wurde mit jeder verstreichenden Sekunde unschärfer.

Bis alles, was ich hörte, mein eigener Herzschlag war. Ich spürte das Pochen in meinem gesamten Körper.

Bum, bum …

Bum, bum …

*Bum …*

# ANDER

*Hм …*

Ich drückte mein Gesicht in die Halsbeuge der zarten Frau und atmete tief ein. Es fühlte sich so perfekt an, dass ich dachte, der Duft könne mich womöglich *süchtig* machen.

Sie rührte sich nicht in meinen Armen, ihr Körper war vor Erschöpfung gekennzeichnet. Um die chemische Veränderung ihres Blutes zu überleben, brauchte sie Kraft und viel Nährstoffe. Während sie Ersteres offensichtlich besaß, hatte sie den Nachschub der Nährstoffe unterbrochen, als sie die Infusion aus ihrem Arm entfernte.

Sie hatte Glück, dass sie noch lebte, um ehrlich zu sein.

Ich hatte erwartet, sie auf dem Flur sterben zu sehen, bevor ich wahrnahm, wie sich ihr Geruch entfaltete.

Es war wie ein Schlag in die Magengrube. In einem Bruchteil einer Sekunde veränderte sich ihr natürliches Aroma von gewöhnlich zu wunderschön einzigartig. Dieses verführerische Ergebnis verbreitete sich blitzschnell, drang zu jedem verfügbaren Männchen im unterirdischen Labor und lockte sie alle in unsere Richtung.

Wäre ich nicht da gewesen, hätte es für sie katastrophal geendet.

Die Männer hätten sich gegenseitig bekämpft, um sie zu besitzen.

Ein seltenes, *unverpaartes* Omega-Weibchen.

Ich bewunderte dieses Geschenk in meinen Armen, das ich für unmöglich gehalten hatte. Ihre Existenz war ein Wunder. Alle chemisch induzierten Gestaltwandler waren Betas, was einer der Gründe war, weshalb wir Menschen nur selten verwandelten. Wir hatten bereits zu viele Betas.

Aber diese Frau hier trotzte irgendwie der Wissenschaft und verwandelte sich in einen wunderschönen, zierlichen, kleinen Schatz.

Ich kraulte noch einmal ihren Nacken, bestaunte ihre immense Schönheit und konnte ihre Existenz kaum begreifen. Meine Instinkte, mein innerer Wolf, hatten mich gezwungen, ihr Schmerzen zuzufügen. Jetzt brauchte sie Trost, und so gab ich ihn ihr. Das beruhigende Grollen, das von meiner Brust ausging, war der einzige Grund, warum sie fest in meinen Armen schlief.

Sie musste die Wandlung vollenden und ihren Wolf akzeptieren, aber das Schlimmste war überstanden.

Sobald sie aufwachte, würde sie eine neue Version ihres früheren Ichs sein.

Ein Gestaltwandler.

*Meine zukünftige Gefährtin.*

Ich spürte einen Luftzug an meinem Rücken, der alle Härchen auf meinen Armen in Alarmbereitschaft versetzte. „Bist du gekommen, um mich herauszufordern?", fragte ich laut, während ich die Omega in mein Bett legte und sie absichtlich in meinem Duft badete.

Meine Frage wurde mit Schweigen beantwortet und Elias verharrte schweigend auf der Schwelle zu meinem Zimmer.

Man musste kein Gedankenleser sein, um zu wissen, was er dachte.

„Ich weiß, dass du sie gefunden hast", sagte ich und zog ihr mein Laken bis zum Kinn hoch, bevor ich mich umdrehte, „aber ich erhebe Anspruch auf sie."

Ein Muskel zuckte in seinem Kiefer und sein innerer Aufruhr spiegelte sich in den dunklen Tiefen seiner Augen wider.

Er war mein ältester Freund, mein *bester* Freund, aber, er war auch ein Alpha in seinen besten Jahren, genau wie ich. Die Omega lag bereit für die Paarung in meinem Bett. Ich knackte meinen Hals, bereit zu tun, was ich tun musste.

Dieses Weibchen gehörte zu mir. Mein Wolf hatte ihr Schicksal in dem Moment entschieden, als ihr neuer Geruch meine Sinne betörte.

Elias' Pupillen verengten sich, aber er hob seine Hände und ging zwei Schritte zurück. Dann zwei weitere, bis er direkt im Flur stand, der zu meinem Wohnbereich gehörte.

„Gute Wahl", sagte ich und pirschte mich an ihn heran, um in der Tür zu stehen, unfähig, mich weiterzubewegen. „Wie ist ihr Name?", fragte ich. In meiner Eile, sie in Sicherheit zu bringen, war ich nicht in der Lage gewesen, ihre Unterlagen mitzunehmen.

„Kat", spuckte Elias aus, fasste sich in den Nacken und begann zu laufen. „Verdammt! Ich wusste, dass etwas nicht mit ihr stimmt. Ich dachte, es wäre nur ihre temperamentvolle Energie, die mich fasziniert hat, aber jetzt verstehe ich es." Er hielt inne und sah mich mit einer Wildheit an, die für Alpha-Männchen typisch war. „Was ist, wenn es noch mehr gibt, Ander? Was, wenn wir andere verwandeln können?"

„Du weißt genauso gut wie ich, wie selten es ist", erwiderte ich und verschränkte meine Arme. „An wie vielen Menschen haben wir im Laufe der Jahre experimentiert? Alles Betas und die meisten sind wegen unserer schwindenden Rationen tot." Wir konnten sie nicht alle ernähren, nicht mit unserer hohen Lebenserwartung und den Problemen, die die Infizierten uns bereiteten. „Außerdem gibt es kaum noch Menschen."

„Das würdest du nicht sagen, wenn ich sie zuerst beansprucht hätte", konterte er mit einem Knurren. „Du würdest die Küste patrouillieren, nur um mehr von ihnen zu finden und zu überprüfen, ob eine die Kriterien erfüllt."

Er hatte recht, also machte ich mir nicht die Mühe, zu argumentieren.

„Ceres verlangt bereits Proben", fuhr Elias fort. „Der gesamte Rat wird sie genetisch untersuchen wollen, um zu sehen, wie wir mehr verwandeln können. Besonders Artur und Enzo."

Ein Knurren entwich aus meiner Brust als Antwort auf die sehr reale Bedrohung, die in der Luft lag. „Diese zwei alten Säcke können mich mal kreuzweise. Sie werden nicht anfassen, was mir gehört." Wenn sie mir wieder mit einer Revolution drohen sollten, sei es wohl so. Ich würde sie vernichten, so wie ich es bei ihrer letzten Herausforderung getan hatte.

Elias spottete und wischte sich mit der Handfläche über sein Gesicht. „Verdammt, Ander. Scheiße …" Er schüttelte den Kopf und setzte sich wieder in Bewegung. „Artur und Enzo werden dafür plädieren, die Menschen zu testen, anstatt einen Deal mit den Ash Wolves einzugehen, und ich denke, einige andere werden zustimmen."

Das war der Grund, warum ich ihn als meinen Vize eingesetzt hatte. Er lieferte die harten Wahrheiten, die ich brauchte. Aber in dieser Sache weigerte ich mich, nachzugeben. „Ich kümmere mich um sie", sagte ich.

„Ja?", stieß er lachend aus. „Wann? Ich glaube, dass du alle Hände voll zu tun haben wirst." Mit seinem Kinn deutete er, über meine Schultern hinweg, in die Richtung meines Zimmers. „Sie hat zwei Forscher und zwei Wachen ausgeschaltet."

Da ich ihr dabei über die Sicherheitsmonitore zugesehen hatte, gab ich keinen Kommentar ab.

„Mist." Elias schlug gegen die Wand und fluchte erneut. Dann wiederholte er den Hieb mit mehr Intensität.

„Geh eine Runde Laufen", befahl ich ihm.

Er schubste mich zur Seite, tat aber genau das, was ich sagte, rannte aus meiner Suite und ließ die Eingangstür mit einem so lauten Knall zuschlagen, dass die Wände vibrierten. Seine Worte schwirrten in meinem Kopf herum, denn ich wusste, dass jede seiner Aussagen einen Grad an Wahrheit enthielt.

Niemandem gefiel der Deal, den ich mit den Ash Wolves ausgehandelt hatte, obwohl wir dringend mehr Omegas brauchten. Es bestand ein hohes Risiko, dass die Weibchen nicht kompatibel sein würden, weil sie nicht derselben Gestaltwechsler-Rasse entsprachen.

Der einzige Lebenszweck eines Omegas war es, sich mit Alphas fortzupflanzen. Wir konnten uns nicht mit Betas paaren. Sie waren nicht in der Lage, mit unserer Verknotung umzugehen. Wenn die Ash Wolves sich als genetisch zu unterschiedlich erwiesen, wäre der Handel hinfällig.

Und jetzt hatten wir einen weiteren möglichen Weg.

Ich warf einen Blick über meine Schulter auf die schlafende Frau in meinem Bett, deren üppiges, kastanienbraunes Haar über die Kissen gefächert war.

„Gibt es noch mehr von euch?", überlegte ich laut und pirschte mich an sie heran. „Mehr Menschen mit einer Veranlagung zur Unterwerfung und Paarung?"

Mein Handgelenk begann zu zittern und ich wusste, dass sich Ceres, mit einer Welle von Testosteron geladener Erregung näherte.

Ich ignorierte ihn, konzentrierte mich auf mein Ziel und legte meine Stirn in Falten, die verschwanden, als ich wieder anfing, für sie zu summen. Es klang eher wie ein leises Knurren und war im Grunde das wölfische Äquivalent eines

Schnurrens. Wie erwartet, beruhigte es ihre beschleunigten Atemzüge sofort.

*Ihr Körper erkennt bereits ihren Gefährten*, dachte ich lächelnd.

Ihren Willen zu brechen, würde jedoch eine ganz andere Aufgabe.

„Du wirst gegen mich ankämpfen", bestätigte ich mit einem Flüstern und strich ihr eine verirrte Haarsträhne aus dem Gesicht, „aber am Ende werde ich gewinnen." Ich beugte mich herunter und drückte meine Lippen auf ihre Schläfe, bevor ich sie zu ihrem Ohr gleiten ließ. „Ich werde es genießen, dich zu brechen, Kleines."

Ich küsste ihren Hals und spürte ein Verlangen, sie mit meinen Schneidezähnen anzuknabbern. Es wäre so einfach, sie zu nehmen, sie jetzt zu beanspruchen, aber ich wollte sie zum Betteln bringen.

Und das würde sie bald.

Das taten sie immer.

„Am Ende wirst du dich fügen", versprach ich ihr. „Du gehörst mir bereits."

Einem anderen Mann zu erlauben, *meine* Omega zu berühren, war die größte Herausforderung für meine Selbstbeherrschung. Dass Ceres ein Beta-Männchen war, war wahrscheinlich der einzige Grund, warum ich ihm erlaubte, weiterhin zu atmen.

Elias stand knapp hinter der Schwelle im Flur, die Arme vor der Brust verschränkt, und wartete auf ein Urteil.

Er würde es nicht wagen, näherzukommen. Nicht bei der Aufregung und der Last, die meine Schultern tragen mussten. Ich hatte diesen Schwachsinn nur zugelassen, um Enzo zu beschwichtigen. Dieser verdammte Alpha würde sich bald seinen Ausschluss aus der Gemeinschaft der

Gestaltwandler verdienen, wenn er weiterhin meine Führungseigenschaften testen würde. Er hatte es geschafft, die Mehrheitsentscheidung aufrechtzuerhalten, was mich dazu zwang, meine zukünftige Gefährtin diesen Test zu unterziehen.

Ich knurrte, nicht zum ersten Mal, verärgert über die Zurschaustellung von Respektlosigkeit durch meinen Rat. Das war ein weiteres Problem, das ich lösen musste, nachdem ich mich um das Omega-Problem gekümmert hatte.

Irgendwie schaffte Ceres es, eine professionelle Gelassenheit zu bewahren, während er meiner zukünftigen Gefährtin eine weitere Blutprobe abnahm. Ich knurrte tief in meiner Kehle, unzufrieden mit der Vorstellung, dass er ihre Genetik testete, aber das war die Besitzgier meines Wolfes, die zum Vorschein kam.

Das Oberhaupt meines Rudels in mir verstand, dass dies ein bahnbrechender Moment in unserer Forschung war. Wenn dieser Mensch ein Omega-X-Clan-Wolf werden konnte, wie viele andere da draußen könnten dann ähnlich verwandelt werden?

Wir mussten mehr über sie erfahren.

Das war genau der Grund, weshalb ich Elias' geplanten Überfall auf ihr Heim genehmigen würde. Wenn sie Schwestern oder Brüder hatte, wollte ich sie für uns beanspruchen. Die anderen in ihrer Höhle … Nun, ich würde Elias erlauben, sich selbst vor Ort ein Urteil zu bilden. Ich vertraute ihm aus gutem Grund. Als mein Vize hatte er mich noch nie im Stich gelassen, und ich bezweifelte, dass er es jetzt tun würde.

Also gab ich ihm ein subtiles Nicken, bestätigte die Bitte, mit der er gekommen war und gab ihm die Erlaubnis, loszulegen. „Aber ich ziehe den Deal mit den Ash Wolves trotzdem durch. Zumindest vorläufig." Dušan war über mein

Gegenangebot nicht erfreut gewesen, aber Vernunft und Not hatten über seinen Stolz gesiegt, und er hatte kapituliert. „Das Mädchen kommt nächste Woche an", hatte er versprochen.

Zustimmung strahlte in Elias' dunklen Augen. „Du denkst an alle Möglichkeiten. Wie immer."

„An dem Tag, an dem das aufhört, kannst du mich um meinen Rang im Rudel herausfordern."

Er schnaubte. „Als ob ich jemals deinen Job begehren würde."

Meine Lippen kräuselten sich, als ich die Schönheit ansah, die in meinem Bett lag. „Es hat seine Vorteile, in meiner Position zu sein", sagte ich.

„Genauso, wie es Vorteile hat, in meiner zu sein", antwortete er und warf mir einen wissenden Blick zu.

Die Ash-Wölfin, die nächste Woche ankommen würde, würde ihm gehören, vorausgesetzt, sie erfüllte unsere Anforderungen. Ich nickte ihm bestätigend zu.

Seine Lippen kräuselten sich. „Ich werde alles über deine neue Gefährtin herausfinden, was ich kann."

Ich blickte auf sie herab, neugierig auf die Frau namens Kat, die ziemlich geschickt mit einem Skalpell umzugehen schien. „Ja. Tu das." Ich richtete meinen Blick auf die Ärztin, die gerade das Zimmer betrat. „Und ich will bis zum Einbruch der Nacht einen vollständigen Bericht über ihre Blutuntersuchungen." Sie war zwölf Stunden lang bewusstlos gewesen. Das Entfernen ihrer Infusion und die dadurch unterbrochene Zufuhr der Lösung, die in ihre Venen gepumpt wurde, war die Ursache für ihren körperlichen Zustand. Wäre sie nur ein Beta gewesen, hätten wir sie ihrem Schicksal überlassen.

Aber bei einem Omega-Weibchen konnte ich das nicht tun, also hatten wir alle verfügbaren Technologien und Seren eingesetzt, damit sie die Verwandlung überlebte. Sobald sie aufwachte, würde ich ihr falsches Verhalten entsprechend korrigieren und sie eines Besseren belehren, bevor wir da weitermachten, wo wir aufgehört hatten.

Einschließlich der Verwandlung von Mensch zu Wolf.

Und danach könnte ich ihre Bereitschaft zur Paarung auslösen.

Allein der Gedanke daran erregte mich. Ich hatte noch nie eine Omega-Wölfin verwöhnt, aber ich wusste, was sie ertragen konnten, und wusste, was *sie* ertragen würde.

Meine Zukunft hatte noch nie so rosig ausgesehen.

*Wir werden deine Grenzen austesten, Kleines, und dann werde ich dich über jede einzelne hinausbringen. Eine nach der anderen.* Ich strich mit dem Finger über ihre Wange und lächelte.

*Willkommen im Andorra Sektor …*

# KAT

ICH STRECKTE meine Arme über den Kopf und meine Schultergelenke knackten laut, was mich aufschrecken ließ.

Weiß umhüllte mich und erinnerte mich an eine Wolke. Es war zu warm, um Schnee zu sein und ein schwacher Hauch von Kiefernholz umschmeichelte meine Nase.

Ich schnupperte.

Kiefer und ein maskuliner Duft.

*Etwas Gutes …*

Ich drehte mich um, auf der Suche nach diesem faszinierenden Geruch, wollte mehr davon und fand ihn überall um mich herum. Nachdenklich rollte ich mich zusammen und streckte mich wieder, als ich in diesem herrlichen Geruch schwelgte. Ich wollte meine Haut mit dem paradiesischen Duft dieses Bettes benetzen. Ihn in mein Inneres eingravieren.

Mit einem zufriedenen Seufzer lächelte ich zur hohen Decke hinauf und bemerkte die silbernen Balken und eine Glaskuppel, die zu einer anderen führte, die in einem blauen Himmel mündete, und an der Seite zu den Bergen, die mit einer frischen, winterlichen Schneeschicht bedeckt waren.

*Wunderschön.*

Ich hatte mich noch nie so lebendig und zufrieden gefühlt. Es war so ein krasser Gegensatz zu …

Ich schoss mit einem Keuchen hoch.

*Moment mal ...*

Ich blickte mich in dem *zu* modernen Zimmer um und meine träumerischen Vorstellungen verblassten zugunsten der Realität, an die ich mich nicht mehr erinnern konnte.

*Der Lastwagen.*

*Maxim.*

*Umgeben von Wölfen.*

*Ich war in einem Labor aufgewacht.*

*Unerträgliche Schmerzen.*

Ich untersuchte meinen Unterleib nach Anzeichen von Verletzungen, und fand nur eingecremte Haut unter meinen Handflächen. Mein Krankenhauskittel war weg und ich war nur noch mit dem weißen Baumwolllaken bekleidet, mit dem ich zugedeckt worden war.

*Wo bin ich?*, fragte ich mich und versuchte, mich an irgendetwas zu erinnern, das meine Frage beantworten könnte.

Kalte, goldene Augen blitzten in meinen Gedanken auf und erschreckten mich. Ich wankte rückwärts und schlug mit dem Kopf gegen das Kopfteil.

Nein.

*Nein, nein, nein!*

Warum sollte er mich hierher gebracht haben?

Ich nahm die Aussicht nochmal in Augenschein und bemerkte, dass wir uns im höchsten Raum des Turms befanden, der über der Kuppel thronte.

*Ander Cain*, schoss mir in den Kopf.

Die Suite musste ihm gehören. Der ganze verdammte Sektor sowieso, aber dieser Raum insbesondere. „Oh ..." Ich schluckte, zog die Laken notdürftig um mich herum und versuchte aufzustehen.

Nur um gegen das nahe Fenster zu stolpern.

Meine Glieder protestierten und mein Körper krümmte

sich, als ich anfing, heftig zu zittern. *Ich bin zu schwach*, dachte ich gerade, als meine Knie mit einem dumpfen Aufprall auf den weichen Teppich aufschlugen.

Ich rollte mich zu einer Kugel zusammen und mein Magen zog sich unangenehm zusammen, während ein Stöhnen meine Lippen verließ.

Ein dumpfes Geräusch drang an meine Ohren, gefolgt von einem männlichen Geruch, der mein Innerstes zusammenkrampfen ließ. *Das will ich … Oh, das will ich sehr.*

Ich krallte meine Hände in den Teppich, verfluchte diese fremde Stimme in meinem Kopf und hasste die seltsamen Empfindungen, die meinen Körper quälten. Feuer strömte durch meine Adern und schürte die Hitze in meinem Unterbauch, die auf meine Schenkel übergriff.

*Feucht …*

„Was ist mit mir los?", knurrte ich und zitterte unter der Anspannung meines Körpers und etwas anderem, das ich nicht kannte, was sich aber unglaublich heiß anfühlte.

„Dein Wolf will spielen", antwortete eine tiefe Stimme, deren Klang meine Sinne auf die erregendste Weise reizte.

Ich streckte mich ihr entgegen, ohne nachzudenken, und mein Körper unterwarf sich bereits dieser dunklen Macht, die meine Sinne liebkoste. Ein Stöhnen entglitt meinen Lippen, als ich die Quelle meines Verlangens fand. Die Seide seiner Hose verwöhnte meine Finger und verbarg die Muskeln, nach denen ich mich verzweifelt sehnte.

Das Wimmern, das meine Kehle hinaufstieg, blieb zwischen meinen Zähnen stecken, als meine Vernunft zurückkehrte.

*Was tue ich eigentlich?*

Meine Nägel gruben sich in den Stoff, als ich hinauf sah und auf ein Paar amüsierter, goldener Augen traf. „Bettelst du mich bereits an?", fragte er und zog seine dunklen

Augenbrauen fragend hoch. „Und ich dachte, du würdest eine Herausforderung darstellen."

Eis ersetzte das Feuer in meinen Adern und ich kroch einige Meter rückwärts, bis ich mit dem Rücken gegen einem der Fenster knallte. „Was hast du mit mir gemacht?" Die Frage kam gestochen scharf heraus, ganz anders als das Knurren von vorhin.

*Für wie viele Tage war ich ohnmächtig?*

*Warum sieht alles so hell aus?*

*Warum riecht er so verdammt gut?*

Ander hockte vor mir, die Ärmel seines Hemdes bis zu den Ellenbogen hochgekrempelt. „Bist du hungrig, Katriana?"

„Ich …" Mein Magen drehte sich um und löste einen Krampf zwischen meinen Beinen aus, der mich innerlich erregt gegen das Glas stoßen ließ. Ein Stöhnen entglitt meinem Mund, das die Intensität von dem, was sich in meinem Unterleib zusammenbraute, nur noch verstärkte.

Ja, ich war definitiv hungrig.

*Aber nicht auf Nahrung.*

Ich schloss meine Augen und kämpfte gegen das Verlangen an, was mein Körper ohne meine Erlaubnis übermannte.

Es war sein Geruch.

Nein, seine Nähe.

Seine Größe.

Diese stechenden, goldenen Augen.

Volles, schwarzes Haar.

Die breiten Schultern.

Die schmale Taille.

Oh, ich wollte ihn nackt sehen, wollte sehen, wie er sich windend meinen Namen rief, wenn er kam.

Ich runzelte meine Stirn. *Meinen Namen?* Schoss mir durch

den Kopf. *Er kannte meinen Namen?* „Wie?", fragte ich atemlos. „Woher kennst du meinen Namen?" Keiner nannte mich Katriana außer meiner Mutter. Alle anderen wussten, dass ich Kat vorzog.

„Ich hatte drei Tage Zeit, alles über dich zu erfahren, Katriana Cardona", murmelte er, als seine Finger über mein Kinn glitten und mein Gesicht zu ihm zogen. Der raubtierhafter Glanz seiner Augen und die geweiteten Pupillen ließen mir einen Schauer über den Rücken laufen. „Einundzwanzig Jahre alt. Geboren in einer Höhle wie alle Menschen in meiner Region. Aber ich habe gehört, dass du ziemlich geschickt mit einem Bogen umgehen kannst. Davon würde ich mich gerne einmal selbst überzeugen."

„W-wie?", verlangte ich, obwohl meiner Stimme die Kraft zu fehlen schien, die ich ursprünglich beabsichtigt hatte. Die heisere Qualität meines Tons war mir fremd. Genauso, wie die Empfindungen, die sich in mir regten.

„Elias und einige meiner Männer brauchten eine Ablenkung, also habe ich sie losgeschickt, um dein Heim zu erkunden."

Ich setzte mich aufrecht hin. Mein Kinn zuckte von seiner Berührung zurück. „Nein." Ich schüttelte den Kopf. „Nein, sie hatten nichts mit Maxims wahnwitzigen Plan zu tun, euch zu bestehlen. Keiner von uns wusste, dass er vorhatte, euer Essen zu klauen. Ich schwöre es." *Verdammt, wenn dieser Schwachkopf nicht schon tot wäre, würde ich ihn selbst umbringen,* fluchte ich innerlich.

Seinetwegen hatten es die Wölfe auf unsere Familien abgesehen.

Meine war schon tot, aber die anderen … Ich zuckte zusammen und meine Schultern sanken. Sie würden keine Chance gegen ein Rudel wütender Wölfe haben.

Ich war nicht da, um sie zu verteidigen und ihnen zu helfen, denn ich war hier.

Um was zu tun? Nichts als *Schlafen* …

Ander streichelte meine Wange, zog meinen Kopf wieder hoch und musterte meine Augen. „Ist dir bewusst, dass wir als Wölfe eine Lüge wittern können?"

„Wenn das wahr ist, dann weißt du, dass ich die Wahrheit sage."

„Ja. Wie Elias, als er dich nach dem Angriff befragt hat."

*Ah, das war also der Name des dunkeläugigen Alphas. Elias … Er muss als Anders Vize dienen*, vermutete ich. Das war eine fundierte Einschätzung, basierend auf der Kraft, die ich von Elias im Wald gespürt hatte. Er war fast so stark wie Ander, und zusammen wären sie eine Naturgewalt.

*Ja, das sollte man vermeiden*, entschied ich.

Ander legte den Kopf schief. Seine goldenen Augen sahen zu viel und gaben gleichzeitig nichts preis. „Soweit ich weiß, bist du ein Einzelkind."

Sein Themawechsel ließ mich die Stirn runzeln. „Ja, meine Eltern waren nicht besonders darauf erpicht, viel Leben in die Hölle dieser Welt zu bringen." Nicht, dass ich meinen Vater wirklich gekannt hatte. Meine Mutter hatte ihn nur sporadisch erwähnt, meist mit einem wehmütigen Blick in den Augen, bevor sie das Thema auf etwas anderes, meistens auf etwas, das mit dem Training zu tun hatte, lenkte. Sie wollte, dass ich das nötige Rüstzeug hatte, um mit der Grausamkeit unserer Welt fertigzuwerden. Sie behauptete oft, dass es ihre Hauptaufgabe als Mutter sei.

„Ich habe dich erschaffen. Es ist nur fair, dass ich dir beibringe, wie du überlebst", hatte sie oft gesagt.

Unsere Welt war für Menschen mehr als das metaphorische Fegefeuer.

Leben in diese Hölle zu bringen, diente nur dazu, die Kinder zu quälen, von denen die meisten wenig bis gar keine Chance auf ein langfristiges Überleben hatten.

Die meisten meiner Freunde starben in unseren

Teenagerjahren und unsere Eltern hatten Glück, wenn sie bis in ihre Vierziger lebten. Meine Mutter hatte länger als die meisten überlebt und starb im hohen Alter von achtundvierzig Jahren. Für uns war sie eine Art Matriarchin.

Meinen Vater jedoch hatte ich nie kennengelernt …

Anders Hand glitt in meinen Nacken. „Komm. Du musst etwas essen." Er zerrte mich vorwärts und nach oben, ohne mir eine Chance zu geben, selber hochzukommen.

Ich schwankte auf meinen Füßen und blinzelte, als mir schwarze Punkte vor den Augen erschienen. *Es ist zu schnell, viel zu schnell. Oh …*, dachte ich und schüttelte meinen Kopf, als ich versuchte, ihm zu erklären, dass ich mein Gleichgewicht nicht halten konnte, während ich mich an seinem Hemd festhielt.

Hitze strömte von ihm aus und hüllte mich wie in einen warmen Mantel, was mich dazu brachte, mich mit einem Seufzer an ihn anzuschmiegen. *Starker, mächtiger Mann*, dachte ich und drückte meine Nase gegen seine Brust. Seine Größe übertraf meine, sodass ich mich in seinen Armen zierlich und beschützt fühlte.

Bis er mich in seine Arme hob und loslief.

„Hey!", protestierte ich und versuchte, mich aus seinem Griff zu befreien.

*Ach, du meine Güte … Ich bin nackt.*

Ich versuchte vergeblich, das Laken zu greifen, konnte es aber nicht erreichen, da seine Schultern meinen Weg blockierten. Was zum Teufel war in mich gefahren? Seine Anwesenheit überwältigte irgendwie meinen gesunden Menschenverstand und weckte all diese seltsamen Gelüste und Empfindungen, die ich noch nie zuvor erlebt hatte.

„Was hast du mit mir gemacht?", verlangte ich, wobei meine Stimme endlich ihre Entschlossenheit wiederfand. „Lass mich runter!"

Verlangend spitzten sich seine vollen Lippen. „Du machst

mich echt heiß, Schätzchen. Ich schlage vor, du hörst auf, bevor ich dir den Mund mit meinem Sperma stopfe, und nicht mit Essen."

Ich keuchte auf. *Wer zum Teufel sagt so etwas zu jemandem, den er nicht einmal kennt? Und wo wir gerade bei unanständig sind ...* „So etwas werde ich nicht tun." Das Knurren in meinem Tonfall überraschte mich. *Ist das meine Stimme?*

„Oh, das wirst du", antwortete er mit einem Knurren, das meine Schenkel zusammenkrampfen ließ, „und du wirst es genießen."

Unverständliche Worte verließen meinen Mund, weil ich keine Ahnung hatte, was zum Teufel ich dazu sagen sollte, außer „Nein" und ich stoß noch einen Haufen an Flüchen aus.

*Vergiß es, Scheißkerl.*

*Nein, das kannst du vergessen.*

Bildern explodierten in meinem Kopf bei der bloßen Vorstellung, was mich aus einem ganz anderen Grund, den ich kaum verstand, zum Keuchen brachte ...

*Dieser Mann ist potent, intensiv und, oh, so ...*

*Oh je!*

Ich musste dem Kribbeln in meinem Inneren ein Ende bereiten.

Welchen Zauber er auch immer über meinen Körper gelegt hatte, er spielte meinem Schoß einen Streich. Ich konnte mich auf keinen Fall jemals zu Ander Cain hingezogen fühlen. Seine Rücksichtslosigkeit und Überlegenheit waren legendär, und das auf keine bewundernswerte Art und Weise.

Er setzte mich auf einen Stuhl an einem langen Tisch, der sich wohl im Essbereich befand, und sagte: „Iss etwas."

Ein Teller stand vor mir, daneben ein dampfender Becher mit einer braunen Flüssigkeit.

Ich schnupperte an dem Inhalt, bereit, aus Prinzip

abzulehnen, bis mein Magen als Antwort darauf begierig knurrte.

Der trotzige Teil in mir wollte sich gegen seinen Befehl wehren und wenigstens ein Hemd verlangen, aber der klügere Teil erkannte die Vorteile einer Mahlzeit. Ich hatte keine Ahnung, wann ich mir das letzte Mal etwas zu essen gegönnt hatte, und ich war am Verhungern.

So sehr, dass ich nackt auf dem Stuhl zu essen begann, während er mich mit seinen unergründlichen Augen beobachtete. Sein Ausdruck verriet nichts. Seine vollen Lippen waren zusammengepresst und sein Kiefer praktisch aus Stein gemeißelt. Er saß lediglich neben mir am Kopfende des Tisches, die Arme vor sich verschränkt, und schwieg.

Als ich keinen weiteren Bissen mehr herunterbekam, schob ich meinen Teller von mir weg und verschränkte die Arme, um meine Brüste zu bedecken. Er war nicht der erste Mann, der mich nackt sah. In den Sommermonaten badeten wir oft in Gruppen. In der Menge hatten wir mehr Sicherheit.

Aber ich war noch nie auf diese Weise mit einem Mann *alleine* gewesen.

Und ich wurde auch noch nie von einem so genau unter die Lupe genommen. Er schien sich jeden Zentimeter meiner zur Schau gestellten Haut einprägen zu wollen, sogar über den Tisch hinweg. Es gefiel mir nicht, dass ich mich dadurch eher warm und gut fühlte als kalt und schlecht.

„Warum bin ich hier?", fragte ich schließlich.

Er legte den Kopf schief. „Weil ich dich hergebracht habe."

Ich kämpfte gegen den Drang an, mit den Augen rollen zu wollen. Dieser Mann, mit seinen kurzen Antworten und stoischen Kommentaren, fing wirklich an, mir auf die

Nerven zu gehen. „*Warum* hast du mich hierher gebracht?", fragte ich energisch.

„Weil du mir gehörst."

Meine Augenbrauen schossen in die Höhe. „Was?" Ich verstand im Prinzip, dass alle Anwesenden unter dem Dach der Kuppel auf irgendeine Weise zu ihm gehörten, aber die Bemerkung von vorhin, dass ich sein wäre, äh …ich beendete diesen Gedanken nicht.

Meine Wangen fühlten sich ganz heiß an.

*Nein, das wird nicht passieren.*

Ich war nicht damit einverstanden, ihm zu gehören, soweit ich verstanden hatte, was er damit meinte.

„Ich fange an, an deiner Intelligenz zu zweifeln", sagte er langsam. „Oder vielleicht liegt es an deinem Gehör. Ich werde Ceres bitten, das zu überprüfen." Er stieß sich vom Tisch ab und streckte seine massive Hand aus. „Komm mit, Kleines. Du brauchst mehr Ruhe, bevor wir mit der Paarung beginnen."

Mein Mund öffnete, schloss und öffnete sich.

Er wölbte eine Braue. Seine Gesichtszüge verrieten, wie ungeduldig er war. „*Jetzt, Katriana.*"

„Du kannst nicht einfach so etwas sagen und erwarten, dass ich gehorche", schnauzte ich zurück, sprang vom Stuhl auf und ging zur gegenüberliegende Seite des Zimmers.

Seine Pupillen verengten sich. „Sicherlich hast du etwas über die Wolfshierarchie gelernt, da du in der Nähe des Andorra Sektors lebst, oder?"

„Oh, ich bin mir deiner Position an der Spitze durchaus bewusst, *Ander Cain.*" Ich wartete, um zu sehen, ob er meinen Verdacht bezüglich seiner Identität verneinte.

Als er das nicht tat, fügte ich hinzu, „Aber das heißt nicht, dass ich dich respektiere." Ich konnte praktisch hören, wie meine Mutter über meine Dreistigkeit fluchte. Ihre

Vorwürfe, mich eines Besseren belehrt zu haben, lösten einen Alarm in meinem Kopf aus, aber diese Gedanken waren mir in diesem Moment gleichgültig. Ich hatte nicht vor, mich mit diesem Trottel zu paaren.

Er machte einen Schritt nach vorne.

Also machte ich einen zurück.

Glücklicherweise fühlte ich mich nach dem Essen viel besser. Eigentlich fühlte ich mich mehr als gut.

Ich fühlte mich fantastisch.

„Vorsicht, Omega", warnte er mich mit einer tödlichen Schärfe, die mir eine Gänsehaut über die Arme jagte. „Du weckst meinen Raubtiertrieb."

Ich schnaubte. „Du bist ein Gestaltwandler. Das ist dein ständiger Trieb." *Und ein Alpha-Männchen obendrein,* dachte ich. So wie ich es verstanden hatte, wollte er ständig ficken, verstümmeln oder töten.

Der Blick in seinen Augen bestätigte diese Einschätzung, was mich eigentlich hätte erschrecken müssen, aber stattdessen fühlte ich nur einen Fluchtdrang.

Wie alle Männer würde er meine Größe und Fähigkeiten unterschätzen. Die Tatsache, dass ich nackt war, machte meinen Vorteil nur noch größer, denn ich konnte meinen Körper dazu benutzen, ihn abzulenken.

Er verfolgte meine Bewegungen, als ich den Tisch umrundete, und seine Nasenlöcher weiteten sich. „So bedankst du dich bei deinem Beschützer und Gefährten? Indem du ihn herausforderst?"

„Beschützer?", wiederholte ich, ohne den Teil mit dem beabsichtigten Gefährten zu erwähnen. „Du meinst Kidnapper, oder? Ich kann mich nicht erinnern, jemals um deinen *Schutz* gebeten oder freiwillig hierher gekommen zu sein."

„Nein, du warst zu sehr mit Sterben beschäftigt", erwiderte er fast gelangweilt.

„Sterben?" Ich erinnerte mich nur an einen Schmerz in meinem Unterleib, wie ich ihn noch nie erlebt hatte.

Und Ander wollte mir nun sagen, dass ich mitten im …

Meine Augen weiteten sich. „Du hast mich verwandelt", beschuldigte ich ihn lautstark. Hatte er das? Ich blickte auf meine Hände und Arme und stellte fest …

Blitzschnell wurde ich mit dem Rücken gegen eine Wand gepresst, was mich aufschreien ließ. Ich krallte mich an die Hand, die meine Kehle umschloss, und meine Füße traten ins Leere, denn meine Zehen konnten den Boden kaum berühren.

Seine goldenen, leuchtenden Augen hielten meinen Blick gefangen und nahmen mir den Atem. „So geht das nicht …"

Er stieß einen Fluch aus und sein Griff wurde schwächer, bevor mein Knie perfekt mit seiner Leiste zusammenstießen. Ich schlängelte mich zwischen ihm und der Wand hervor und rannte zur Eingangstür.

Oder was ich dafür hielt …

Leider führte sie mich in ein anderes Schlafzimmer.

*Verdammt,* dachte ich.

Ich wirbelte herum und suchte nach dem Ausgang, rannte aber mit dem Kopf voran gegen Anders Brust. Er packte mich an den Hüften und warf mich auf das Bett, bevor er die Tür mit seinem Stiefelabsatz zuknallte.

„In Ordnung, Omega. Ich habe es auf die sanfte Tour versucht, aber ich sehe, dass das bei dir nicht funktionieren wird." Er begann, sein Hemd aufzuknöpfen. „Also lass es uns auf eine andere Art versuchen."

Ich krabbelte rückwärts gegen das Kopfteil. „Warte …"

„Betrachte das als eine Einführung in deinen Platz in unserer Gesellschaft. Ganz unten." Sein Hemd fiel zu Boden und enthüllte einen muskulösen Oberkörper, der sich zusammenzog, als er seine Muskeln anspannte. Er legte seine Hand auf seinen Gürtel und sagte „Spreiz deine Beine wie eine gute, kleine Omega, und vielleicht werde ich nachsichtig sein."

# ANDER

KATRIANA ERSTARRTE. Ihre zierlichen Hände umklammerten die Bettdecke auf beiden Seiten ihrer Hüften. „Ander, bitte …"

„Oh, wir sind über den Punkt des Bettelns hinaus", sagte ich und zog meinen Gürtel durch die Schlaufen. „Spreiz deine Beine, Omega."

Sie tat es nicht, denn ihr Instinkt, zu rebellieren, war zu stark.

Ihr das abzugewöhnen, würde Zeit in Anspruch nehmen.

Zum Glück war ich sehr geduldig.

Ich ließ meinen Ledergürtel auf den Boden fallen und öffnete den Knopf an meiner Hose. „Du wirst feststellen, dass ich mich nicht gerne wiederhole, Katriana." Ihre Augen folgten meinen Bewegungen, als ich den Reißverschluss nach unten zog. „Du wirst gleich lernen, was passiert, wenn eine Omega aus der Reihe tanzt."

Wolfsrudel folgten nicht ohne Grund einer Hierarchie. Alphas waren an der Spitze, Betas mittendrin und Omegas am unteren Ende der Nahrungskette. Omegas waren geschätzte Mitglieder des Rudels, die ihren Alpha-Gefährten gehorchten und von ihnen beschützt wurden.

Katriana war meine Omega.

Mein zu Bestrafen.

Mein zu Ficken.

Mein zu schwängern, und …

Mein zu Beschützen.

Und ich konnte mit Letzterem nicht beginnen, während sie noch wild entschlossen war, meine Befehle zu ignorieren.

Ich zog meine Stiefel und Socken aus und streifte meine Hose ab, sodass ich nur noch in einem Paar Boxershorts vor ihr stand, die viel zu eng für meine wachsende Erregung waren.

Katrianas Augen weiteten sich. „Nein", hauchte sie.

„Du brauchst keine Angst haben. Es wird nicht wehtun", versprach ich ihr. Trotz ihrer zierlichen Taillen waren Omegas so gebaut, dass sie den Schwanz eines Alphas problemlos in sich aufnehmen konnten.

Aber sie schüttelte vehement den Kopf und zog ihre Knie an ihre Brust. „Nein", wiederholte sie mit einem Knurren.

Meine Lippen zuckten amüsiert und ich musste mir ein Schmunzeln verkneifen.

Sie war nicht die Einzige, die solche Laute von sich geben konnte.

Ich entgegnete ihrem Knurren mit meinem eigenen, das besondere Eigenschaften hatte. Es war eine Art Ruf, dem sich eine Omega nicht widersetzen konnte.

Sie zuckte heftig zusammen und die Härchen auf ihrem Armen stellten sich vor Vorfreude auf. „Oh Gott."

„*Ander*", korrigierte ich sie und stützte ein Knie auf die Matratze. „Und das ist erst der Anfang, Schätzchen." Ich ließ ein weiteres Knurren entweichen. Ihre Antwort kam in Form des verlockenden Dufts ihrer Erregung, in dem ich mich vergraben wollte.

Ihre Schenkel krampften sich zusammen, als sich ein Stöhnen von ihren Lippen löste. „W-was? Wie?"

„Du bist eine Omega", murmelte ich und schlich mich

zu ihr aufs Bett. „Meine Omega. Dein Körper wird immer auf meinen Ruf antworten." Ich griff nach ihren Knien. „Jetzt spreiz deine Beine."

Ihre Beine spreizten sich widerstandslos, zeigten mir ihre hübsche rosafarbene Mitte. Mein Schwanz pochte und ich versicherte mich, dass sie bereits so erregt war, dass sie meinen Schwanz brauchte.

*Aber nicht so schnell …*

Ich war stolz auf meine Kontrolle, und obwohl ich meinem Kätzchen eine Lektion erteilen wollte, wusste ich, dass sie in ihrem derzeitigen Zustand nicht mit mir umgehen konnte. Sie musste erst die volle Verwandlung durchmachen, um wirklich ein X-Clan Wolf zu sein.

Dann, *und nur dann*, würde sie bereit sein.

„N-nein", wimmerte sie und versuchte, sich ein wenig wegzubewegen, wobei ihr Kopf taumelte, als ob sie versuchen würde, ihn zu entlasten. „Stopp."

„Du gehörst mir, Katriana." Ich packte sie an ihren Oberschenkeln und zog sie in die Mitte des Bettes, positionierte meinen Mund über ihrem heißen Mittelpunkt und atmete ihren süßen Duft ein. „Mmm, ich habe noch nie eine Omega geschmeckt. Ich werde vielleicht für eine Weile hier unten bleiben."

Sie spannte sich an und ging in den Kampfmodus über.

Ich knurrte noch einmal, direkt gegen ihren Kitzler, woraufhin Katriana aufschrie und ihren Rücken vom Bett abhob.

„Kämpf nicht dagegen an, Kätzchen", sagte ich sanft und streichelte die Locken zwischen ihren Schenkeln. „Dein Körper wurde für mich gemacht. Lass es mich dir zeigen."

Was Bestrafungen anging, gab es weitaus schlimmere Dinge, die ich …

Schlanke Finger wühlten sich durch meine Haare und zogen meinen Kopf unsanft zur Seite. Die Bewegung erwischte mich unvorbereitet und erlaubte Katriana, sich unter meinen Händen zu wenden.

Sie kam nicht weit, denn mein Griff wurde fester, bevor ich sie ganz unter mich zog. Ich sicherte ihre Arme über ihrem Kopf, hielt sie an ihren Handgelenken fest und brachte uns Nase an Nase, während ich meine Hüften zwischen ihren feuchten Schenkeln platzierte.

„Fordere mich weiter heraus, Kleine. Dann wirst du erleben, dass auch ich anders sein kann."

Sie spuckte mir ins Gesicht.

Meine Brauen zogen sich zusammen, als ich zornig sagte. „Das wirst du ablecken."

„Fick dich", knurrte sie und wackelte unter mir herum.

„Nein, Schätzchen. Ich werde *dich* ficken." Mit meiner freien Hand packte ich ihre Kehle, mit der anderen hielt ich ihre Arme über dem Kopf zusammen. „Ich habe es satt, dir die Rudelhierarchie zu erklären. Stattdessen werde ich es dir zeigen."

Schließlich durchdrang ein Hauch von Angst die Luft. Der Duft war berauschend, als er sich mit ihrer wachsenden Erregung vermischte, denn so sehr sie es auch versuchte, sie fühlte sich zu mir hingezogen. Simple Genetik machte uns kompatibel. Der Wolf in ihr sehnte sich nach meinem, so wie sich meiner nach ihrem sehnte.

Sie öffnete den Mund, um zu widersprechen, und ich brachte sie mit einem Kuss zum Schweigen.

Er war nicht angenehm oder sanft, sondern ein dominanter, kraftvoller Kuss, der ihre Unterwerfung forderte. Ihr Protest ging in ein Stöhnen über, was meine innere Bestie ungemein befriedigte.

*So ist es richtig, Kätzchen. Akzeptier mich,* dachte ich.

Ihre Zunge berührte meine zaghaft, liebkoste sie erforschend auf eine feminine Art. Ich ließ es zu, gab ihr ein bisschen Zeit mich zu schmecken, bevor ich die

Führung übernahm und den Rhythmus vorgab, den ich bevorzugte.

Sie wurde feuchter, durchnässte meine Boxershorts und forderte meinen Schwanz auf, zu reagieren.

Hitze stieg in mir auf. Das Bedürfnis, zu nehmen, was mir gehörte, schürte mein inneres Feuer und brachte mich zu Höhen, die ich noch nicht erlebt hatte.

Diese Frau gehörte *mir*.

Ich wollte sie beißen.

Sie in Stücke reißen.

Sie aufspießen.

Mit ihr ein Nest bauen.

Sie zerstören und wieder zusammensetzen.

Ich drückte meinen Schaft in die weiche Haut zwischen ihren Schenkeln, verfluchte den Stoff zwischen uns und riss ihn vor Erregung von meinen Hüften.

Ihre Brüste fühlten sich himmlisch an, als sie sich gegen meinen Oberkörper pressten, und ich spürte ihre kleinen, steifen Nippel, die förmlich nach meinem Mund, meiner Zunge und meinen Zähnen bettelten. Ich gab meinem Instinkt nach, ließ meinen Mund ihren Hals hinunterwandern und prägte mir dabei jeden Zentimeter ihrer zarten Haut ein.

Ich betrachtete all die komplizierten, farbenfrohen Muster auf ihrer Haut.

Eines Tages würde ich von ihr verlangen, mir die Geschichte hinter jedem einzelnen Tattoo zu erzählen.

Aber heute wollte ich einfach nur jeden Zentimeter von ihr mit meiner Zunge erkunden.

Katriana zitterte, als ich einen harten Nippel ihrer Brust in meinen Mund zog, während meine Zähne ihre zarte Haut streiften. Ich ließ ihre Handgelenke und ihre Kehle los, beobachtete sie aber genau auf Anzeichen des Widerstandes. Ihre Lippen trennten sich, um zu stöhnen, ihr Kopf wog hin und her im inneren Kampf zwischen ihrem Geist und ihrem Körper.

Ich wusste, wie der Kampf ausgehen würde.

Wir waren wilde Tiere und die Wölfe in uns steuerten unsere Instinkte, nicht unser menschlicher Hang zum Überdenken.

Sie krallte sich in die Kissen unter ihrem Kopf, als ein Keuchen ihrer Kehle entschlüpfte. Oh, meine Omega hatte Temperament, das musste ich ihr lassen. Selbst jetzt versuchte sie, gegen mich zu kämpfen.

„Du wirst nicht gewinnen", warnte ich sie, als ich weiter nach unten zu meinem eigentlichen Preis glitt. „Du wurdest mein, als du dich dem Lieferwagen genähert hast, Kätzchen. Mein Territorium, meine Regeln. Und ich will dich, also werde ich dich haben. Auf jede Art und Weise. Und wie ich will ..."

Ich schloss meinen Mund um ihre empfindliche kleine Knospe und ihr Rücken hob sich mit einem Schrei von der Bettdecke, der direkt in meine Leistengegend schoss.

„Mmm, das ist es ...", ermutigte ich sie sanft, als ich ihre feuchten Schamlippen betrachtete. „Hör auf deinen Körper. Fühle es einfach."

Sie wimmerte und strampelte unter mir, wölbte sich im Takt mit jeder meiner Liebkosungen. Ein schmeichelhaftes Rosa überzog ihre blassen Gesichtszüge, als ich an ihr leckte und knabberte. Ihre Lust stieg und blühte vor meinen Augen förmlich auf.

*Exquisit*, dachte ich

In dem knappen Jahrhundert meines Daseins hatte ich schon viele Frauen im Rausch der Leidenschaft erlebt, aber keine war so schön wie diese. Katriana besaß eine Wildheit, unterstrichen von Überraschungen, und andererseits eine Reinheit und Unschuld, die meine Seele umso mehr für sie entflammen ließen.

Omegas wurden für Sex gemacht und ich sah den Beweis dafür in der Art und Weise, wie sie jetzt unter mir zusammenbrach. Ihre Ekstase war ein Aphrodisiakum, das den Raum in pure Lust hüllte.

Sie schrie immer wieder auf, ihre Glieder zitterten und ihre Brust hob sich unter der Anstrengung. Ihr Körper war mit Elektrizität aufgeladen und lud die Atmosphäre auf.

Ich zuckte zurück, meine Augenbrauen vor Überraschung hochgezogen.

Sie rollte sich auf die Seite und ihr Stöhnen verwandelte sich in schmerzhafte Laute, als die Verwandlung ihrer zierlichen Gestalt begann. Schrecken erfüllte den Raum, während ihre Gliedmaßen begannen, unter der Veränderung zu zerbrechen.

Ich ging neben dem Bett in die Knie, um uns auf Augenhöhe zu bringen. „Du erzwingst es", knurrte ich irritiert.

Sie hatte ihren Wolf herbeigerufen, etwas, von dem ich vermutete, dass es absichtlich geschah, um die sexuelle Chemie, die sich zwischen uns zusammenbraute, zu zerstören.

*Sturköpfiges Weibchen*, dachte ich.

Ich hätte sie mit einem Befehl zurück in die menschliche Form zwingen können, und ihr Wolf würde gezwungen sein, sich zu fügen. Die Forderung eines Alphas zu ignorieren, nicht nur eine verbale, sondern eine *reale* Forderung, die mit Macht unterstrichen wurde, widersprach unserer Natur.

Es würde ihr höllisch wehtun, die Verwandlung jetzt zu stoppen und sie zu zwingen, sich zurückzuverwandeln, aber die Qualen würden als würdige Strafe für ihre Rebellion dienen.

Nein. Ich würde ihr stattdessen erlauben, sich selbst zu bestrafen.

„Mach, was du willst, Kleine", sagte ich seufzend und

stieß mich vom Bett ab, „aber ich werde dich dabei nicht trösten."

Ich ließ die Tür hinter mir offen und ging in die Küche, um mir ein dringend benötigtes Glas Brandy einzuschenken, das ich in zwei Zügen leerte.

Ihr Winseln ließ mich den Kopf schütteln. „Das hast du dir selbst eingebrockt", sagte ich und schenkte mir ein weiteres Glas ein.

Die erste Verwandlung von Neulingen war angeblich ziemlich quälend, aber sie würde sich irgendwann daran gewöhnen, nachdem sie die Veränderung mehrere Male erlebt hatte. Ein tiefes Schnurren von mir hätte meiner Wunschgefährtin helfen können, aber leider hatte sie diese Hilfe wirklich nicht verdient, obwohl ich sehr viel Geduld bewiesen hatte.

Also stand ich in der Küche und wartete, lauschte ihrem stockenden Atem und ihren leisen Schreien. Das war der Grund, warum ich ihr erlaubte, weiterzumachen. Ihr den Rücken zuzuwenden, würde viel mehr wehtun, und obwohl ich von ihrem Trotz irritiert war, wollte ich nicht die Ursache für ihren Schmerz sein.

Ihr momentanes Leiden war ihre eigene Schuld, nicht meine.

Ich stellte mein Glas zur Seite und drückte einen Knopf auf meiner Uhr, um den kleinen leuchtenden Bildschirm aufzurufen. *Oh, wie sehr sich die Technologie in den letzten hundert Jahren verbessert hat ...*

Der Andorra Sektor beherbergte einige der besten Wissenschaftler der Welt, lange bevor der Zombie-Virus die menschliche Bevölkerung plagte. Unsere Fähigkeit, mit der Erforschung neuer Technologien voranzukommen, war unser Ruhm unter den X-Clan Wölfen und die Kuppel über uns war ein leuchtendes Beispiel. Unser Transportsystem war ein anderes, und intelligente Geräte, wie das an meinem Handgelenk, waren mein Lieblingsfortschritt.

Ich blätterte durch die Bilder, rief meinen Computerbildschirm aus dem Büro auf und begann, meine Nachrichten zu lesen.

Dušan hatte eine Abfahrtszeit festgelegt. *Gut.*

Ich übersprang die Liste bis zu Katrianas Blutbericht, den Ceres bereits ausgewertet hatte.

Meine Augenbrauen wanderten beim Lesen immer höher, bevor ich vom heftigen Knurren meiner Omega unterbrochen wurde.

Ich blickte über meinen kleinen Bildschirm auf den schönen, roten Wolf, der im Eingangsbereich meiner Küche die Zähne fletschte.

„Ja?", fragte ich, da ich wusste, dass sie mich trotz ihrer pelzigen Gestalt sehr gut verstehen konnte. „Möchtest du einen Spiegel, um deine neue Figur zu bewundern?" Denn sie war ziemlich exquisit mit all dem kastanienbraunen Fell, auch wenn es sich aufrichtete, als sie mich offensichtlich herausforderte.

Sie machte einen Schritt nach vorne, ihre Absicht klar.

Der Bildschirm verschwand mit einer Bewegung meines Handgelenks.

Sie wollte meine Aufmerksamkeit? Sie hatte sie …

Ich stellte mich ihr gegenüber und fletschte in ähnlicher Weise meine Zähne. „Du hast heute eine Menge dummer Fehler gemacht, Omega. Ich rate dir dringend, diesen noch einmal zu überdenken."

Ihr Schwanz zuckte vor Aggression und ein Knistern lag in der Luft.

„Versuch es", wagte ich.

Sie war zwar kräftig, aber selbst in Wolfsgestalt hatte sie keine Chance. Sie war nicht nur frisch verwandelt, sie war auch kleiner, und ein Knurren von mir würde sie wimmernd in eine Ecke treiben.

Aber ich würde sie es versuchen lassen, wenn sie sich dann besser fühlen würde.

Ich wich ihrem ersten Angriff aus, dann sprang ich für ihren zweiten auf die Kücheninsel in der Mitte des Raumes und landete geschickt mit meinen Fußballen auf der Marmorplatte. Ich zog eine Augenbraue hoch, als sie gegen die Schränke darunter knallte. „Du wirst dir noch wehtun."

Sie ignorierte mich natürlich und versuchte erneut, nach mir zu springen, was ihr nicht gelang.

„Du bist ein Wolf, keine Katze", erinnerte ich sie.

Ihr darauf folgendes Knurren ließ meine Lippen zucken.

Sie versuchte es noch einmal und fiel auf ihren Hintern.

Ich hockte mich hin und hielt ihren Blick. „Bist du jetzt fertig?" Denn ich konnte nicht zulassen, dass ihre Herausforderung unbeantwortet blieb. Niemand griff einen Alpha an, ohne sich dafür zu verantworten. Besonders nicht *mich*, denn mir gehörte diese verdammte Kuppel aus einem bestimmten Grund.

Sie schnappte nach mir, was mich zum Lächeln brachte.

„Oh, Katriana. Du hast noch so viel zu lernen."

Sie knurrte als Antwort, bevor sie ins Wohnzimmer verschwand und anfing, meine Möbel zu zerfetzen. Ich sprang von der Insel, verschränkte meine Arme und sah zu, wie sie einen Wutanfall bekam.

Dieses Weibchen hatte eindeutig einen Todeswunsch.

Sie begann, in meinem Penthouse herumzulaufen, suchte die Fenster, Türen und Räume ab, eindeutig auf der Suche nach einem Ausgang. Als ob ich ihr erlauben würde, zu gehen … Sie würde nicht weiter als drei Meter aus diesem Gebäude kommen, ohne dass ein Rudel Alphas versuchen würde, sie zu besteigen, ob in Menschengestalt oder nicht.

Ich hatte sie noch nicht beansprucht.

Das machte sie verfügbar und fruchtbar, eine tödliche Kombination für eine Omega.

Mein Handgelenk vibrierte mit einem eingehenden Anruf. Das Hologramm blitzte vor mir auf, als ich ihn annahm. „Ich bin im Moment etwas beschäftigt, Elias."

Wie aufs Stichwort krachte der Sessel in meinem Wohnzimmer zu Boden, und mit ihm eine wütende Wölfin mit der Hälfte eines Kissens im Maul.

Ich drehte den Bildschirm in ihre Richtung, um ihm das Gemetzel zu zeigen.

Er pfiff leise. „Zwing sie einfach, sich zurückzuverwandeln."

„Das ist mir auch schon durch den Kopf gegangen", gab ich zu. Aber trotz ihres kindischen Verhaltens, wollte ich ihr nicht wehtun, zumindest nicht auf diese Weise. „Ist es dringend oder kannst du warten?"

„Ich rufe nur an, weil ich dir das Ergebnis mitteilen wollte. Von den drei Kandidaten, die infrage kamen, hat nur einer den Wechsel überlebt."

„Und?"

„Beta."

Ich nickte. „Das überrascht mich nicht." Besonders nach dem, was ich in Katrianas Blutbericht gelesen hatte. Meine kleine Wölfin hatte einiges von sich verraten.

„Ich auch nicht", erwiderte Elias, „aber die anderen wollen weitersuchen."

Mit „die anderen", das wusste ich, meinte er Enzo und seine fröhliche kleine Schar von Anhängern.

„Halte sie auf." Ich brauchte Zeit, um mich mit den Tests von Ceres zu beschäftigen, und um diese auszuwerten, bevor ich mich an den Alpha-Rat wandte. „Beschäftige sie mit den Vorbereitungen für den Handel mit dem Shadowlands Sektor. Ich will, dass die Kuppel verstärkt wird und für ihre Ankunft bereit ist."

„Verstanden." Er schluckte, als Katriana in den Essbereich kam und alle Teller und Tassen auf den Boden zerrte. „Du wirst ihr den Hintern versohlen, wenn sie fertig ist, oder?"

„Ich werde noch viel mehr tun als das", schwor ich und verengte meine Augen auf die Bedrohung, die mein Penthouse zerstörte.

„Viel Glück."

„Nicht nötig." Ich würde sie sich in meiner Wohnung austoben lassen und dann dafür sorgen, dass es nie wieder passierte.

Ich legte auf, da ich wusste, dass Elias nichts mehr von Bedeutung zu sagen hatte und lehnte mich gegen die Kücheninsel.

Ihr Toben dauerte weitere zwanzig Minuten, was ich beeindruckend fand, wenn man bedachte, wie erschöpft ihr Körper von der Verwandlung gewesen sein musste. Sie begann, langsamer zu werden. Ihre Bewegungen waren nicht mehr so kräftig und ihr Kopf schwankte, als ob ihr schwindelig war.

Sie warf mir immer wieder blitzschnell kurzen Blick zu. Ihre hellblauen Augen zeugten von ihrer Alarmbereitschaft, als ihre Pupillen immer größer wurden. Oh, sie wusste, dass sie in Schwierigkeiten steckte, konnte spüren, dass mein Wolf auf der Lauer lag und darauf wartete, dass sie sich ergab.

Ungefähr zehn Minuten später gaben ihre Beine vor Erschöpfung nach. Sie stieß ein klagendes Geräusch aus, das durch die Wohnung hallte und ihr Körper sackte auf dem Boden zusammen, kurz bevor sie ohnmächtig wurde.

Ich stieß mich mit einem leisen Seufzen von der Wand ab und ging auf sie zu, als sie sich im Schlaf verwandelte.

Lange, kastanienbraune Strähnen schmückten meinen Teppich und ihre Tattoos kamen langsam unter dem Fell zum Vorschein. Die Rückverwandlung in ihren menschlichen Körper ging schneller, weil ihr Geist nicht mehr in der Lage war, sich zu wehren. Nur ihr Körper funktionierte jetzt, was glücklicherweise bedeutete, dass sie nicht leiden musste.

Sobald ihre Verwandlung abgeschlossen war, nahm ich sie in meine Arme und drückte sie an meine Brust. Sie schmiegte sich in meinen Körper, was mich zu einem Grinsen veranlasste. „Ja, du magst mich jetzt, da du ohnmächtig und vergesslich bist", sagte ich und gab ihr das beruhigende Grummeln, von dem ich wusste, dass sie sich danach sehnte, während ich in Richtung meines Schlafzimmers ging. „Aber morgen früh wirst du mich hassen."

Denn diese kleine Show, die sie gerade abgezogen hatte, würde sich auf keinen Fall wiederholen. Das würde ich nicht noch einmal zulassen.

„So eine lästige, kleine Gefährtin", flüsterte ich, legte sie auf mein Bett und holte einen frischen Satz Decken aus dem Wäscheschrank.

Nachdem ich sie damit zugedeckt hatte, küsste ich sie auf die Stirn und streichelte ihren Nacken. „Schlaf gut, Katriana. Du wirst deine Ruhe brauchen für das, was ich morgen für dich geplant habe."

Ihre kurze Zeit des Ungehorsams war nun dabei, ein Ende zu finden.

*Schnell und effizient.*

„Gute Nacht, kleine Gefährtin." Ich machte das Licht aus. „Wir sehen uns morgen früh."

Stille.

# KAT

*STILLE.*

Ein bizarres Konzept, mit dem ich nicht zurechtkam. Um zu überleben, musste ich mich anpassen. Wir reisten und schliefen in Gruppen, aber ich wachte alleine in einem viel zu stillen Zimmer auf, und wusste nicht, wie ich damit umgehen sollte.

Mein neuer Geruchssinn verriet mir, dass Ander nicht weit weg war. Sein Duft lag in der Luft. Unerklärlicherweise hatte er mir einen Moment der Einsamkeit gewährt.

Ich hinterfragte das vorübergehende Geschenk nicht und nutzte es stattdessen, um ein Hemd oder etwas anderes zum Anziehen zu finden.

In seinem Zimmer gab es keinen Stauraum und die beiden Nachttische beherbergten nur Gegenstände, keine Kleidung. Okay, irgendwo musste er ja etwas haben.

Ich schlich auf der Suche nach einem Schrank ins Bad.

Als ich mein Spiegelbild erblickte, zuckte ich zusammen.

„Ach du meine Güte", hauchte ich, als ich mein wildes Haar und das getrocknete Blut an meinen Armen bemerkte. Ich schreckte zusammen, als ich mich daran erinnerte, wie ich mich in Wolfsgestalt zerkratzt hatte, während ich in Anders Wohnzimmer einen Tobsuchtsanfall bekam. Mein Ziel war es, meine Gefühle und dieses immense Verlangen zu verjagen, die eine Reaktionen auf ihn waren. Es hatte mehr oder *weniger* funktioniert, denn ein Teil von mir sehnte sich immer noch nach ihm, und alleine sein Geruch ließ eine neue Welle des Verlangens zwischen meinen Schenkeln aufsteigen. Aber mein Verstand schien wieder in Ordnung zu sein, was ich als einen Triumph ansah.

Seinem Mund nachzugeben, gestern oder wann auch immer das war, war der höchste und gleichzeitig tiefste Moment meines Lebens.

Kein Mann hatte mich je *dort* berührt, und ich hatte es mehr genossen, als ich zugeben wollte.

Weshalb ich auch alles daran hasste.

Er hatte seine Pheromone benutzt, um mich zu verführen. Ein Knurren von ihm brachte meine animalische Seite zum Vorschein.

Ich weigerte mich, das noch einmal geschehen zu lassen.

*Mein Verstand steht über meinem Körper*, sagte ich mir und betrachtete mein Spiegelbild noch einmal. *Okay. Erst baden, dann suche ich die Klamotten.*

Nur … Ich hatte keine Ahnung, wie man das Wasser aufdrehte.

Meine Lippen verzogen sich. *Wie schwer kann das sein?*, fragte ich mich.

Ich hatte Fotos von Duschen in Zeitschriften gesehen und erkannte das Marmorungetüm in der Ecke als den Ort, an dem man sich abspülte. Die Flaschen daneben waren wahrscheinlich Seifen oder Duftstoffe, um die Reinigung zu unterstützen.

*Alles unter Kontrolle. Alles i-*

Das Wasser war glühend heiß, dann zu kalt. Es spritzte links und rechts vorbei, und als ich fertig war, war ich mir ziemlich sicher, dass ich noch Seife in den Haaren hatte. Es fühlte sich klebrig und überhaupt nicht sauber an, aber ein

Blick in den Spiegel sagte mir, dass es mich zumindest vorzeigbarer machte.

Das Wasser tropfte über den ganzen verdammten Boden. Ich schnappte mir ein kleines Tuch, das neben dem Waschbecken hing, und begann, mich trocken zu tupfen. Die Schubladen hatten alle unbekannte Dinge in sich, also versuchte ich es mit einer Schranktür auf der linken Seite. „Oh …" Ich schnappte mir ein viel größeres Handtuch und wickelte mich in dem plüschigen Stoff ein.

Es wärmte meine Haut und ließ mich zufrieden seufzen. Daran konnte ich mich echt gewöhnen … Nur müsste ich dafür hierbleiben, was ich auf keinen Fall tun wollte.

*Klamotten*, erinnerte ich mich und schob mich durch eine Tür, die zum Jackpot führte.

Anzüge.

Jeans.

Hemden.

Mäntel.

Stiefel.

Alle waren männlich und gehörten Ander, dem Geruch nach zu urteilen. Mein Magen verdrehte sich bei der Vertrautheit, aber meine Oberschenkel verkrampften sich, um dem unbekannten Gefühl entgegenzuwirken.

Diese Reaktion auf ihn musste aufhören, und es gab nur einen Weg, das zu erreichen. Ich musste meine Flucht planen. Es wäre hilfreich, etwas anderes zu tragen als ein Handtuch. Es könnte ein Vorteil sein, seine Kleidung zu tragen und wie er zu riechen. Wenn ich mehrere Schichten trug, würde ich auch größer wirken.

Ich sah mir die Auswahl an und katalogisierte geistig die Teile, die funktionieren würden. Seine Schuhe kamen nicht infrage, aber ich könnte in dicken Socken laufen.

*Das wird funktionieren,* sagte ich mir. *Jetzt muss ich nur noch einen Weg finden, hier herauszukommen.*

Ich tauschte mein Handtuch gegen ein Hemd, das mir bis zu den Knien reichte, und kämmte dann mein Haar mit einer Bürste aus einer der Schubladen aus. So gut hatte ich noch nie ausgesehen. Da ich ihn nicht noch mehr auf mich aufmerksam machen wollte, als ich es ohnehin schon getan hatte, beschloss ich, dass mein Aussehen ausreichend war, und schlenderte zum Wohnbereich. Zu meinem völligen Schock war dieser nicht nur sauber, sondern auch mit nagelneuen Möbeln bestückt.

*Verdammt noch mal, wie lange hatte ich geschlafen?* Ernsthaft, ich hatte in dieser Wohnung länger geschlafen als im ganzen letzten Monat. Wenigstens fühlte ich mich ausgeruht … Nein, ich fühlte mich besser als ausgeruht. Ich fühlte mich lebendig. Kraftvoll.

Der Andorra Sektor hatte mich in einen X-Clan Wolf verwandelt.

Ich war ein Gestaltwandler.

Ein …

„Omega." Anders tiefe Stimme dröhnte aus der Ecke seines Wohnbereichs bis zu mir. Er glich einem König in seinem Sessel, die Beine gespreizt und seine massiven Unterarme auf die Oberschenkel gestützt. Sein Gesichtsausdruck war nicht zu erkennen, aber ich spürte seine unterschwellige Aggression, Wut und tiefe Enttäuschung.

Es ließ meine Knie erzittern und mein Herz in meiner Brust hüpfen.

Ich hatte ihn ernsthaft verärgert, was gestern mein Ziel war, aber heute bereute ich diese Entscheidung ein wenig.

Er drängte mich weiter und knurrte, während seine Augen jeden Zentimeter meiner Haut streichelten. Mein Körper nahm mir immer wieder die Entscheidung ab, seine Angebote zu ertragen und zu genießen, während mein Verstand bei jedem Schritt protestierte.

Ich hatte noch nie einem Mann erlaubt, mich zu berühren, geschweige denn zu *ficken*. Auch wenn er dachte, er würde da unten reinpassen, wusste ich, dass er es nicht würde. Nicht, nachdem ich seine Größe in diesen viel zu engen Boxershorts gesehen hatte – ein Bild, das sich für immer in meinem Kopf festgesetzt hatte, denn *wow* …

Ich erschauderte und versuchte, meine wirren Gedanken zu disziplinieren, um das aufzuhalten, was noch kommen würde. Ich wollte mich nicht zu ihm hingezogen fühlen, oder seine Gefährtin sein, oder hier sein.

Doch niemand ließ mir eine Wahl, und mein Körper schien wild entschlossen, das Thema zu erzwingen. Selbst jetzt wollte ich knien, zu ihm kriechen und um Vergebung bitten. Es kostete mich körperliche Anstrengung, aufrecht zu bleiben und seinem mächtigen Blick standzuhalten.

„Mich herauszufordern, ist ein Fehler, Kleines."

„Nein. Mich gefangenzunehmen, war der Fehler. Ich bin nicht die Art von Frau, die Fersengeld gibt, nicht einmal vor dir." Ich verschränkte meine Arme und bemühte mich um Selbstvertrauen, während mein Inneres unter dem Gewicht seines Blickes zu Kitt wurde. Der Mann war stark. Dominanz strahlte aus seinen Poren und erstickte den Raum, aber ich konnte nicht zulassen, dass das so weiterging. Er musste verstehen, dass ich mich nicht unterwerfen würde, selbst wenn sein Knurren und seine Zunge verruchte Dinge mit meinem Unterleib anstellten.

Er stieß sich vom Stuhl ab und ich bemerkte seine einschüchternde seine Größe, die neben meinen 1,70 Metern riesig erschienen. Dieser Mann war über einen Meter größer als ich, und ich wollte nicht einmal an die Breite seiner Schultern denken. Er hatte kein Gramm Fett, nur straffe, harte, maskuline Muskeln, und dennoch bewegte er sich anmutig auf mich zu, ohne ein einziges Geräusch zu machen.

„Es gibt eine Angelegenheit, die meine Aufmerksamkeit erfordert", sagte er und klemmte mein Kinn zwischen Zeigefinger und Daumen. „Wenn ich zurückkomme, werden wir eine Diskussion über die Hierarchie im Wolfsrudel führen. Du wirst bei diesem Gespräch nackt sein und meine Handfläche wird Bekanntschaft mit deinem Allerwertesten machen. Wenn wir fertig sind, wirst du wissen, was ich dulden werde und was nicht."

Ich starrte stumm zu ihm hoch. Wenn er dachte, ich würde seine Handfläche auch nur in die Nähe …

Mein Körper zuckte, als er meinen Hintern berührte. „Du wirst mit einem einfachen ‚Ja Meister' zustimmen."

„Fick dich", sagte ich stattdessen.

Sein Griff um mein Kinn wurde fester. „Du hast Glück, dass ich ein Meeting habe, sonst würde ich dich jetzt übers Knie legen und dir den Arsch versohlen."

„Ich bin kein Kind", fauchte ich.

„Dein Verhalten sagt etwas anderes", konterte er, ließ mich so schnell los, wie er mich eingefangen hatte, drehte mich dann zum Sofa und schob mich über die Lehne, um meinen Hintern zu präsentieren. Prompt hob er das Hemd an und entblößte mein Hinterteil und so ziemlich alles andere für seine Augen.

„Das kannst du nicht machen!" Ich zappelte und versuchte, mich aus der unterlegenen Position zu bewegen, aber seine Handfläche auf meinem Rücken hielt mich an Ort und Stelle, während er seine Oberschenkel benutzte, um meine Beine gegen die Rückseite der Couch zu klemmen. „Lass mich los!"

Ein scharfes Zwicken biss in meinen Po und ließ mich erstarren.

*Was zum Teufel …?*

Es war zu dünn und zu schnell, um von seinen Zähnen zu kommen.

*Eine Nadel*, erkannte ich und verglich es mit den Stichen von neulich. „Was hast du gerade getan?", verlangte ich, als er zurücktrat. Was auch immer er mir gespritzt hatte, war schon verschwunden, und seine Hände steckten bereits in den Taschen seiner Anzugshose.

„Betrachte es als eine Einführung in dein Schicksal", antwortete er kryptisch und ging zur Tür. „Riley ist auf dem Weg, um die Aufsicht zu übernehmen. Sei nett zu ihr, oder ich lasse Jonas mit dir verhandeln."

Mit diesen Abschiedsworten ging er.

Ich rannte ihm hinterher, gerade rechtzeitig, um die Tür zuschlagen zu sehen.

Kein Schloss.

Kein Code.

Nur ein normaler Ausgang.

So einfach konnte es nicht sein.

Nachdem ich langsam bis fünfhundert gezählt hatte, verfolgte ich seine Schritte und drückte sanft die Klinke herunter, um auf der anderen Seite eine Metalltür vorzufinden.

*Besser als Ander zu sehen*, dachte ich. Ich wartete noch einen Moment.

Ich schlich in den Korridor und beobachtete den Ausgang. Kein Griff oder Scharnier, Es schien wie eine Schiebetür … *Ein Aufzug*, erkannte ich ehrfürchtig. Ich hatte davon gelesen, aber noch nie einen gesehen.

*Wie funktioniert er also?*

Ich entdeckte eine Tafel an der Seite und sah mir die Pfeiltasten an. Sicherlich war „Abwärts" zu offensichtlich. Hm … Es musste einen anderen Weg geben, vielleicht eine Treppe, die es mir erlaubte, diesen Turm auf eine unbekannte Weise zu verlassen.

Ein blinkendes Licht erschien über den Türen, gefolgt von einem Klingeln, als sich das Metall zu öffnen begann.

*Verdammt!* Ich sprintete zurück zur Haupttür, aber nicht schnell genug.

„Du musst Katriana sein", murmelte eine weibliche Stimme, deren süßer Duft den Flur vernebelte und mich zu einem Knurren veranlasste, bevor ich mich überhaupt umdrehte. „Ich bin Riley", fügte sie hinzu.

Klein.

Leuchtend blaues Haar.

Blasse Haut.

Kurvig.

Lächelnd.

Ich erwiderte die einladende Geste nicht und starrte sie stattdessen an. „Ich brauche keinen Babysitter." Ander hatte sie als Betreuerin bezeichnet, aber ich wusste, was er wirklich meinte.

Sie lachte, der Klang zu fröhlich für die Situation. „Gut, dass ich keine Lust auf Babysitten habe. Wie wäre es, wenn wir uns einfach unterhalten? Ich denke, du wirst feststellen, dass wir eine Menge gemeinsam haben."

Ich beäugte das Kleid, das mit ihren Waden kokettierte, und die zierlichen Schuhe an ihren Füßen. „Irgendwie bezweifle ich das."

„Der Schein kann trügen."

„Ohne Mist." Ich drehte mich um und schlenderte zurück ins Penthouse.

Ander war weg, was mir eine Gelegenheit bot, die ich vielleicht nie wieder bekommen würde. Diese Tussi würde leicht zu überwältigen sein, aber vielleicht konnte ich sie zuerst austricksen, um mehr über den Ausgang zu erfahren. Wahrscheinlich kannte sie den Code für den Aufzug, da sie ihn benutzt hatte, um herzukommen.

In meinem Kopf bildete sich schnell ein Plan. Er war nicht perfekt, aber ich hatte keine Zeit, um alle Ecken und Kanten zu verbessern.

Ander wollte mir später eine Lektion erteilen, und ich hatte nicht die Absicht, hier zu sein. Ich wollte keine weitere Spritze in meinen Arsch.

*Was war das?*, fragte ich mich wieder und rieb mir die geschundene Pobacke. Ich fühlte mich nicht anders und es hatte nur ein bisschen gezwickt.

Ich würde es später herausfinden müssen.

Erst die Flucht.

Danach die Fragen.

Ich drehte mich um, um Smalltalk mit der Tussi zu machen, die es sich in Anders Wohnung gemütlich gemacht hatte. Mein innerer Wolf wollte sie anknurren, weil sie so vertraut mit dem Alpha war, aber ich schluckte diesen Instinkt hinunter. Wen interessierte es, ob er andere Frauen fickte? Ich hatte nicht vor, in seiner Nähe zu bleiben, also konnte er machen, was er wollte.

„Hier", sagte Riley und reichte mir einen Becher. „Genieß das. Ich werde in der Zwischenzeit etwas zu Essen vorbereiten, dann können wir uns unterhalten."

So sehr ich auch diese Show auf die Beine stellen wollte, wusste ich, dass Essen wahrscheinlich keine schlechte Idee war. Ausgeruht und gesättigt könnte ich schnell und weit laufen. Und vielleicht könnte ich ein paar Details aus ihr herausbekommen, während sie in der Küche die Mahlzeit zubereitete.

„Okay." Ich setzte mich auf einen Hocker am Tresen mit Blick auf den Essbereich.

Riley durchwühlte den Kühlschrank, ein weiterer Gegenstand, den ich bis zu dieser Woche nur in Büchern gesehen hatte und holte mehrere schmackhafte Fleischwürfel heraus.

Mir blieb der Mund offen stehen.

„Was ist das?", fragte ich, als mir das Wasser im Munde zusammenlief.

„Steaks. Naja … in Würfel geschnittenes Rind. Sie sind normalerweise lang und dick statt mundgerecht." Sie ließ sie auf den Tresen fallen und ging wieder auf die Suche. „Ander bezieht einige der besten Produkte aus den Anbaugebieten. Wir tauschen Gesundheitsprodukte und Technologie gegen Nahrung." Sie fügte dem Stapel einige Gemüsesorten hinzu, die ich kannte, die aber viel essbarer aussahen als die, mit denen ich aufgewachsen war.

Meine Augen wurden mit jedem hinzugefügten Stück runder.

Obwohl ich mir gestern das Essen von Ander gegönnt hatte, hatte ich die Fülle des Essens nicht wirklich registriert. Jetzt, da ich mich besser fühlte, zumindest körperlich, konnte ich die Qualität *riechen*.

„Wow", sagte ich ehrfürchtig.

Riley blickte mit hellblauen Augen zu mir auf, die zu ihren leuchtenden Haaren passten. „Es gibt Vorteile, wenn man Anders Wunschgefährtin ist."

Und schon war mein Appetit weg.

Es mochte Vorteile geben, wie sie sagte, aber ich würde nicht hierbleiben, um sie zu genießen.

Ich nahm meine Tasse und ging in den Wohnbereich, womit unser Gespräch beendet war. Oh, ich würde essen, was immer sie mir gab, und dann würde ich mich auf den Weg machen.

Mit ihrer Hilfe oder ohne.

# ANDER

„W<small>IE LANGE WIRD ES DAUERN</small>, bis es wirkt?", fragte ich und ließ die leere Spritze auf Ceres' Schreibtisch fallen.

Er hob den Gegenstand auf und warf ihn in eine nahegelegene rote Box. „Bei ihrem derzeitigen Hormonspiegel würde ich ihr höchstens fünf oder sechs Stunden geben."

„Dann sollte dieses Treffen besser in weniger als drei Stunden beendet sein", sagte ich zu Elias, der draußen im Flur auf mich wartete.

„Gib dem Rat, was sie wollen, und dann sollte es keine Probleme geben."

Ich schnaubte, ging an ihm vorbei und wies ihm den Weg zu unserem Treffen. „Enzo und seine idiotischen Welpen wollen einen Haufen Menschenweibchen zusammentreiben, sie ficken und sehen, was später mit dem Nachwuchs passiert. Habt ihr eine Ahnung, wie viele Ressourcen das vergeuden wird?"

Es würde achtzehn bis zwanzig Jahre dauern, bis jedes Experiment für die Veränderung brauchbar wäre, und die meisten, wenn nicht alle, würden sich als Betas entpuppen.

Mein Vize packte mich am Arm und hielt mich auf, bevor ich den Aufzug erreichen konnte, der zum Konferenzbereich führte. „Du bist verzweifelt, Ander." Sanfte Worte, die nur für meine Ohren bestimmt waren. Selbst mit einem Wolfsgehör hätte niemand sonst die vertrauliche Aussage gehört.

„Ich weiß und ich habe eine potenzielle Lösung, die viel schneller ist, als einen Haufen Menschen für Experimente zusammenzutrommeln", erinnerte ich ihn im gleichen Ton.

Die meisten der Alphas waren bereits einverstanden, aber Enzo und Artur jammerten darüber, dass die Ash Wolves kein akzeptabler Ersatz waren. Nur X-Clan Omegas würden sich in ihren Augen jemals für eine Paarung qualifizieren. Sie bevorzugten die alte Welt, vor der Infektion, und weigerten sich, sich anzupassen.

Das würde eines Tages ihr Tod sein.

Wahrscheinlich durch meine Hand.

Elias nickte. „Erklär es so und sie werden zustimmender sein. Du musst bereit sein, Kompromisse einzugehen."

Das war ich bereits. Ich wusste, wie dieser Rat funktionierte. Und ich war nicht ohne Grund ihr Anführer. „Ich weiß, was ich tun muss." Es ging nur darum, der Opposition das Gegenteil zu beweisen, und ich hatte einen Vorschlag in der Hinterhand, den keiner von ihnen widerlegen könnte. Es sei denn, Enzo und Artur wollten von ihrem Argument abrücken.

In diesem Fall würden sie den Respekt ihrer Untergebenen verlieren.

*Schachmatt,* dachte ich mit einem inneren Grinsen.

Elias ließ mich los und sein Kinn sank als Zeichen des Vertrauens. „Dann lasst uns loslegen. In ein paar Stunden hast du eine Gefährtin, die du ficken und beanspruchen kannst."

„Vorausgesetzt, das Serum funktioniert", murmelte ich und drückte den Code für die untere Etage. Katrianas menschliche Gewohnheiten setzten sich über ihren

Wolfsverstand hinweg. Sobald sie sich mit ihrer Position im Rudel abgefunden hatte, würde sie viel angenehmer sein.

Omegas wurden geschätzt und verehrt. Sie waren die Beschützer unserer Kinder und die einzigen, die zu einer echten Paarung mit einem Alpha fähig waren. Gegen unsere Chemie anzukämpfen, war zwecklos, und die Spritze, die ich ihr verabreicht hatte, bevor ich ging, würde ihr helfen, das zu verstehen.

Sobald ich dieses Treffen beendet hatte, würde ich zurückkehren, eine kleine Diskussion über die Hierarchie führen und dann warten, dass ihre Brunst einsetzt. Ihr den Hintern zu versohlen, würde nur als erregendes Vorspiel dienen, bevor unsere Instinkte die Kontrolle übernahmen. Sie würde jeden Moment genießen, sobald es mir gelänge, ihre aufmüpfige Schale zu durchbrechen.

Ich war gestern Abend nachsichtig gewesen, weil sie aus einer anderen Lebensform kam, aber je eher sie ihrer wahren Wolfsnatur erlaubte, zu herrschen, desto eher konnten wir unsere unvermeidliche Paarung vollziehen.

Und ich musste sie einfordern.

Vor allem, bevor jemand vom Rat beschloss, sie mir streitig zu machen. Es gab bereits Gerüchte darüber, und ihre Laborergebnisse machten die Sache nur noch schlimmer.

Katriana wurde nicht nur durch Wissenschaft in einen Wolf verwandelt. Die Markierungen für Lykanthropie waren bereits in ihrem Blut vorhanden. Sie wurde mit einem Omega-Gen geboren, das unser Serum während ihrer Verwandlung verstärkt und entfesselt hatte. Es machte sie noch würdiger, meine Gefährtin zu sein, denn es bedeutete, dass eines ihrer Elternteile ein Wolf war.

Leider erhöhte diese Enthüllung auch ihre Anziehungskraft auf alle anderen Alphas.

Die Omega Ash Wolves würden auch anziehend wirken, aber sie waren keine X-Clan Wölfe.

Katriana war eine X-Clan Omega.

Das hob sie von den anderen ab und machte sie zu einem Preis, den alle begehrten.

*Meins*, dachte ich, als ich aus dem Aufzug in Richtung Konferenzraum trat.

*Katriana Cardona gehört mir.*

# KAT

„ICH HABE FRÜHER MIT MENSCHEN GELEBT", sagte Riley, nachdem wir gegessen hatten. „Damals, vor der Infektion, meine ich." Ihre Lippen kräuselten sich nach unten. „Ich kann also verstehen, dass das alles für dich schwer zu akzeptieren ist. Ich selbst konnte es damals nicht so hinnehmen, und ich bin als Omega aufgewachsen."

„Du bist eine Omega?"

„Kannst du es nicht riechen?", entgegnete sie und zog eine Augenbraue hoch. „Jonas sagt, ich erinnere ihn an einen Pfirsich aus Georgia, was ich für eine Anspielung darauf halte, wie wir uns kennengelernt haben."

„Was ist ein Pfirsich aus Georgia?"

„Eine köstliche Frucht", antwortete sie mit zuckenden Lippen. „Jonas ist Isländer, also hat er niemals einen Pfirsich aus Georgia gesehen. Als wir uns kennenlernten, gab es keine mehr, und ich war zu sehr damit beschäftigt, ein Heilmittel zu finden, um danach zu suchen." Ihre Belustigung schien zu verblassen. „Das war eine beunruhigende Zeit, aber sie hat uns hierher gebracht. Irgendwann jedenfalls."

„Jonas ist ein Alpha?", vermutete ich.

Sie nickte und ihre Wangen röteten sich. „Ja, er ist mein Gefährte."

„Aus freiem Willen?" Ich wunderte mich laut, dann schüttelte ich den Kopf. „Tut mir leid, ich meine …"

„Nein, nein, ist schon gut. Ich verstehe. Wie ich schon sagte, ich habe mit Menschen gelebt. Und dafür gab es einen Grund. Ich wollte nicht die Gefährtin eines Alphas sein." Sie ließ das eine Sekunde lang auf mich wirken, wahrscheinlich um sicherzustellen, dass sie meine ungeteilte Aufmerksamkeit hatte.

„Ist das normal?", fragte ich.

Sie lachte. „Nein, jedenfalls nicht in meinem früheren Clan. Wir lebten in einer Zeit, in der es den Weibchen erlaubt war, Universitäten zu besuchen, aber nur, weil Alphas der Meinung waren, dass es bei der Erziehung des Nachwuchses half. Lange Rede, kurzer Sinn … Ich entschied mich für ein Studium der Medizin und bewarb mich an der medizinischen Fakultät. Alle hatten erwartet, dass ich danach zurückkehren würde. Das tat ich aber nicht. Und als sie herausfanden, dass ich mein medizinisches Wissen nutzte, um meinen Östrogenzyklus zu unterdrücken, verstieß mich das Rudel."

„Östro …?", wiederholte ich und suchte in meinem mentalen Wörterbuch nach der Definition. „Wie Fruchtbarkeit?"

Sie nickte. „Omegas machen das regelmäßig durch, und wir brauchen während dieser Zeit einen Alpha."

Meine Augenbrauen schossen in die Höhe. „*Was?*"

„Es ist nicht so schlimm, wie es klingt. Eigentlich kann es mit dem richtigen Alpha sogar recht angenehm sein." Ihr Gesicht errötete wieder. „Ich will damit sagen, dass ich diesen Teil von mir einst abgelehnt habe. Ich habe für die ‚Centers for Disease Control and Prevention' − eine Behörde des US-amerikanischen Gesundheitsministeriums − gearbeitet, spezialisiert auf Infektionskrankheiten. So bin ich in die Zombiekrise hineingeraten. Mein Team war auf der Suche nach einem Heilmittel." Ihre Lippen verzogen sich. „Wir haben nie eins gefunden."

*Eindeutig.*

„Jonas arbeitete mit der ‚Iceland Crisis Response Unit', einer Sondereinheit des isländischen Außenministeriums, die den globalen Streitkräften angegliedert wurde. Er war zu der Zeit meinem Posten in Atlanta zugeteilt. Meine Unterdrücker gaben mir den Geruch eines Betas, also erkannte er nicht, was ich war, bis wir uns in einer kompromittierenden Situation befanden. Und, äh … Ja, ich kam in die Brunstphase und er beanspruchte mich."

Ich schnappte nach Luft. „Gegen deinen Willen?"

„Nicht ganz." Sie zuckte ein wenig zusammen. „Ich meine, die Anziehung war immer da – das ist nur natürlich zwischen Alphas und Omegas –, aber ja, ich war anfangs nicht begeistert von ihm."

„Hat er sich entschuldigt?"

Sie schnaubte. „Jonas soll sich dafür entschuldigt haben, dass er seinen Instinkten nachgegeben hat? Ha, nein. Er sagte, ich solle damit klarkommen."

„Klingt nach Ander", murmelte ich. Das hatte er zwar nicht direkt zu mir gesagt, aber er schien ziemlich vergesslich zu sein, denn ich sagte ihm mehrfach, dass ich dieses Schicksal nicht einfach so hinnehmen würde.

„Das ist die Art der Alphas, Schätzchen", erwiderte sie und grinste. „Sie suchen sich einen Weg aus und erwarten, dass sich alle fügen."

„Und hast du das?", fragte ich. „Ich meine, offensichtlich hast du es getan. Aber …?" *Hast du dich gewehrt?*, wollte ich fragen, wusste jedoch nicht, wie ich es formulieren sollte, ohne meine Beweggründe zu verraten.

„Ja und nein." Sie zuckte zusammen. „Am Anfang habe ich mich ein bisschen gewehrt, aber am Ende hat er mich erwischt. Das tun sie immer." Diese ominösen Worte wurden von einem Blick begleitet, der andeutete, dass sie mich bereits durchschaut hatte.

Ich sagte nichts.

Ich blinzelte nicht einmal.

Aber ihr Blick sagte mir, dass sie es wusste, was nichts Gutes für meinen Plan verhieß.

„Was ist passiert, als er dich erwischt hat?", fragte ich und schluckte.

„Er hat mich nach Europa geschleppt, zu Ander, und wir haben uns dem Andorra Sektor angeschlossen. Es war schon immer ein Hightech Sektor der X-Clan Wölfe, und meine Erfahrung bei der CDC machte mich zu einem brauchbaren Kandidaten für die Arbeit in ihren Laboren."

„Und das war's?" *Du hast einfach dein Schicksal akzeptiert?*, wollte ich wissen.

Sie zuckte mit den Schultern. „Ich habe noch eine Weile versucht, ein Heilmittel zu finden, aber es wurde immer unwichtiger. Da über neunzig Prozent der Menschen verwandelt oder tot waren, verlagerte sich mein Fokus auf das Überleben derer, die noch übrig waren. Ich arbeite auch heute noch daran. Sehr zu Jonas' Leidwesen."

Ich runzelte die Stirn. „Er will nicht, dass du arbeitest?"

„Es ist eher so, dass er mich nicht in der Nähe der anderen Männchen haben will." Sie rollte mit den Augen. „Er ist immer um meine Sicherheit besorgt, sogar innerhalb der Kuppel."

„Und das stört dich nicht?", drängte ich, denn für mich klang es erstickend.

„Die meisten Omegas bleiben im Nest, brüten, kümmern sich um die Jungen und so weiter. Jonas und ich haben eine Abmachung. Ich brauche meine Unabhängigkeit und er sehnt sich nach meiner Unterwerfung. Es ist eine ständige Verhandlung, aber es funktioniert für uns." Ihre Augen leuchteten, während sie sprach. Ihre Zuneigung zu ihrem Gefährten war offensichtlich.

Ich musste mich fragen, wie viel von dieser Zuneigung von *ihren* Hormonen ausgelöst worden war. Wenn mich der gestrige Tag etwas gelehrt hatte, dann, dass ich meinem Körper nicht trauen konnte, wenn es um Ander ging, oder ich würde jedes Mal mit gespreizten Beinen auf dem Rücken enden, sobald er durch die verdammte Tür kam.

„Nun, für heute bin ich lange genug geblieben." Sie lehnte sich näher heran. „Ich weiß, wie besitzergreifend Omegas sein können, wenn es um das Quartier ihres Alphas geht." Sie zwinkerte und nahm unsere Teller, um sie zur Spüle zu tragen.

Stirnrunzelnd rief ich ihr nach: „Oh, das bin ich nicht."

„Du hast mich angeknurrt, als ich ankam", antwortete sie. „Während dein menschlicher Verstand vielleicht nicht besitzergreifend ist, wollte dein innerer Wolf mich definitiv bei lebendigem Leib zerfetzen. Aber mach dir keine Sorgen. Ich bin nicht beleidigt, und Ander wird begeistert sein, wenn ich es ihm erzähle."

Das Wasser kochte auf und verdeckte mein Stöhnen.

Sie konnte dem Alpha sagen, was sie wollte, denn ich hatte nicht vor, hier zu sein, wenn er zurückkam.

Es war verdammt viel Zeit vergangen, um ihre Geschichte zu hören und etwas über die Brunst zu lernen.

*Das ... wird ein Problem werden*, dachte ich und zitterte.

Nach den wenigen Details, die sie erzählt hatte, klang es so, als würde ich durch den Brunstzyklus völlig die Kontrolle über mich verlieren. Hoffentlich würde das nicht in nächster Zeit passieren.

Ich musste erst einmal von hier wegkommen.

„Nun, wenn du mich wiedersehen möchtest, lass es Ander wissen. Ich bin mir sicher, er hat nichts dagegen, wenn wir Freunde werden. Und ich denke, du wirst feststellen, dass ich dich besser verstehe, als du denkst."

*Das bleibt abzuwarten*, dachte ich. Mit einem Lächeln antwortete ich. „Das würde mir gefallen. Darf ich dich hinausbegleiten?" Ich war völlig in Gedanken verloren. Ich musste mir den Flur noch einmal ansehen, um nach irgendwelchen Anzeichen einer Treppe, einer anderen Tür oder einem Ausgang zu suchen. Vielleicht würde sie etwas verraten.

„Sicher", antwortete sie und ihre Lippen kräuselten sich. „Ich vermute, Ander hat alle Hände voll mit dir zu tun."

„Ich habe keine Ahnung, was du meinst", erwiderte ich und strich mit den Handflächen über das Oberhemd.

Ihr Blick verriet mir, dass sie genau wusste, was ich vorhatte, und ihre Worte bewiesen es. „Er wird dich fangen."

„Du nimmst an, dass ich fliehen will."

„Hast du das nicht vor?", fragte sie und öffnete die Eingangstür. „Es ist das, was ich an deiner Stelle vorhätte." Sie drückte den Abwärts-Pfeil und drehte sich zu mir um. „Mach es nicht, Katriana. Du bist unbegattet und stehst am Rande deines Zyklus. Wenn du dieses Gebäude verlässt, werden die Wölfe wegen deines Geruchs in Aufruhr geraten. Du magst dich hier oben nicht sicher fühlen, aber du warst noch nie an einem sichereren Ort als Anders Quartier."

„Ich schätze deine Besorgnis", sagte ich und zwang mich zu einem Lächeln, „aber ich komme schon klar."

Sie seufzte. „Du bist wie ich mit einundzwanzig."

Die Tür öffnete sich.

„Viel Glück, Katriana", sagte sie mit einem traurigen Lächeln, während sie etwas an der inneren Schalttafel tat. „Tu uns beiden einen Gefallen und bleib hier."

„Schön, dich kennengelernt zu haben, Riley", erwiderte ich und winkte ihr kurz zu.

Sie schüttelte den Kopf, als sich die Türen schlossen,

aber ich nahm einen Schimmer von Respekt in ihren Gesichtszügen wahr. Hoffentlich bedeutete das, dass sie mit meinen Plänen nicht direkt zu Ander gehen würde. Aber ich bezweifelte es …

Was bedeutete, dass ich mich beeilen musste.

Ich rannte zu seinem Schrank, nahm die Sachen, die ich mir vorhin ausgesucht hatte, und zog sie an.

Seine Shorts passten mir wie eine Hose und zwei Paar Socken waren fast so gut wie Stiefel.

Sein Mantel war mit einer Kapuze ausgestattet, die mein Haar verbarg.

Nicht das best getarnte Outfit meiner Geschichte, aber es würde ausreichen, um zumindest meinen Geruch zu blockieren. Ich hätte von ihr verlangen sollen, mir einen der Unterdrücker gegen meinen Geruch zu besorgen, doch dafür war keine Zeit.

Ich sprintete zur Tür, fand sie immer noch unverschlossen vor und versuchte, den Knopf für den Aufzug zu drücken, wie Riley es getan hatte.

*Bitte mach nicht auf, wenn jemand drin ist. Bitte. Bitte. Bitte.*

*Ding!*

*Leer.*

Mit einem erleichterten Seufzer stolperte ich ins Innere und starrte auf die Tafel an der Seite. „Äh …" Es war eine Standardtastatur mit Zahlen, aber sie hörte bei neun auf. Da das Penthouse weit über neun Stockwerke hoch war, jedenfalls, wenn ich aus den Fenstern blickte, waren die Zahlen wahrscheinlich nicht mit der Höhe des Stockwerks verbunden.

Das bedeutete, dass ich einen Code brauchte.

Ich knabberte an meiner Lippe und versuchte es zuerst mit den untersten drei Zahlen in der Hoffnung, dass sie mich in einen Keller oder ins Erdgeschoss führen würden.

Es führte mich in eine Sky Lobby, stellte ich fest, als ich den Kopf herausstreckte und eine Reihe heller Fenster sah.

Richtig.

Diesmal wählte ich zwei Tasten.

Nichts.

*Okay* ... Ich versuchte es mit vier und der Fahrstuhl öffnete in einen Flur aus Beton, der mich an meine erste Nacht hier erinnerte. *Die nächste Zahlenkombination!*

Der Aufzug rauschte wieder nach oben, in die falsche Richtung und dann nach unten, als ich weitere Codes eingab. Es fühlte sich an, als würde ich mich an bestimmten Stellen sogar seitwärts bewegen, als könnte sich der Aufzug horizontal verschieben.

*Oh ja, das ist genau das, was passiert,* dachte ich, als ich mich deutlich nach rechts bewegte.

*Aha, das ist echter Hightech-Mist,* dachte ich. Alle Dokumente, die ich in den Höhlen gelesen hatte, definierten Aufzüge nur als Auf- und Abwärts-Transportmittel.

Als sich die Türen öffneten und zwei Männer in Anzügen draußen standen, die darauf warteten, eintreten zu dürfen, stürzte ich hinaus und beschloss, dass dies mein Ausstiegspunkt war, denn einen kleinen Raum mit zwei Wölfen zu teilen, würde nicht gut ausgehen.

Ich hätte wirklich wenigstens ein paar Messer mitnehmen sollen, bevor ich ging. Nicht, dass ich wusste, wo sie aufbewahrt wurden. Ich vermutete, dass Ander sie versteckt hatte, denn mein Fleisch war *vorgeschnitten* und Riley hatte mir nur erlaubt, eine Gabel zu benutzen.

Trotzdem hätte ich mir etwas anderes einfallen lassen sollen, als mich in einer verdammten Metallkiste zu verkriechen.

Mit einem Knurren ging ich einen von Türen gesäumten Korridor hinunter, der in einer weiteren Tür endete. Ich drehte den Griff und stellte fest, dass sie verschlossen war, bevor ich in die andere Richtung ging, wobei ich auf dem Weg ein paar Knöpfe ausprobierte.

Der letzte gab den Weg zu einem Treppenhaus frei.

*Ja!* Ich lief die Treppe hinunter, übersprang dabei Stufen und suchte nach dem Boden.

Endlose Stockwerke zogen vorbei, Geräusche von müßigem Geplapper drifteten ein und aus, während ich verschiedenen Ausgängen näher kam.

Der Schauer, der mir den Rücken hinauflief, wuchs, je tiefer ich kam. Ich konnte nicht sagen, ob es echt oder eingebildet war, aber als ich die letzte Ebene erreichte, ließ ein frostiger Windstoß meine Zähne klappern.

Und schließlich fand ich eine Tür, die nach draußen führte.

Ich stieß sie auf, atmete tief ein und genoss die frische Luft für den Bruchteil einer Sekunde, bevor ein Alarm ertönte.

*Mist!*

Ich lief um das Gebäude herum und suchte nach den Bergen, die ich kannte und liebte. Sobald ich diese vertraute Landschaft entdecken würde, könnte ich einen Fluchtweg festlegen und …,

Ein Mann trat vor mich und versperrte mir den Weg. Sein Kopf neigte sich auf eine wölfische Art zur Seite, die mir das Blut in den Adern gefrieren ließ. *Deshalb hätte ich mir wenigstens ein Messer schnappen sollen.*

Ich stolperte zurück, dann sprang ich im Sprint um ihn herum.

Er rief mir hinterher, aber ich hörte nicht zu. Mein Bedürfnis, zu rennen, übernahm die Oberhand. So viel zu einer heimlichen Flucht. Nicht, dass ich das wirklich erwartet hatte …

Meine Füße flogen unter mir und trugen mich ziellos die Straße hinunter, vorbei an Gebäuden und den wenigen

Menschen, die draußen herumliefen. Knurren schnappte nach meinen Fersen und ließ mich schneller werden. Mein Herz raste, als das Seitenstechen begann. Ich ignorierte es, rannte weiter und weigerte mich, langsamer zu werden.

Ich konnte nicht zulassen, dass sie mich einholten.

Ich durfte nicht zulassen, dass Ander mich fand.

Ich konnte nicht …

Mein Inneres spannte sich heftig an, ein Gefühl wie ein Bauchkrampf, ähnlich wie beim letzten Mal, als ich versuchte, wegzurennen. *Die Verwandlung?*, fragte ich mich. *Nein, das … Es ist …*

Ich schüttelte meinen Kopf, versuchte mich zu konzentrieren, mich vorwärtszutreiben, aber eine Hand erfasste meine Schulter und riss mich nach hinten.

Ich schrie auf und schlug den Kerl, der es gewagt hatte, mich anzufassen.

Er griff nach mir und legte seine andere Hand auf meine Hüfte.

Warte, nein … Die gehörte nicht ihm. Da war noch ein Kerl in meinem Rücken. Ich schleuderte ihm meinen Ellbogen ins Gesicht, wich zwischen ihnen hervor und rannte wieder los. Ich wurde von einem dritten erwischt, der viel größer war als die anderen beiden. Er hob mich hoch und schleuderte mich mit dem Rücken gegen etwas Hartes. Dunkelheit blinzelte vor meinen Augen und sein wütendes Gesicht zeichnete sich über mir ab. Irgendwie war ich auf dem Boden gelandet. Schnee sickerte durch meine Kleidung und ließ meine Glieder und Gelenke gefrieren.

„Sieh an, sieh an … Was haben wir denn hier?", erklang eine tiefe Stimme.

„Ich weiß es nicht, aber sie riecht fantastisch."

„Erregt."

„Omega?"

Die Worte verschmolzen miteinander, und mein

Unterleib zog sich schmerzhaft zusammen. Irgendetwas stimmte nicht, und es hatte nichts mit dem Schlag gegen das Backsteingebäude zu tun.

Dennoch hatte ich jetzt ein noch größeres Problem vor mir, denn die Männer hatten die Aufmerksamkeit der anderen auf sich gezogen. Fünf, nein, sechs, hungrige Augenpaare waren auf mich fixiert.

Und keins davon gehörte Ander Cain.

# ANDER

„ICH WERDE sie verdammt noch mal umbringen", knurrte ich.

Rileys Bericht, gepaart mit den schrillen Alarmen, verriet mir genau, was meine zukünftige Gefährtin vorhatte. Ich verließ den Konferenzraum mit einer Welle der Aggression. Das Bedürfnis, schnell zu Katriana zu gelangen, brachte mein Blut zum Kochen.

Wenn ein anderer Alpha sie in diesem Zustand erwischte, würde ich meinen Anspruch verlieren.

Artur und Enzo schnüffelten so schon genug in meinem Territorium herum. Wenn sie herausfinden würden, dass sie während ihrer Läufigkeit geflohen war, hätten wir ein echtes Problem am Hals.

Ich würde gewinnen, keine Frage, aber ich würde dabei einen guten Mann verlieren. Kampf bis zum Tod. Eine Omega in der Brunst ließ selbst die stärksten Alphas ihren gesunden Menschenverstand verlieren, besonders, wenn sie durch Gewalt provoziert wurden.

Ich hätte sie in ihrem verdammten Zimmer einsperren sollen. Ich hatte nur nicht erwartet, dass sie so etwas Dummes versuchen würde.

Riley schien anders zu denken und erinnerte mich daran, dass Katriana keine typische Omega war.

Als ob ich das nicht wusste.

„Lenke sie ab", forderte ich und deutete auf den Raum mit den Ratsmitgliedern, die mich mit unverhüllter Intrige beäugten.

„Schon dabei", sagte Elias und wandte sich an die Menge.

Ich vertraute ihm, mir zumindest einen Vorsprung zu verschaffen.

Der Rest fiel auf meine Schultern.

Ich rief die Bildschirme auf meiner Uhr auf, suchte nach der Quelle des Alarms und machte mich auf den Weg ins Treppenhaus. Der Geruch meiner Omega vermischte sich mit meinem bis hinunter zu der Tür, die sie nur wenige Augenblicke zuvor aufgestoßen hatte.

Ich verfolgte den Weg, den ihre kleinen Füße im Schnee zurücklegt hatten, wobei meine Nase sie den ganzen Weg über witterte, bis ich eine Gruppe von Beta-Männchen entdeckte, die unruhig umherliefen.

Eine läufige Omega diente als Leuchtfeuer, das alle unverpaarten Wölfe anstrahlte und sie anflehte, bei der Fortpflanzung mitzuwirken.

Mein Knurren ließ die Menge auseinandergehen. Meine Dominanz wurde mit jedem Schritt deutlicher.

Einige rannten weg, weil sie den Anspruch eines Alphas nicht testen wollten.

Andere verweilten, wahrscheinlich in der Hoffnung auf eine Show.

Den meisten Alphas fehlte die Kontrolle in der Nähe einer Omega. Glücklicherweise wusste ich, wie ich meine Triebe zügeln konnte.

Ihre Augen weiteten sich, als ich mich vor sie hockte.

Es schien, dass die Spritze noch schneller gewirkt hatte, als Ceres erwartet hatte, denn sie war bereits am Anfang ihrer Brunst. Ihre Pupillen weiteten sich und ein leises

Wimmern entrang ihrem Mund, als sie sich auf die Seite rollte, und der Duft ihrer Erregung begann, die Luft zu durchdringen.

Ich musste sie verdammt noch mal hier rausbringen. Und zwar schnell.

Aber zuerst musste sie ihre Situation verstehen, und dafür gab es nur einen Weg.

„Du wirst läufig, Omega", informierte ich sie. „In etwa einer Stunde, wahrscheinlich weniger, wirst du untröstlich sein in deinem Bedürfnis zu ficken."

Sie zuckte zusammen. „Ander …"

„Diese Betas werden es versuchen", fuhr ich fort und gestikulierte in Richtung der sabbernden Menge, „und du wirst ihre Bemühungen begrüßen. Aber es wird nicht genug sein, weil du einen Alpha brauchst, der dich knotet. Nun, du bist unbegattet, also wird es die verfügbaren Alphas in der Nähe in einen Rausch versetzen. Da du ein Wolf bist, solltest du ihren Amoklauf physisch überleben. Omegas sind schließlich dafür gebaut, unsere aggressive Art zu empfangen. Aber es wird nicht angenehm sein."

Ich hielt meine Hände locker an den Seiten. Meine wachsende Aggression entlud sich in der Atmosphäre. *Noch* war sie nicht unkontrollierbar.

„Du hast die Wahl, Katriana. Entweder du kommst mit mir und überlässt es mir, mich um dich und deinen derzeitigen Zustand zu kümmern, oder ich überlasse dich hier deinem Schicksal, damit du von demjenigen beansprucht und gefickt wirst, der es schafft, dich schnell genug zu besteigen."

Ihre Augen verengten sich. „Schicksal …" Jetzt verstand und registrierte sie es. Ihre Lippen trennten sich. „Das war es, was auf der Nadel stand. Du hast etwas mit mir gemacht."

Ich würde mich nicht dafür entschuldigen, dass ich

diesen Prozess ausgelöst hatte, den ihr Körper ohnehin in ein paar Tagen durchlaufen würde, und ich würde auch nicht den Vorwurf in ihrem Blick anerkennen.

Dies war nicht der Zeitpunkt für eine Diskussion.

Sie hatte eine Entscheidung zu treffen und sollte es schnell tun, solange ich ihr noch helfen konnte.

Ein Knurren ertönte in der Ferne, als ein Alpha die brünstige Omega witterte. Sie stöhnte wie aufs Stichwort und ihre Arme schlossen sich um ihren Bauch, als sie zusammenzuckte.

„Ich weiß, wie du dich besser fühlen kannst", versprach ich, „aber ich werde dir erst helfen, wenn du darum bittest."

Sie hatte diese Situation mit ihrem törichten Fluchtversuch erschaffen. Wenn sie meine Hilfe wollte, musste sie es verdammt noch mal zugeben.

Ich verschränkte meine Arme und wartete, während das Knurren lauter wurde. Wenn sie uns erreichten, würde ich gezwungen sein, sie zu bekämpfen. Katriana wollte mich vielleicht nicht als ihren Gefährten akzeptieren, aber ich hatte sie gewählt. Sie wehrlos zurückzulassen, war keine Option, selbst wenn sie es verdient hätte.

„Ander", wimmerte sie und ihr Duft ihrer Erregung wurde stärker mit jedem Atemzug.

„Hm, ich habe mich geirrt. Es scheint, als hättest du noch ein paar Minuten, bevor du bettelst. Ich empfehle dir, schnell eine Entscheidung zu treffen, Omega, bevor eine für dich getroffen wird." Wenn sie mich zwang, für sie zu kämpfen, würde ich sie im Anschluss gegen diese Wand ficken, nur um jedem unter dieser Kuppel meine Dominanz deutlich zu machen.

Niemand stellte mich infrage, und schon gar nicht meine vorgesehene Gefährtin.

„Hör auf, wie ein Mensch zu denken und lass dich von deinem Wolf leiten", schlug ich vor. „Die Omega in dir weiß, wie man überlebt. Es sind deine menschlichen Neigungen, die dein Untergang sein werden."

Sie krümmte sich, als der Geruch des nahenden Alphas durch die Luft drang.

Ihre Omega-Instinkte würden sie dazu bringen, den stärksten potenziellen Gefährten zu wählen, und die Wahl würde auf mich fallen. Sie würde mich anflehen, sie zu nehmen. Es war nur eine Frage der Zeit.

*„Entscheide dich*, Katriana", knurrte ich, da ich kein Blutvergießen provozieren wollte. *„Jetzt."*

„Du!", schrie sie und ihr Körper verkrampfte sich unter den Schichten von Kleidung, die sie für diesen sinnlosen Ausflug angezogen hatte.

„Gute Wahl", sagte ich, meine Stimme leise und voller Warnung für die Wölfe um uns herum. Ich hob sie in meine Arme und rannte in schnellem Tempo los. Ich knurrte jeden an, der es wagte, sich mir in den Weg zu stellen.

Zwei meiner Ratsmitglieder befanden sich unter ihnen. Ihre Nüstern blähten sich auf. Feindseligkeit legte sich wie ein Mantel um sie herum. Herausforderung säumte ihre Schultern und Unentschlossenheit lag in ihren Augen.

„Weg da", forderte ich, als sie drohten, mir den Weg zu versperren.

Darren und Tonic.

Zwei meiner jüngeren Alphas, die Enzo bei jeder Entscheidung unterstützten.

Ihre Selbstbeherrschung war nicht annähernd so stark wie meine, was sich deutlich abzeichnete, als sie einen Schritt vorwärts machten.

Katrianas Haare tanzten in meinem Nacken und sie stöhnte wollüstig in meinen Armen. Die Alpha-Präsenz lockte ihre Omega mit voller Wucht hervor. Wenn ich es ihr erlaubte, würde sie sich ausziehen und uns alle auf einmal akzeptieren. Ihr Instinkt, sich fortzupflanzen, setzte sich über alle Gedanken und Vernunft hinweg. Ein Trio von brauchbaren Kandidaten um sich herum zu haben, verstärkte nur ihre Bedürfnisse und Begierden, und ihr Verstand wurde völlig ausgeschaltet, als die Bestie in ihr die Kontrolle ergriff.

„Ander", hauchte sie und küsste meinen Hals, bevor ihre Lippen hinauf wanderten. Suchend. Erforschend. Flehend.

„*Bewegt euch*", sagte ich mit mehr Nachdruck und das Knurren in meiner Stimme erregte sie noch mehr.

Knurren folgte wie auf Kommando. Die Alphas verloren sich in ihren Instinkten.

Elias stürmte aus dem Gebäude, die Pupillen geweitet, die Lippen zu einem wütenden Ausdruck verzogen, obwohl er nicht mich im Visier hatte, sondern die beiden schwächeren Männchen. „Stillgestanden", schrie er, schob sie zur Seite und ließ mich passieren. „Bring sie verdammt noch mal hier rein, Cain!"

Zu jeder anderen Zeit hätte ich seinen Tonfall kritisiert, aber ich verzieh ihm in diesem Moment, sich im Tonfall vergriffen zu haben. Es musste wehtun, seinen Drang zu unterdrücken. Sein Bedürfnis, sich zu paaren, war wahrscheinlich genauso stark wie meins.

Ich nahm Vibrationen und laute Geräusche war, als Darren und Tonic mit Elias kämpften, der zum Glück genauso viel Kontrolle und Erfahrung besaß wie ich. Er würde wahrscheinlich der einzige Grund sein, warum Darren und Tonic überleben würden, vorausgesetzt, mein Stellvertreter entschied, dass sie es wert waren.

„Dem Himmel sei Dank", murmelte ich, als ich die leere Lobby bemerkte.

Elias hatte mir den Rücken freigehalten und mir einen direkten Weg zum Aufzug gebahnt. Ich sprang fast hinein und tippte den Code für mein Stockwerk ein. Ich würde das gesamte System abschalten, wenn wir oben ankamen, um zu verhindern, dass jemand anderes uns erreichte.

Ich lehnte mich an die Metallwand und schlang meine Arme um den ungehorsamen, kleinen Balg in meinen Armen. „Oh, Kleines. Du hast keine Ahnung, was du getan hast." Und ich konnte sie in diesem Zustand nicht belehren.

Ihre Zähne knabberten an meinem Kiefer, als ihr Wimmern direkt in meine Leistengegend schoss.

„Ander", flüsterte sie, leckte meinen Hals und versuchte, sich in meinen Armen zu bewegen.

„Nein." Ich drückte sie fester an mich.

Sie wimmerte erneut. Der Duft ihrer Erregung erstickte mich in dem kleinen Raum. Ich stürmte praktisch aus dem Aufzug, als wir ankamen, und trug sie dann schnell über die Schwelle meines Penthouses. Die Tür knallte hinter mir zu. Ein Schalter an der Wand löste die Schlösser aus, die jeden draußen halten würden, auch wütende Alphas.

Ich lud sie kurzerhand auf die Couch im Wohnbereich ab.

„Zieh dich aus", forderte ich.

Katriana würde mich anflehen, sie zu ficken, bevor ich nachgab. Wir würden es eine Lektion in Sachen Hierarchie nennen. Omegas brauchten ihre Alphas genauso sehr wie Alphas ihre Omegas.

Sie hatte mich bis aufs Äußerste respektlos behandelt.

Und es war an der Zeit, dass sie lernte, was mit ungehorsamen Wölfen passierte.

# KAT

Ich hatte viel zu viele Klamotten an.

*Mir ist heiß, als würde ich verglühen.*

*Ich brauche dringend mehr Luft.*

*Ander …*

Oh, ich konnte seine Wut wie eine Peitsche auf meiner Haut spüren, als ich mir Mantel, Hemd und Shorts auszog. Es erschreckte mich und erregte mich zugleich. Ich wollte mich ebenso sehr vor ihm verstecken, wie ich mich auf ihn stürzen wollte, was mich zwiespältig, verwirrt und sehr nackt zurückließ.

Jeder Teil von mir schmerzte.

Mein Herz raste.

Feuchtigkeit, wie ich sie noch nie gespürt hatte, überzog meine Oberschenkel.

Ich *brauchte* ihn, seine Wärme, seine Berührungen, seine Zunge und seinen Schwanz.

Ein Schauer lief mir über den Rücken bei dem Gedanken. Noch nie hatte ich einen Mann so begehrt, noch nie hatte ich mich so hilflos und ausgeliefert gefühlt.

Eine Stimme in meinem Hinterkopf versuchte, Vernunft in meine Gedanken zu bringen, und mein Kampfgeist tauchte auf und verflüchtigte sich bei jedem Atemzug.

*Das bin nicht ich. Kämpf dagegen an,* feuerte ich mich an.

Oh, aber sein Duft … und wie sehr ich mich danach sehnte, mich in seinem Duft zu wälzen.

Ander näherte sich mit einem Glas, das bis zum Rand mit einer braunen Flüssigkeit gefüllt war, und seine goldenen Augen streichelten jeden Zentimeter meines Körpers. „Mm … Ich glaube, ich könnte dich tagelang nackt halten, Omega."

Ein Laut, den ich nicht kannte, kam aus meinem Mund, als ich auf ihn zuging.

Er hielt mich mit einem Kopfschütteln auf. „Knie dich hin."

Meine Knie wackelten und knickten ein, was mich mit einem Zucken zu Boden schickte. Ein Teil von mir wollte schimpfen, während sich der stärkere Teil von mir danach sehnte, zu gehorchen.

„Warum?", flüsterte ich. „Wie?"

Die Alphas draußen waren vorbereitet und bereit gewesen. Ich hatte ihren Eifer gespürt wie Krallen, die sich in meine Haut bohrten.

Aber Ander bewegte sich nicht und schien zuversichtlich. *Mehr als verführerisch und sexy.*

„Nimm mich", hauchte ich und wölbte meinen Rücken auf eine Weise wie nie zuvor. Diese nörgelnde Stimme in meinem Kopf flüsterte etwas darüber, wie falsch das war und wie ich nicht nachgeben sollte, aber ich war so feucht und bereit. „Berühre mich. *Bitte.*" Ich griff nach ihm, aber er wich zurück.

„Du verdienst meine Berührung nicht."

Mein Blick richtete sich auf die große Erektion direkt vor mir, die seinen Reißverschluss fast zum Platzen brachte. „Du willst mich berühren." Genau wie alle anderen draußen.

„Nein, ich will dich ficken", korrigierte er. „Und das werde ich. In absehbarer Zeit." Er nahm einen kräftigen Schluck von seinem Getränk, dann stellte er sein Glas zur

Seite. „Aber zuerst musst du ein paar Dinge verstehen und akzeptieren."

Dieser Mann besaß eine Beherrschung, die mich nur noch heißer brennen ließ, und der Drang, ihn zu Fall zu bringen, überwältigte mich mit wollüstigen Ideen und Gedanken.

*Warum war ich vor ihm weggelaufen?*, schoss mir in den Kopf *Warum war ich davor weggelaufen?*

*Weil er dir die Wahl weggenommen hat*, erinnerte mich diese Stimme.

Naja, theoretisch gesehen hatte er mir draußen die Wahl gelassen, und ich wollte den stärkeren Alpha. Ich hatte ihn gewählt.

*Ist es eine Wahl, wenn er dir das aufzwingt?*

Ich runzelte die Stirn. Hatte er es mir aufgezwungen? Oder war ich ein Opfer der Umstände?

Das Geräusch von Leder, das durch die Schlaufen seiner Hose glitt, versetzte mich in höchste Alarmbereitschaft, riss mich aus meiner inneren Debatte und zwang mich, mich auf die maskuline Perfektion vor mir zu konzentrieren.

„Du kämpfst gegen deinen Zyklus", murmelte er und ließ seinen Gürtel auf den Boden fallen. „Ich bin gleichermaßen beeindruckt wie wütend, Omega."

Während ich ihn hörte, war meine Aufmerksamkeit auf den Knopf gerichtet, den er gerade geöffnet hatte, und mein Mund lechzte nach der Beute, die darin lauerte.

Meine Schenkel verkrampften sich.

Meine Gedanken rasten.

Es war falsch und gleichzeitig so richtig.

Ich stöhnte, verlor mich irgendwo zwischen Vernunft und dem unerlaubten Verlangen, das in mir aufstieg. *Mehr …*

„Eine läufige Omega braucht einen Gefährten", fuhr er fort und öffnete seine Hose. „Ohne einen Gefährten leidet sie. Ich glaube, du brauchst eine Demonstration, um genau zu verstehen, was ich meine." Er stellte seine Schuhe direkt neben mir auf. Seine Wärme veranlasste mich dazu, mich anzulehnen. „Bleib auf deinen Knien."

Ein Schauer der Sehnsucht durchlief mich und mein Wolf unterwarf sich Anders dominantem Ton.

*Das ist so bizarr,* dachte ich, als eine Gänsehaut über meine Glieder tanzte. Ich hatte mich noch nie so wild und frei gefühlt, als würden meine Triebe mein Leben bestimmen und nichts anderes.

Anders beeindruckende Erektion wurde sichtbar und entlockte meiner Kehle ein tiefes Stöhnen, der Lusttropfen auf der Spitze seines Schwanzes rief nach meiner Zunge. Ich hatte noch nie einen Mann gekostet, aber jetzt wollte ich es unbedingt, besonders seinen Saft.

Das fremde Verlangen traf mich mitten ins Herz. Meine durchfeuchtete Mitte pulsierte vor Verlangen.

Seine Größe war mir gestern so abschreckend erschienen, aber jetzt konnte ich es kaum erwarten, dass er mich ausfüllte, mich fickte und zu neuen Höhen führte.

*Jungfrau …,* schoss mir in den Kopf.

*Warte, das ist wichtig. Es …*

„Lutsch meinen Schwanz, Omega."

„Oh, ja." Ich beugte mich vor, leckte die dicke Spitze und sabberte über den süchtig machenden Geschmack. Das war es, was ich brauchte, wonach ich mich sehnte, was ich unbedingt in mir aufnehmen wollte. Ander. Sein Samen. Seine Männlichkeit. *Alles.*

Ich saugte ihn tiefer ein, begierig auf seinen ursprünglichen Geruch und seinen maskulinen Geschmack. Ich erkannte mich selbst nicht mehr, aber es interessierte mich auch nicht. Alles, was zählte, war der pulsierende Schaft in meinem Mund und die Essenz, die nur er bieten konnte.

Er berührte mich nicht, aber sein Blick hielt meinen

gefangen und ermutigte mich, mehr von ihm anzunehmen. Ich trieb mich selbst an die Grenze, ließ ihn in meine Kehle und schluckte mehr von seiner köstlichen Erregung. Jedes Saugen und Ziehen ließ mich wimmern, das Erlebnis war nicht annähernd genug.

Ich wollte seine Hände auf mir spüren, seinen Schwanz tief in mir, seinen Mund, seine Zunge – einfach alles –, doch er hielt mich als Geisel. Sein Blick verlangte, dass ich weitermachte, sein Geschmack eine wachsende Sucht, die ich nicht ignorieren konnte.

Vielleicht würde es reichen, ihn kommen zu lassen, um diese seltsamen Sehnsüchte zu stillen.

Oder um sie zumindest zu beruhigen.

„Du kämpfst immer noch", flüsterte er. Ein Schimmer von Respekt erhellte seinen Blick. „Ein Knurren von mir und du wirst Wachs in meinen Händen sein, aber ich möchte, dass du diese Grenze selbst überschreitest, dass du wirklich nachgibst."

Er fuhr mir mit seinen Fingern durch mein Haar und zwang mich, noch mehr von ihm in meinen Mund zu nehmen. Tränen stiegen mir in die Augen, als meine Luftzufuhr von seinem Glied abgeschnitten wurde, da er mich immer weiter an sich drückte.

„Völlig ausgeliefert", sinnierte er mit geweiteten Pupillen. „Spürst du meinen Knoten unter deinen Lippen, Kleines?" Er stieß vor, bis etwas Hartes und Pulsierendes meinen Schlund erreichte. „Mm, ja, das spürst du. Das ist der Teil von mir, nach dem du dich sehnst. Du weißt es nur noch nicht."

Schwarze Punkte tanzten vor meinen Augen und meine Lungen sehnten sich nach Luft.

Sein Griff lockerte sich und ließ mir gerade genug Raum zum Atmen, bevor er einen Rhythmus vorgab, der mich zwang, an ganz bestimmten Punkten einzuatmen. Es hätte mich stören, erniedrigen und wütend machen sollen, aber alles, was es tat, war, meinen Wettkampftrieb anzustacheln.

Ich wollte ihn über den Rand zwingen, ihm die Kontrolle entreißen und mehr von dieser berauschenden Flüssigkeit trinken. Ich stöhnte: „Ja." Das war es, was ich am meisten begehrte.

Mich überkam eine Welle energischer Entschlossenheit, trieb meine Instinkte an, ließ meine Wangen hohl werden und zwang meinen Mund, fortzufahren, während ich ihn geradezu anflehte, sich in meiner Kehle zu entladen.

Er behielt standhaft die Kontrolle, sein Griff in meinem Haar mehr eine Leine als eine Liebkosung. In seinem Blick lag immer noch ein Flackern von Wut, von dem ich wusste, dass ich der Auslöser gewesen war, aber ich konnte mich nicht mehr erinnern, warum. Mein einziger Gedanke war, ihn zu befriedigen, zu besteigen, zu ficken und unter ihm zu stöhnen.

*Noch mehr*, dachte ich.

Ich saugte härter.

*Noch mehr.*

Ich ließ meine Hände über seine Schenkel leiten und umklammerte seine Hüften.

*Noch mehr.*

Ich saugte an seiner Eichel und stöhnte, als das Sperma meine Zunge kitzelte.

*Mehr!*

Sein Tempo wurde mein eigenes. Meine Bewegungen wurden allein durch den Trieb angetrieben. Sein Schwanz wurde immer härter und die Muskeln unter seiner Haut vibrierten vor Anspannung. Ich wollte ihn, wollte das, wollte, dass er seine Kontrolle verlor und kam.

Ich wimmerte.

Schrie.

Flehte.

Sein Kiefer zogen sich zusammen, und ich sah, wie seine Ader an seinem Hals vibrierte. Und dann explodierte er mit einem Gebrüll, das eine neue Welle von Feuchtigkeit zwischen meinen Beinen aufblühen ließ.

Ich krümmte mich, als der Samen, der in meinen Mund floss nicht annähernd reichte. Seine heiße Essenz bedeckte meine Kehle, als ich sie hinunterschluckte, wobei mein Stöhnen animalische Züge annahm und sich in Gewimmer verwandelte, sobald er fertig war. Mein Körper war schmerzhaft unbefriedigt und verlangte nach etwas anderem.

*Lust.*

„Berühre dich selbst", forderte er. „Reib deine kleine Knospe und lass mich sehen, wie du kommst."

Ich dachte nicht nach, ich gehorchte.

Aber egal, wie nah ich dran war, zu kommen, ich konnte mich nicht dazu überwinden. Ich empfand es als falsch und kalt. Es war nicht genug für mich.

Tränen strömten aus meinen Augen und mein Körper krampfte am Rande des Orgasmus, weigerte sich aber, den Höhepunkt zu erreichen.

Meine Nippel schmerzten.

Meine feuchte Grotte krampfte sich zusammen.

Ich versuchte, einen Finger hineinzuschieben, dann zwei, dann drei, aber nichts funktionierte. Ein Schluchzen durchzuckte meinen Körper. Der Schmerz überwältigte mich von innen heraus. „Bitte", flüsterte ich und fiel vor seine Füße. Ich hatte keine Ahnung, was ich wollte, aber ich wusste, dass er mir helfen konnte. *„Bitte, Ander."*

Er stand über mir, seine Größe und Präsenz so überwältigend und richtig.

Seine Hose blieb aufgeknöpft und offen.

Sein Hemd an.

„Warum?", fragte ich und krümmte mich zusammen. Ich

konnte die Frage nicht beenden, aber ich vermittelte sie mit meinen Augen. *Warum lehnst du mich ab?*

Weil es das war, was es war, eine Zurückweisung. Mein Alpha weigerte sich, mich zu nehmen, mir das Vergnügen zu bereiten, nach dem wir uns *beide* sehnten. Stattdessen benutzte er meinen Mund als armseligen Ersatz und schüttete seinen Samen in meine Kehle.

Ich zerfloss zu einer Pfütze der unaufhörlichen Bedürfnisse. Und wusste, dass ich sterben würde, wenn er mich nicht fickte.

Qualen zerrissen meinen Körper, als meine Hand noch immer zwischen meinen Schenkeln steckte. Keine Berührung, keine Reibung war genug. „*Ander*", schrie ich, wälzte mich herum und flehte ihn an, das in Ordnung zu bringen, *mich* in Ordnung zu bringen.

„Deshalb brauchst du einen Alpha", sagte er schließlich, immer noch unbeweglich. Er hatte sogar seine Hände in die Taschen gesteckt. „Fleh mich an, dich zu ficken, Omega."

Ich bettelte bereits, was brauchte er also noch? Wut spaltete mich fast in zwei. Ich griff nach seinem Knöchel, zog mich zu ihm und rieb mein Gesicht an seinen Waden. „Bitte, Ander. Fick mich. *Bitte, Ander.* Nimm diesen Schmerz weg und fick mich."

„Besser", murmelte er. „Sag es noch mal."

„*Fick mich*", kam mit einem erstickten Knurren heraus.

Flammen loderten an meinen Eingeweiden, verbrannten mich und brachten mich wieder auf den Gipfel der Lust, ohne mich zu erlösen.

„Bitte, Ander", fügte ich hinzu und zitterte heftig. „*Es tut weh.*"

„Es wäre noch schlimmer, wenn du dich von den Betas ficken lassen würdest", sagte er von oben. „Sie würden jetzt ihren Samen in dir verschütten und dich immer wieder an diesen Punkt bringen, ohne dass du wirklich befriedigt wärst.

Diese jungen Alphas da draußen, die, die keine Kontrolle haben, würden dich zerreißen, nur um in dir zu sein." Er beugte sich vor und nahm mich in seine Arme.

Ich drückte mein feuchtes Gesicht in seinen Nacken und atmete tief ein.

*Oh, sein Duft ...*

Meine Beine spannten sich an und meine Erregung steigerte sich auf ein neues Niveau.

„Ich werde dir wehtun, aber du wirst es genießen." Er strich mir die Haare aus dem Gesicht. „Weißt du, warum das so ist, Kleines?"

Ich wusste es nicht.

Und selbst wenn ich es gewusst hätte, war ich zu sehr damit beschäftigt, mich an ihm zu reiben, um eine vernünftige Antwort zu geben.

„Weil ich nicht irgendein junger Welpe bin, der von seinem Bedürfnis, zu ficken, verzehrt wird. Ich bin kein gewöhnlicher Alpha. Ich bin der Alpha dieses verdammten X-Clan Sektors." Er ließ mich auf die Matratze fallen. „Und du, meine liebe Omega, wirst gleich erfahren, was das genau bedeutet."

# ANDER

OH … Sie roch unglaublich.

Ich musste mich sehr beherrschen, um mir nicht die Kleider vom Leib zu reißen und sie zu besteigen. Als ich in ihrer Kehle kam, hatte sich das heftige Bedürfnis, sie zu ficken, entladen und ich bekam meine Kontrolle zurück.

Dass Katriana ihre Brunst bekämpfte, hatte tatsächlich dabei geholfen, weil es den Geruch ihrer Erregung gerade so weit abschwächte, dass ich mich konzentrieren konnte.

Aber jetzt, als sie mitten in ihrer Brunst steckte, alles andere vergaß und willenlos von ihren Trieben gesteuert war, verlor ich diese Konzentration.

Ich knöpfte mein Hemd auf und sah zu, wie sie sich wollüstig auf dem Bett wälzte und mit ihren Händen versuchte, die ersehnte Befriedigung zu erlangen, was ihr Verlangen nur verstärkte. Das war die Lektion, die sie lernen musste, Omegas waren unglücklich ohne ihre Alphas.

Sie hatte sich zur Flucht entschlossen und sich und den ganzen Sektor in Gefahr gebracht. Das konnte ich nicht einfach ignorieren.

Deshalb hatte ich die ultimative Bestrafung für sie im Sinn.

Eine Lektion, die sie nie vergessen würde. Eine, die sie in die Knie zwingen würde.

Was sie nicht wusste, war, wie sehr es mir wehtun würde, das durchzuziehen. Aber ihre kleine Aktion heute bewies, wie dringend sie es brauchte.

Also würde ich ihr die nötigen Nachhilfestunden geben, denn meine zukünftige Gefährtin musste unsere Wege respektieren. Alles, was sie tat, fiel auf mich zurück, und ich brauchte eine Gefährtin, die sich meinen Wölfen gegenüber verantwortungsvoll verhielt.

Sie hatte heute genau das Gegenteil bewiesen, und dafür würde sie teuer bezahlen.

Mein Hemd fiel auf den Boden, gefolgt von meiner Hose und meinen Socken, sodass ich genauso nackt war wie sie. Doch anstatt zu der Frau auf dem Bett zu gehen, streichelte ich meinen Schaft, während ich sie beobachtete.

„Ander", flüsterte sie mit Todesangst in ihrem Ton, als sie nach mir griff. „*Bitte.*"

„Du willst meinen Schwanz, Kätzchen?", schnurrte ich.

„Ja", zischte sie und wölbte ihren Rücken.

„Zeig mir, wie sehr du es willst. Spreiz deine Beine. Ich will sehen, wie feucht du bist."

Mit einem Stöhnen spreizte sie ihre Schenkel. Der Duft ihres Sekretes durchdrang die Luft. Meine Laken würden von ihrer Erregung durchtränkt sein, wenn wir fertig waren, und das war genau das, was ich wollte. Es würde ihren Nestbau-Instinkt provozieren und sie zwingen, mein Bett als ihr eigenes zu akzeptieren.

Dann würde ich sie aus meinem Bett entfernen.

Ein wortloses Wimmern verließ sie. Die Angst, die ihr Bedürfnis unterstrich, lenkte meine Instinkte auf den Plan. Als ihr Alpha, war es meine Pflicht, sie zu nehmen und sie mit meinem Samen zu füllen und durch ihren Zyklus zu ficken. Je länger ich mich zurückhielt, desto mehr litt sie. Das machte mich grausam, ja, aber sie musste unsere Rollen verstehen.

Das Schicksal konnte unbarmherzig sein. Es definierte, wer wir waren, wie wir überlebten und uns fortpflanzten. Bis jetzt war ich nicht sonderlich beeindruckt von ihren Entscheidungen. Sie mochte stark sein, aber ihre Entscheidungen der letzten zwei Tage erwiesen sich bestenfalls als kindisch. Ich brauchte eine Gefährtin, die meines Status würdig war. Keine Omega, die sich mir auf Schritt und Tritt widersetzte.

Selbst, wenn mich dieser Trotz auch erregte.

Ich kniete auf dem Bett und knurrte tief in meiner Kehle.

Sie wimmerte als Antwort. Meine animalische Natur rief nach der ihren und machte sie wild.

„Ich werde dich ficken, Omega", warnte ich, packte ihre Beine und spreizte sie, während ich über sie kroch. „Und es wird auf die beste Weise wehtun." Sie umklammerte die Bettdecke auf beiden Seiten ihrer Hüften. Ihr Körper war bereit für meinen Anspruch.

Ihre Jungfräulichkeit wäre in einem menschlichen Zustand problematisch gewesen, aber in ihrem verwandelten Zustand, und mit der Unsterblichkeit, die durch ihre Adern floss, würde sie nichts anderes empfinden als die Dringlichkeit, meinen Knoten zu erleben.

Ein Hauch von Angst durchdrang die Luft, als ich mich zwischen ihren feuchten Spalten niederließ.

Irgendwo in ihr drängten sich die menschlichen Omega-Gefühle durch.

Dagegen hatte ich genau das richtige Mittel.

Mit einem tiefen Knurren lockte ich ihren Wolf an die Oberfläche und entfesselte den Sexualtrieb, von dem ich wusste, dass er tief in ihr existierte. *Komm und spiel mit mir, kleiner Wolf.*

Katriana reagierte, indem sie ihre Beine um mich

schlang und ihre heiße Mitte einladend gegen meinen Schaft presste.

Ich war kein Mann, der es langsam angehen ließ. Wenn ich etwas wollte, dann wollte ich es mit allem, was ich besaß. Dies hier war nicht anders sein.

„Halt dich an meinen Schultern fest", forderte ich.

Sie gehorchte und ihre kleinen Nägel bohrten sich in meine Haut. „Nimm mich", hauchte sie. Ihre Schenkel drückten meine Beine mit Nachdruck zusammen.

„Oh, Omega. So wütend ich auch auf dich bin, ich kann mich nicht länger zurückhalten." Ich hob meine Hüften an und die Spitze meines Schwanzes richtete sich an ihrem feuchten Eingang auf. Es würde eng werden, aber Omegas waren für so etwas gemacht. Ich würde mich einfach in sie hineinarbeiten müssen.

„Jetzt schrei für mich."

# KAT

*Zu groß.*
  *Zu schnell.*
  *Zu hart.*
  *So richtig.*

Ich wölbte mich gegen die Bestie, die in mir wühlte. Mein Körper brannte unter seiner Berührung. Das war es, was ich brauchte. Wonach ich mich sehnte. Was ich verabscheute. Alles verpackt in dem emotionalen Inferno, das in mir tobte.

Ander war nicht sanft.

*Ich* wollte nicht sanft sein.

Ich wollte den Alpha, der seine unerschütterliche Kontrolle verlor. Er knurrte, das Geräusch ein Grollen, das mich noch feuchter machte. Er war noch nicht ganz drin, sein Schwanz bahnte sich immer noch seinen Weg, was sowohl schmerzte als auch erregte.

Ich hatte den Verstand an diese unstillbare Lust verloren.

Worte, die meinen Ohren fremd waren, kamen aus meinem Mund. Sie lösten sich in Schreien, Gebeten, Stöhnen und Knurren auf. Ich umklammerte seine Schultern und schrie auf, als er wieder mit jedem Stoß tiefer in mich eindrang.

Oh, seine Kraft, seine Stärke, seine Größe …

Er schürte die Flammen, die durch meine Adern flossen. Meine Lust stieg höher als je zuvor, tanzte am Rande des Vergessens.

Etwas fehlte noch.

Eine Art Höhepunkt, um mich über die Klippe zu stoßen.

Ein Wimmern kam tief aus meiner Seele, vermischt mit einem Schrei der Qual, als er mich schließlich bis zur Vollendung ausfüllte. Ich zitterte, als meine Nägel seinen Rücken zerkratzten. Er hörte nicht auf. Seine Lippen fielen auf meinen Hals, brannten auf meiner Haut. Ander hatte meine Hüften fest im Griff und hielt mich in einem Winkel, um ihn besser empfangen zu können. Mein Körper schmerzte und schmachtete gleichzeitig nach ihm. Die köstliche Mischung aus Vergnügen und Schmerz rief eine wollüstige Seite in mir hervor, von der ich nie wusste, dass sie existierte.

Ich wollte mehr ...

Dieses Wort verließ meine Lippen wie ein Gebet, immer und immer wieder, und sein Name mischte sich zwischen die Befehle.

Er knurrte etwas als Antwort, aber es ging in meinem Schrei unter, als er sein Tempo erhöhte. Ich konnte nicht denken, konnte nicht atmen, konnte nichts anderes tun als zu fühlen.

„Mist", hauchte er. Seine Zähne streiften meinen Hals und sein Griff wurde härter, was mich zweifellos bis auf die Knochen verletzte.

Aber das verblasste im Vergleich zu dem Beben, das sich in mir aufbaute. Ich stand am Rande einer Explosion, die mich bewusstlos machen würde.

*Gefährlich.*

*Brutal.*

*Fesselnd.*

Ich beugte mich vom Bett, als er *noch* tiefer in mich eindrang und sein geschwollener Schaft mich immer mehr dehnte. „Ander!" Ich schrie auf und schlang meine Arme um seinen Hals, als meine Glieder zitterten.

„Shh", flüsterte er, sein Mund an meinem Ohr. „Ich werde dich knoten, Omega. Ich werde dich tagelang knoten."

Oh, das hörte sich gut an, auch wenn ich keine Ahnung hatte, was …

Er drang mit einem Gebrüll in mich ein, das meine Wirbelsäule vibrieren ließ. Ich flog mit ihm über den Rand in die Glückseligkeit. Sein Samen war heiß und floss in mein Inneres.

Ander brandmarkte mich, schoss mich in einen Orgasmus, der mich brutal von Kopf bis Fuß durchschüttelte und mir ein scharfes Keuchen entlockte.

Ein gesegneter Schmerz überkam mich, als sich sein Schwanz so tief in mir verankerte, dass ich nicht mehr atmen konnte.

Nein.

Nicht sein Schwanz.

*Der Knoten.*

Ach, du lieber Himmel … Er war mit seinem Sperma aus ihm herausgeschossen, klammerte sich an mein pochendes Inneres und schloss uns in einer endlosen Vibration der Lust zusammen.

Tränen fielen über meine Wangen. Es tat auf die beste Weise weh, verschaffte mir die Erleichterung, die ich brauchte, und zerstörte mich gleichzeitig.

Ich hatte keine Ahnung, dass die Wölfe des X-Clans so fickten. Ich liebte und hasste es zugleich. Mein Verstand schmolz zu einer Pfütze glückseliger Verwirrung.

Anders Zunge traf meine Haut, als er die Tränen aufleckte, die gefallen waren. Seine Nase küsste meine, und er rollte und auf die Seite. Unsere Körper waren immer noch in einem Tanz der wilden Verzückung miteinander verbunden.

Eine Decke der Ekstase hüllte mich ein und hielt mich gefangen in einem Meer der Leidenschaft, dem ich nicht entkommen konnte. Nicht, dass ich das wollte, mit der Wollust, die zwischen meinen Beinen aufblühte.

Er ergoss sich weiter in mich und sein Knoten vibrierte, während ich mit gierig pulsierenden Bewegungen alles aus seinem Schaft melkte.

Es wollte nicht aufhören.

Ich *konnte* nicht aufhören.

Und doch fehlte etwas …

Unter der unglaublichen Lust lag ein Bedürfnis, das ich nicht verstand. Ander schlang seine Arme um mich, drückte mich fest an seine Brust und strich mit seinen Lippen über meine Stirn. Ich fühlte mich trotzdem leer. Ein Wimmern mischte sich mit meinem Stöhnen, als er sich bewegte. Sein Schwanz pulsierte immer noch tief in mir, aber ich fühlte mich nicht gut genug.

Ich brauchte mehr.

Ich versuchte, meine Hüften gegen seine zu bewegen, um mein Bedürfnis zu demonstrieren, aber seine Hand wanderte zu meinem Hintern, um mich festzuhalten. „Noch nicht."

„Bitte." Ich drückte mich wieder an ihn.

„Nicht. Noch nicht."

Eine weitere Träne fiel, als Verzückung zu Wut wurde. Meine Mitte pochte und meine Beine spannten sich um seine Hüften. „Ander …"

Er gab meinem Hintern einen Klaps, der mich innerlich aufrüttelte und eine neue Welle der Euphorie auslöste. Ich stöhnte und verlangte mehr, aber er hielt mich wieder fest. Seine Finger fuhren durch mein Haar. „Entspann dich, Omega. Ich kümmere mich um dich."

Ein Schauer der Vorfreude lief meinen Rücken hinunter.

Wellen der Lust verschlangen uns beide, und sein Knoten machte Dinge mit mir, von denen ich nicht dachte, dass sie möglich waren. Dennoch sehnte ich mich nach einer tieferen Verbindung. Etwas, das uns einander näher bringen würde. Ich wollte, dass er mir alles gab.

Er hob mein Kinn an, und seine goldenen Augen strotzten vor Kraft. „Das war nur der Anfang, Süße. Ich werde jeden verdammten Zentimeter von dir verschlingen und dich in jeder Hinsicht besitzen. Außer in einer."

Ich hatte keine Ahnung, was er damit meinte, aber ich antwortete mit einem geflüsterten, „Ja", denn ich wollte von ihm verschlungen und immer wieder genommen werden.

Seine Erektion begann endlich, abzuflachen, und die Verbindung zwischen uns lockerte sich, als sein Knoten aus meinem Inneren verschwand. Eine heiße Flüssigkeit sammelte sich zwischen meinen Schenkeln und durchtränkte uns beide mit einer Kombination unserer Säfte.

„Ich will, dass du auf die Knie gehst und mich sauber leckst, Omega. *Jeden. Verdammten. Tropfen.* Und dann will ich, dass du an mir lutschst, bis ich hart genug bin, um dich erneut zu ficken." Er zog sich aus mir zurück und ließ mich leerer zurück als zuvor. „Jetzt."

Ich schluckte ein Wimmern hinunter und ließ mich auf meine Knie sinken, wie er es verlangt hatte, nur um sofort von den vermischten Säften unserer Erregung zu kosten.

*Oh Gott …*

Meine Schenkel bebten, und das wachsende Bedürfnis in mir überwältigte mich, als ich ihn in meinen Mund nahm.

*Das ist das beste, was ich je gekostet habe,* schoss mir durch meine lüsternen Gedanken.

So etwas hatte ich noch nie geschmeckt oder erlebt, und meine Instinkte verlangten, dass ich mit meiner Zunge über jeden Zentimeter seines Schwanzes fuhr.

Aber es war nicht genug. Ich brauchte mehr.

Ich nahm seinen Schwanz in meinen Mund, ließ ihn in meine Kehle sinken und saugte gierig. Mein Verlangen wurde von Sekunde zu Sekunde größer.

Er fuhr mir mit dem Finger durch meine Haare und führte mich in einem Rhythmus, der ihm besonders viel Vergnügen zu bringen schien.

Er wurde erneut hart, und sein Stöhnen löste Schmetterlinge in meinem Bauch aus. Im nächsten Augenblick lag ich auf mein Rücken und sein Schwanz stieß in meinen empfindlichen Kern, während sein Mund meinen beanspruchte.

Wie wild gaben wir uns dem animalischen Drang hin, der unsere Bewegungen antrieb. Ich stöhnte, schrie und flehte ihn an, niemals aufzuhören. Ander knurrte im Gegenzug und gab mir alles, was ich verlangte.

Wieder und wieder.

Stundenlang.

Tagelang.

Überall.

Er gab mir *alles.*

Ander fickte mich hart, aber ich genoss auch die flüchtigen zärtlichen Momenten, bevor er mich auf den Bauch drehte und mich von Hinten nahm. Ich sehnte mich nach ihm, verlangte, dass er mir alles gab. Und das tat er. Immer und immer wieder. Er hüllte uns in einen Kokon unserer vermischten Essenzen. Wir lagen eingehüllt in seinen durchnässten Laken, und ich realisierte, dass ich mich noch nie sicherer gefühlt hatte.

Meine Hände wussten sich zu beschäftigen, während ich zufrieden meine Gedanken schweifen ließ.

Ander sorgte für frische Laken aus Seide, die mit Baumwolle verwoben waren, aber der frische Duft war für meinen Geschmack zu sauber, also fickte ich ihn auf den frischen Laken, bis sie nach uns rochen und fügte sie danach unserem Nest bei.

Er schien zufrieden, selbstsicher und vollkommen nackt, als er neben mir lag und mich beobachtete.

*Mein muskulöser, starker Alpha*, dachte ich zufrieden.

Ich wollte ihn noch einmal schmecken, aber seine Hand an meinem Hals führte mich stattdessen zu seinem Mund, bevor er mich innig küsste und sein Schwanz noch einmal in mich hineinglitt. Ich begrüßte ihn mit weit gespreizten Beinen und genoss seine langsamen Bewegungen. Er ließ sich Zeit, presste meine Hüften ins Bett und zwang mich, jeden pochenden Zentimeter seines Schaftes zu spüren, während er tiefer und tiefer in mich eindrang.

Meine Schenkel umklammerten seine Hüften und mein Herz pochte wild in meiner Brust.

Die Zeit war uns völlig entgangen, denn wir hatten uns in unserem Wunsch, uns zu paaren, verloren.

„Du bist so verdammt schön", flüsterte er und vergrub sein Gesicht in meiner Halsbeuge. Seine Lippen bahnten sich einen Weg hinauf zu meinem Ohr. „Ich liebe es, in dir zu sein." Sein Knoten pulsierte entlang seines Schafts und warnte mich vor seinem bevorstehenden Orgasmus, kurz bevor er kam.

Ich keuchte unter ihm, denn seine Erlösung löste meine eigene aus.

Stahlende Sterne funkelten vor meinen Augen, und ich tauchte in einen Ozean voller Gefühle, die mir das Bewusstsein nahmen. Er hatte es mir ermöglicht. Ander. Meine Bestie. *Mein Alpha.* Er entlockte mir jedes Quäntchen Vergnügen und trieb mich so oft an den Rand meiner Kräfte, nur um mich mit einem Kuss zurückzuholen.

Ich stöhnte in seinen Mund, während meine Zunge seine in einem sündigen Tanz umschlang. Meine Finger fuhren durch sein dichtes Haar und meine Beine legten sich um seine Taille, bevor er sich auf den Rücken drehte und mich mitzog, ohne uns zu trennen, während er unaufhörlich in mir kam.

Sein Kuss wurde sanfter, und er brachte mich durch süße Liebesbisse zum Schmelzen.

„Du überwindest langsam dein Paarungshoch", murmelte er und kraulte mich sanft. „Ich kann die Veränderungen spüren, die in dir vorgehen. Genauso, wie ich das Leben spüren kann, das wir zusammen geschaffen haben." Seine Handfläche wanderte von meinem Nacken über meine Wirbelsäule. „Mein Samen wächst jetzt in dir, Omega."

Ich setzte mich auf, um meinen Bauch zu streicheln, während sein Knoten uns immer noch verband und sein Orgasmus mir im Gegenzug einen weiteren entlockte. Aber etwas an seinen Worten machte mich stutzig.

*Ein Baby?* Ich blickte nach unten und runzelte die Stirn.

Es war nie etwas, was ich mir jemals gewünscht hatte. Ein Kind in diese chaotische Welt zu bringen, hatte sich für mich immer falsch angefühlt. Aber das war, als ich noch außerhalb der Kuppel gelebt hatte und mich vor Infizierten, X-Clan Wölfen und all den anderen übernatürlichen Kreaturen der Welt fürchtete.

Der Andorra Sektor spielte nach anderen Regeln.

Kinder wuchsen hier im Schutz der Wölfe auf. Sie mussten nicht hungern oder befürchten, von einem Infizierten gebissen zu werden. X-Clan Wolfskinder überlebten.

Ander streckte seine Hand aus, um mein Kinn anzuheben, und ich konnte in seinen Augen eine Warnung erspähen. „Wenn du noch einmal versuchst, wegzulaufen, sperre ich dich in einen verdammten Käfig, bis du entbindest."

Ich keuchte über die Vehemenz seiner Aussage. Sein

Schwanz blieb erigiert, und sein Knoten fesselte mich in einer intimen Falle, aus der ich mich nicht lösen konnte, und doch sprach er mit mir, als wären wir nicht nackt und verbunden.

„Ich meine es ernst, Omega", sagte er. „Ich werde keinen weiteren Fluchtversuch dulden. Und du wirst bewacht, wenn ich nicht selbst hier bin, um es zu tun."

Warum sagte er das? Nach allem, was wir miteinander geteilt hatten?

*Selbst nachdem wir miteinander geschlafen haben, ist er immer noch sauer*, wurde mir klar. Das war der Grund, warum er meinen Namen nicht ein einziges Mal laut ausgesprochen hatte. Er nannte mich nur „Omega".

Ander packte meine Hüfte, als ich mich von ihm wegbewegen wollte, ohne sich darum zu kümmern, was es tat. „Tu es nicht. Du wirst es bereuen."

„Ich bereue gerade eine Menge", erwiderte ich, meine Stimme heiser vom tagelangen Stöhnen. Oder waren es Stunden? Ich wusste es wirklich nicht. Es fühlte sich an als, wäre mindestens eine Woche vergangen, vielleicht länger. Und doch war es nicht annähernd genug Zeit gewesen, um Ander zu besänftigen.

Wir waren umgeben von Seide und Baumwolle, ein Nest, das ich für uns geschaffen hatte. All die Wärme, die es mir gegeben hatte, war mit seinen Worten und der nackten Erkenntnis verpufft, dass wir jetzt nicht besser dran waren als zu Beginn.

Nein, wir waren *schlechter* dran.

Seinetwegen.

Er hatte mich mit etwas vollgepumpt, das meine Hormone ausgelöst hatte, mich dazu gebracht, ihn zu ficken, mich geschwängert und nun besaß er die Frechheit, mir zu drohen?

Mein Blut kochte aus einem ganz neuen Grund, und

meine Hände ballten sich zu Fäusten, bereit, Schaden anzurichten, als er mein Handgelenk ergriff, uns drehte, meine beiden Arme mit Leichtigkeit über meinen Kopf zog und sie unter einer seiner Handflächen einklemmte.

Er bewegte seine Hüften hart, was meiner Kehle einen scharfen Ton entlockte. „Ich kann dich immer noch ficken, Omega."

Ich biss meine Zähne zusammen gegen die Lust, die seine Bewegung weckte. *Schon wieder* ... Gott, wie lange musste ich das noch aushalten? Meine Schenkel wurden feucht, als eine neue Welle der Lust meinen Körper überkam, und ich Anders strafende Stöße in mir aufnahm. Es tat weh, denn sein Knoten war noch nicht abgeklungen, aber ich spürte jede kleinste Veränderung seiner Anatomie, als er sich für eine weitere Runde bereitmachte.

*Unendliche Intimität* ...

Wir waren bedeckt mit dem Aroma unserer Paarung, und während ich mich danach sehnte, mich loszureißen und heftig gegen ihn zu stemmen, verführten die kleinen Bewegungen seines Beckens mich und lösten neue Wellen der Lust in mir aus.

Ich küsste ihn mit einer Wildheit, die sich danach sehnte, ihn zu bestrafen und ihn gleichzeitig anzubeten. Die Art, wie seine Zunge mit meiner kämpfte, sagte mir, dass das Gefühl absolut gegenseitig war.

Wir waren weder freundlich noch sanft.

Es war hart und brutal – die Art von Sex, die uns beide bluten ließ.

Und ich liebte und hasste es gleichzeitig.

Ich wollte alles noch einmal machen und weinte, als es vorbei war.

Nach einer Weile zog er mich an sich, mein Rücken an seiner Brust, sein massiver Oberschenkel zwischen meinen Beinen. „Es hätte nicht so kommen müssen, Omega", flüsterte er in mein Ohr. „Ich hätte dich als mein Eigentum beansprucht, aber du musstest drängen und hast mir keine andere Wahl gelassen, als es auf die harte Tour zu tun."

Ominöse Worte, bei denen sich mir der Magen drehte.

Was meinte er mit „beanspruchen"? Was hatten ihm die letzten paar Tage bedeutet? Er hatte ein *Kind* in mich gesteckt. Für mich gab es keinen bedeutungsvolleren Weg, eine Bindung zu jemandem herzustellen.

„Ich werde unser Nest vermissen", fuhr er leise fort, „aber du wirst dir ein neues bauen müssen."

Meine Mundwinkel zogen sich nach unten. Warum klang es so, als würde er sich von mir verabschieden? *Das kann er nicht tun!* Nicht, nachdem er mich geschwängert hatte. Es sei denn …

Ich runzelte die Stirn. War das in der X-Clan Gesellschaft so üblich? Wurden Omegas zur Fortpflanzung benutzt und dann alleingelassen, um die Kinder aufzuziehen?

„Ander …"

Er ließ mich los und setzte sich auf. „Ich lasse dich heute Nacht hier schlafen, aber morgen früh ziehst du in dein eigenes Zimmer."

Ich rollte mich auf meinen Rücken und starrte zu ihm hoch. „Was?" War es nicht sein Ziel gewesen, mich in sein Bett zu bekommen? Und jetzt wollte er mich wieder herausschmeißen?

„Du bist nicht meine Gefährtin, Omega", sagte er und starrte emotionslos auf mich herab.

Ich blinzelte ihn an, während mein Mund versuchte, Gedanken zu artikulieren, von denen ich nicht wusste, wie ich sie formulieren sollte. *Nicht seine Gefährtin? Aber wie? Wieso? Worum zur Hölle hätte es während unserer gemeinsamen Zeit denn sonst gehen sollen?*

Und warum tat mir seine Aussage so weh?

Ich mochte ihn nicht einmal, wollte nichts mit seiner Welt oder diesem Ort zu tun haben. Seine Ärzte hatten mich gegen meinen Willen in einen Wolf verwandelt, und ich wollte nur entkommen, um nach Hause zu gehen.

Aber dann nutzte Ander etwas, um meine Brunst auszulösen, was alles veränderte. Er nahm mir meine Unschuld und schwängerte mich … Und wozu?

„Warum hast du mir das angetan?", fragte ich. Meine Stimme war kaum ein Flüstern.

„Du warst eine läufige Omega und ich habe meinen Job gemacht. Ich habe den Samen geliefert, nach dem dein Körper sich gesehnt hat, und jetzt wirst du mir ein Kind schenken." *Harte Worte, kalte goldene Augen und eine stoische Miene.* „Trotzdem bin ich dazu verpflichtet, dich als Mutter meines zukünftigen Nachwuchses zu beschützen. Und das werde ich tun, bis du gebärst."

„Wie nett von dir", zischte ich wütend.

Wie konnte er es wagen, mir all das anzutun und mich dann in mein eigenes Zimmer zu stecken?

Ich wollte ihm eine reinhauen.

Ihm eine Szene machen.

Wut kochte in mir wie heiße Glut.

Ich wollte seine verdammte Suite zerstören, doch meine Verzweiflung raubte mir die Energie, wie ich es noch nie gefühlt hatte.

*Er will mich nicht …*

Warum dieser Gedanke über die anderen erhaben war, wusste ich nicht, aber er tat mehr weh als alle anderen.

Nach allem, was er mir in den letzten Tagen zugemutet hatte, wollte er mich nicht. Er hatte mich nicht wirklich beansprucht. Das war das Gefühl, das mir gefehlt hatte. *Das* war der Grund, warum ich in meinem hormonellen Zustand nicht in der Lage gewesen war, wahre Befriedigung zu erlangen.

Ich war gut genug, um ihn zu ficken und von ihm geschwängert zu werden, aber am Ende des Tages war ich nicht würdig genug, um seine Gefährtin zu sein.

Meine Schultern sackten, und ich rollte mich zusammen, denn die Trauer um den Verlust einer solchen Verbindung verursachte mir körperliche Schmerzen.

Ander Cain hatte mich abgewiesen.

In seinem eigenen Bett.

Während sein Samen heiß an meinem Schenkel hinunterlief.

Es war genau das, was ich mir hätte wünschen sollen, denn es gab mir eine Chance auf Freiheit. Eine Möglichkeit, mich von dem Alpha zu lösen.

Doch alles, was ich fühlte, war völlige Trostlosigkeit und Einsamkeit neben einer subtilen Hitze, die in meinem Bauch aufblühte und ein neues Leben ankündigte.

Vielleicht war dieser letzte Teil meine Einbildung, aber ich klammerte mich daran, denn bei all den Gedanken, die mir durch den Kopf schossen, war es das einzige Detail, das mir Hoffnung gab.

*Ein Baby*, dachte ich und schloss die Augen. *Mein Baby* ...

Es war vielleicht der einzige Moment des Glücks, der mir in diesem Leben vergönnt sein würde, und für einen Moment ließ ich es zu.

Ein kleiner Hoffnungsschimmer eingehüllt von einer Ewigkeit der Dunkelheit.

*Mein Schicksal* ...

# ANDER

„Ich kann nicht glauben, dass du dich nicht vollständig mit ihr gepaart hast", murmelte Elias und rieb sich mit einer Hand über das Gesicht. „Und dann hast du sie einfach in einem anderen Zimmer untergebracht?"

Mein Kiefer verkrampfte sich. „Ich will nicht darüber reden." Wir hatten heute wichtigere Aufgaben zu erledigen. Zum Beispiel mussten wir die erste Lieferung der Ash Wolves entgegennehmen, die in zehn Minuten eintreffen würde. Ich hatte meinen eigenen Jet geschickt, um das Paket abzuholen. Wenn wir zufrieden waren, würde ich dem Ash Wolf Alpha erlauben, mit dem Jet zurückzufliegen, um ihn zu behalten.

Das war unser Deal.

„Wie wirst du damit umgehen, dass sie in der Nähe anderer Alphas ist?" fragte Elias. „Sie ist unbeansprucht, Ander."

„Mein Kind wächst bereit in ihr heran", knurrte ich zurück, „Ein anderer Alpha müsste wahnsinnig sein, um sie anzurühren."

„Es ist nicht verboten, die schwangere Gefährtin eines anderen zu beanspruchen", erinnerte er mich. „Besonders unter diesen Umständen."

Da sie eine der wenigen Omegas unter den Gefährtinnen

ist, könnte ein anderer Alpha gerade selbstmörderisch genug sein, sie zu nehmen … Gefahr hin oder her.

„Dann bringe ich den Dreckskerl um, der mich herausfordern sollte", antwortete ich. „Problem gelöst."

„Du provozierst nur einen Streit."

„Nein, ich bitte dich, dieses Thema nicht mehr anzusprechen", gab ich zurück.

Elias pfiff erstaunend. „Du warst eine Woche mit deiner Omega im Bett und du bist noch launischer als vor ihrer Ankunft. Ich würde ihre Fähigkeiten dafür verantwortlich machen, aber ich vermute, dass es an deinem *fehlenden Anspruch* liegt."

„Halt die Klappe."

„Bring mich doch zum Schweigen." Er stellte sich mir aggressiv entgegen.

Ich packte ihn am Hemd und zerrte ihn zu mir. „Willst du mich provozieren, damit ich dir in den Arsch trete?"

„Ich beweise dir, dass ich recht habe", schnauzte er zurück und legte sein Hand um mein Handgelenk, bevor er seine Stimme auf einen Pegel senkte, der nur für meine Ohren bestimmt war. „Wir warten hier draußen auf eine Lieferung und nach einer Handvoll provozierender Worte bist du bereit, mir vor einem Publikum in den Arsch zu treten. Das bist nicht du, Ander."

Ich ließ ihn genauso schnell los, wie ich ihn gepackt hatte, verdammt genervt, dass er mich absichtlich auf die Palme gebracht hatte. Es war nicht einfach gewesen, Katriana unbeansprucht zurückzulassen, aber es war der beste Weg für sie, unsere Dynamik zu verstehen.

Nach ihrem kleinen Stunt letzte Woche wusste ich, dass eine erzwungene Bindung unsere Situation nur verschlimmern und sie dazu bringen würde, mich noch mehr zu bekämpfen. Sobald sie unsere Gemeinschaft ein wenig besser verstand, würde sie mehr Respekt vor dem haben, was ich ihr zu bieten hatte.

„Reiß dich zusammen", fuhr Elias sanft fort. „Du machst die anderen Alphas nervös."

Er hatte recht.

Scheiße, ich hasste es, dass er recht hatte.

Ich ging im Kreis herum, die Hände in die Hüften gestemmt, und kämpfte darum, meine Gefühle zu zügeln.

Katriana nicht zu beißen, hatte mich sehr viel körperliche Zurückhaltung gekostet. In Anbetracht unserer körperlichen Aktivitäten der letzten Woche war es nicht ungewöhnlich, dass ich erschöpft war.

„Sie bringt mich um den Verstand", brummte ich und strich mir mit einer Hand über den Nacken.

Elias warf mir einen Blick zu. „Ich verstehe immer noch nicht, warum du sie nicht einfach für dich beansprucht hast, Cain."

„Bestrafung."

„Es scheint, als würdest du dich selbst mehr bestrafen als sie", bemerkte Elias.

Ich schnaubte. Er hatte keine Ahnung …

Der vernichtende Blick, den sie mir gestern Abend zugeworfen hatte, sagte mir, dass meine Bestrafung nicht nur gewirkt, sondern sie fast zerstört hatte.

Ich hatte nicht erwartet, dass sie so kühl reagieren würde. Sie hatte nicht aufgehört, zu kämpfen, seit sie hier angekommen war, und ich erwartete mehr vom gleichen Verhalten. Zu meiner Überraschung hatte sie sich jedoch in ihr Nest verkrochen, ohne ein weiteres Wort zu verlieren.

Als ich heute Morgen nach ihr gesehen hatte, hatte sie sich nicht von der Stelle gerührt.

Ich wollte ihr sagen, dass sie ihren Arsch aus meinem Zimmer bewegen musste, aber die Worte waren nicht über meine Lippen gekommen. Stattdessen hatte ich geduscht und mich umgezogen, und war direkt hierhergekommen, um den ausgehandelten Deal über die Bühne zu bringen.

Der Zweck war es, mich von Katriana abzulenken. Elias durchkreuzte meine Pläne jedoch, sobald er mich sah, indem er mir die letzte halbe Stunde auf die Nerven ging, weil er meine Absicht nicht kannte.

Als ob ich seine Hilfe bräuchte …

„Es wird sich alles von selbst regeln", versprach ich.

„Sieh zu, dass es das tut", antwortete er und wölbte herausfordernd eine Augenbraue. Er war aus mehreren Gründen meine zweite Hand, einschließlich der Tatsache, dass er wusste, wie er mich zur Rechenschaft ziehen konnte, wenn es nötig war. „Vielleicht solltest du nach unserem Treffen ins Fitnessstudio gehen und etwas Dampf ablassen."

Oh, ich hatte die feste Absicht, diese Aggression oben mit Katriana zu beseitigen.

Vorausgesetzt, sie hatte mein verdammtes Bett verlassen.

Ich atmete aus und sah auf meine Uhr. Die Lieferung würde jede Minute eintreffen.

*Gott sei Dank.*

Wie aufs Stichwort begann sich das Glas der Kuppel zu öffnen.

Elias und unser Team versuchten, jegliche Gefahren zu wittern. Unsere Wolfssinne konnten Gerüche über Kilometer hinweg wahrnehmen, aber außer den Abgasen der herannahenden Flugzeugs schien nichts in der Luft zu liegen. Kerosin hinterließ immer einen gewissen Gestank, der meine Nasenlöcher irritierte.

Wölfe rannten.

Wir wurden nicht zum Fliegen geschaffen, aber ich konnte die Nützlichkeit bestimmter Transportmittel nicht leugnen.

Wie zum Beispiel für den heutigen kleinen Ausflug in den Shadowlands Sektor. In der Erwartung, dass die Omegas an uns ausgeliefert werden würde, hatten wir die Hälfte im Voraus geschickt. Nach dieser Transaktion konnten sie den Rest unserer Technologie und den Jet haben.

Elias' Haltung veränderte sich und er richtete sich zu seiner vollen Größe aus, als die Geräusche der laufenden Motoren näher kamen.

„Wir haben das Paket", sagte der Pilot durch das Funkgerät. Yazek war einer von uns und wir hatten einen Code, falls er zum Sprechen gezwungen werden sollte.

Da er diesen nicht benutzt hatte, nickte ich und antwortete, „Gut. Begib dich zum Landeplatz."

„Verstanden." Der Beta verabschiedete sich und überließ es uns, auf seine Landung zu warten, was einige Minuten später geschah.

Ich verschränkte die Arme und beäugte den Transport mit einem gelangweilten Blick. Dušans Stellvertreter Mad war bei allen unseren bisherigen Verhandlungen notorisch schweigsam gewesen. Er wirkte auf mich wie ein nachdenklicher Typ mit einem berechnenden Verstand, den ich nicht unterschätzen wollte.

Also blieb ich ruhig und wartete, während sich die Treppe an der Seite des Jets entfaltete.

Ein Ash Wolf Beta erschien zuerst, gefolgt von Jonas, meinem auserwählten Leutnant für diese Mission. Da er ein gepaarter Alpha war, wusste ich, dass ich ihm vertrauen konnte, dass er die Omega unbeschadet eskortieren würde. Er nickte mir subtil zu und bestätigte, dass alles reibungslos verlaufen war.

Mad erschien als nächstes. Sein Ausdruck war emotionslos und seine Größe entsprach der eines typischen X-Clan Alphas, während seine nachdenkliche Art unbestreitbar tödlich wirkte. In seinen eisblauen Augen lag ein Hauch von Gewalt, als er sich mir näherte. Seine legere

Kleidung, Jeans und ein Pullover, verbarg den gefährlichen Wolf, der darunter lauerte.

„Cain", sagte er zur Begrüßung.

„Mad", gab ich zurück und hielt seinem Blick stand.

Er mochte im Shadowlands Sektor ein mächtiger Alpha sein, aber in meinem Revier hatte ich das Sagen. Mad akzeptierte meine Autorität klugerweise mit einem respektvollen Neigen seines Kopfes. „Darf ich dir Daciana vorstellen?"

Elias erstarrte neben mir, als eine zierliche, aschblonde Frau im Eingang des Jets erschien, die Schultern ängstlich gekrümmt, während Yazek sie sanft vorschob.

„Sie werden nicht beißen", versicherte der Beta ihr leise.

Sie zitterte sichtlich. Ihre hochhackigen Stiefel schlugen mit einem leichten Klacken auf der Treppe auf, als sie einen wackeligen Schritt machte. Angst strahlte von ihr aus und löste eine Gänsehaut auf meiner Haut aus. Sie schrie förmlich nach einem Alpha-Beschützer. Ihre Unterwürfigkeit zeigte sich in ihrer Statur und ihren sanften Bewegungen.

*So anders als meine Katriana …*

Sie wäre diese Treppe mit einem Hauch von Trotz hinuntergegangen, unterstrichen durch ihr überquellendes Selbstvertrauen, und sie würde mich anstarren, während sie es tat, statt sich auf den Boden zu konzentrieren.

Dacianas Unterlippe zitterte, als sie Mad erreichte und ihre Beine in einem unbeholfenen Knicks anwinkelte. „Hallo", flüsterte sie.

„Hallo, Daciana", grüßte ich und hob mit meiner Hand ihr Kinn an, um ihre blassblauen Augen zu meinen zu führen. „Willkommen im Andorra Sektor."

Eine Träne blieb an ihren hellen Wimpern hängen, während ihre Kehle arbeitete, um zu schlucken. „Danke, dass ihr mich aufnehmt", sagte sie mit einer heiseren

Stimme. Ihre Angst erfüllte die Luft – eine Art Aphrodisiakum für die anwesenden Alphas.

Es hätte uns allen Spaß gemacht, sie zu jagen, denn diese Omega war eindeutig bereit, davonzulaufen.

*Hmm, definitiv nicht wie Katriana.*

Während meine Omega fliehen wollte, verströmte sie nicht den Geruch von Angst. Nein, ihre Handlungen waren von Entschlossenheit geprägt.

„Der Rest deiner Lieferung ist dort drüben", sagte ich zu Mad, mein Blick immer noch auf die Ash Wolf Omega vor mir gerichtet. „Ich nehme an, dein Beta ist hier, weil er fliegen kann?"

„In der Tat", bestätigte Mad.

„Okay, dann ist unser erster Austausch abgeschlossen." Ich begegnete seinem eisigen Blick. „Ich melde mich mit den Laborergebnissen."

„Dušan wird zufrieden sein."

„Ich weiß." Ich konzentrierte mich wieder auf die Omega. „Komm mit, Daciana. Wir werden dich dem klinischen Team vorstellen." Ich legte meinen Arm um sie und stieß ein leises Knurren aus, um ihre Nerven zu beruhigen, falls das bei einem Ash Wolf überhaupt funktionierte.

Sie zitterte, aber ihre Schultern entspannten sich ein wenig. Das war ein gutes Zeichen.

Elias führte sie zu unserem Wagen und öffnete die Tür, damit sie auf den Rücksitz klettern konnte. Jonas saß bereits hinter dem Steuer, und als sie ihn sah, beruhigte sich das Mädchen noch mehr, was darauf hindeutete, dass er ihr entweder von seiner Gefährtin erzählt hatte, oder dass sie spürte, dass von ihm keine Gefahr ausging.

Da Jonas ein Mann der wenigen Worte war, vermutete ich, dass es Letzteres zutraf, was bedeutete, dass sie wusste, dass Elias und ich ungepaart waren.

Ich wandte mich zu ihm um, nachdem sie ins Auto gestiegen war. „Setz dich zu ihr auf den Rücksitz."

Er wölbte eine Augenbraue, die Hand bereits an der Beifahrertür. „In Ordnung", war alles, was er sagte.

Er nahm den Platz neben ihr im hinteren Teil des Geländewagens ein. Ich setzte mich auf den Beifahrersitz und fing seinen Blick im Spiegel auf.

Ja, ich war vom Plan abgewichen, aber der Gedanke, in ihrer Nähe zu sitzen, ihr zu erlauben, zu denken, ich sei verfügbar, obwohl ich es nicht war, gab mir ein ungutes Gefühl.

Als ob ich Katriana irgendwie untreu sein würde. Ein lächerlicher Gedanke, wenn man bedachte, dass wir nicht einmal gepaart waren, aber es zerrte an meinen Nerven.

Außerdem war er derjenige, der zuerst auf die Frau Anspruch erhoben hatte. Ich sollte ihm die Chance geben, sich ihr vorzustellen.

Ich würde nur sicherstellen, dass ich sie in die Laboratorien begleitete, damit jeder verstand, dass sie unter meinem Schutz stand. Wir mussten wissen, ob sie eine taugliche Kandidatin war, um den Fortbestand unseres Rudels zu sichern.

Wenn alles passen würde, würde ich den Deal mit den Ash Wolves vorantreiben, aber falls ihr etwas zustoßen würde, bevor wir die Chance hatten, ihre Fähigkeit, Junge zu empfangen, zu bestätigen, wären wir aufgeschmissen, weil Dušan kein anderes Weibchen zum Testen schicken würde.

Das war der Grund, warum ich Elias persönlich mit ihrer Sicherheit beauftragt hatte. Ich hätte es getan, wenn ich nicht davon ausgehen würde, dass Katriana einen weiteren Fluchtversuch durchführen würde. Sie würde meine Warnung nicht beherzigen. Eine nervöse Ash Wolf Omega zu beruhigen und gleichzeitig zu versuchen, eine X-Clan Omega zu zähmen, war ein verdammter Albtraum.

Glücklicherweise war Elias mehr als bereit, mir eine Aufgabe abzunehmen.

Auf dem Weg zurück ins Hauptquartier sagte niemand ein Wort.

Dacianas angsterfüllter Geruch durchdrang den Innenraum des Wagens. Ihr Duft hatte eine Anziehungskraft an sich, von der ich wusste, dass sie Elias in den Wahnsinn treiben musste. Jonas würde es ignorieren können, denn seine Bindung zu Riley war beständig.

Und aus welchem Grund auch immer fand ich ihren Duft nicht besonders verlockend.

Ich bevorzugte den Duft meines temperamentvollen Weibchens.

Ich musterte das Gebäude vor mir und fragte mich, was sie wohl gerade tat. Hatte sie ihr Nest schon verlassen? Plante sie bereits eine weitere Flucht? Ein Teil von mir hoffte, sie würde mir einen Grund geben, sie zu jagen. Da sie mein Kind in sich trug, stellte sie kein so großes Risiko dar.

Zumindest bis zu ihrem zweiten Trimester.

Aber darum würden wir uns kümmern, wenn die Zeit gekommen war.

Jonas parkte und wir stiegen aus, während Elias an Dacianas Seite blieb, als sie zwischen uns ging.

„Jonas", sagte ich, sobald wir drinnen ankamen, „kannst du Riley bitten, uns im Labor zu treffen?" Ich hatte sie damit beauftragt, oben auf Katriana aufzupassen.

Dass sie sich nicht gemeldet hatte, sagte mir, dass nichts Wichtiges passiert war und meine Omega wahrscheinlich noch in unserem Nest schlief. Ich würde ihr etwas zu essen bringen, sobald ich zurückkam, nachdem ich Dacianas Umzug in den Andorra Sektor abgeschlossen hatte.

In typischer Manier antwortete Jonas mit einem einfachen Nicken.

Daciana sah ihm mit einem panischen Blick hinterher.

„Riley ist seine Gefährtin", erklärte ich ihr sanft. „Sie wird diejenige sein, die deine Laborergebnisse verwaltet."

Das Weibchen blinzelte, ihre Angst deutlich spürbar.

„Ich glaube, sie hat die Gerüchte über unsere Knoten gehört", sagte Elias. „Sie scheint ziemlich ängstlich zu sein und sich vor uns zu fürchten."

Ihr Kiefer verkrampfte sich kaum merklich als einziges Anzeichen dafür, dass seine Worte sie verärgerten, aber sie blieb äußerlich unterwürfig, denn ihre Omega-Instinkte hatten sie voll im Griff.

Ich warf meinem Vize einen Blick zu, der ihm sagte, er solle aufhören, sie aufzustacheln, und er grinste mich an, denn er wusste genau, was er tat.

Seine Art, Spannungen abzubauen, war Witze zu machen.

Irgendetwas sagte mir, dass das der zerbrechlichen Frau zwischen uns nicht helfen würde.

Ich legte meinen Arm wieder um sie, knurrte genug, um ihr Zittern zu beruhigen, und führte sie zum Aufzug. Die Situation würde sich verbessern, sobald sie Riley sehen würde.

Natürlich hatte ich das Gleiche über Katriana gedacht, und sie hatte trotzdem versucht, vor mir zu fliehen, nachdem Riley gegangen war.

Im Labor angekommen ließ ich Daciana los und nickte Elias zu, damit er übernehmen konnte. Hier unten gab es keine Kameras und keine Möglichkeit für die anderen Alphas, zu sehen, das ich ihm den Vortritt ließ, diese Frau als seine Gefährtin zu beanspruchen.

Während ich den meisten meiner Brüder vertraute, konnte ich mich nicht auf alle verlassen.

Wie letzte Woche, als Darren und Tonic versucht hatten, meine zukünftige Gefährtin zu nehmen, ganz zu schweigen von Enzo und seinem dümmlichen Gerede.

Dies war eine heikle Situation, die nur die Stärksten unserer Art bewältigen könnten, und so, wie Elias Daciana jetzt ansah, wusste ich, dass ich richtig gewählt hatte.

Trotz seiner groben Bemerkung über unsere Knoten wusste ich, dass er sie nicht verletzen oder unangemessen berühren würde.

Wenige Augenblicke später betraten Riley und Jonas den Raum, ihre Finger in der üblichen Weise verschränkt. Ich begegnete dem Blick der Omega und wölbte eine Braue in Erwartung eines sofortigen Berichts.

„Sie ist in der Dusche", sagte sie. „Sie muss etwas essen, Ander."

Bei ihrer letzten Aussage warf Jonas mir einen entschuldigenden Blick zu und Elias wölbte eine Augenbraue.

Aber Riley war noch nicht fertig. „Ich weiß nicht, was du mit ihr gemacht hast, aber sie ist ein Wrack, also geh da rauf und bring es in Ordnung. *Jetzt.* Ich kümmere mich um unseren Neuzugang, während du reparierst, was du kaputt gemacht hast."

Mein Kiefer verkrampfte sich, da ich es nicht gewohnt war, Befehle von jemandem anzunehmen, der so klein und unter meiner Stellung war. „Achte auf deinen Ton, Omega."

Sie zuckte nicht einmal zurück. Ihr glitzernder Blick erinnerte mich an eine blaue Flamme. „Sie ist nicht an unsere Art gewöhnt, Ander. Hätte sie weglaufen sollen? Nein. Aber wie kannst du es ihr verübeln? Sie ist als Mensch aufgewachsen und wird sich nicht einfach über Nacht an unsere Lebensweise gewöhnen."

„Es reicht, Riley", sagte Jonas und zog sie schützend an seine Seite.

Ein kluger Schachzug, denn ich war bereit, sie zu erdrosseln, weil sie es wagte, mit dieser anklagenden Haltung auf mich zuzugehen. Ich hatte nichts falsch gemacht. Die

Frau wollte mich nicht einmal. Sie sollte dankbar sein, dass ich sie nicht zur Paarung gezwungen hatte.

Natürlich hatte ich das noch vor.

Ich wollte nur sichergehen, dass sie unsere Gesellschaft zuerst verstand.

„Ich gehe das auf meine eigene Art an", informierte ich Riley. „Nicht, dass ich dir oder sonst jemandem eine Erklärung für meine Methoden schulde."

Riley brachte ihren Unmut laut zur Geltung, denn ihre Irritation war mehr als deutlich.

Ich wölbte eine Augenbraue und blickte Jonas an. „Deine Omega braucht eine strenge Lektion, wie man einen Alpha richtig anspricht. Besonders mit dem ranghöchsten Alpha ihres Sektors."

Seine Lippen zuckten. „Ich vermute, eine Lektion ist genau das, was sie will."

Riley stieß ihm mit dem Ellbogen in die Seite. Ihre Augen funkelten wutentbrannt.

Er legte eine Hand um ihren Nacken und zog sie mit einer Bewegung zu sich heran, die einen weniger agilen Wolf zum Stolpern gebracht hätte.

„Ich nehme das zurück. Sie ist in der Stimmung für einen Kampf", korrigierte er sich, wobei seine hellblauen Augen in die ihren blickten. „Aber ich glaube, sie vergisst unseren Gast."

Die unartige Omega musterte ihren Gefährten einen Moment lang, bevor sie ihre Lippen zusammenpresste. „Okay", sagte Riley und antwortete Jonas so auf das geheime Gespräch, das sie mit ihren Augen zu führen schienen.

„Gut" Er nickte und küsste sie schnell, bevor er sie losließ, aber Riley ergriff den Kragen seines Hemdes, um ihn wieder an sich zu ziehen, zog seine Lippe in ihren Mund und biss zu … *hart*.

Jonas knurrte.

Sie lächelte.

Elias schüttelte nur den Kopf, und ich trat einen Schritt zurück.

Das war mein Stichwort, um zu gehen, denn zu sehen, wie sie interagierten, machte mir Lust auf einen eigenen Kampf mit meinem Weibchen.

„Lasst mich wissen, was ihr findet", sagte ich und verließ sie ohne ein weiteres Wort.

Meine Omega brauchte Nahrung, also würde ich ihr Essen zubereiten.

Und danach würde ich sie ficken.

# KAT

Ich hatte keine Lust, mich abzuduschen, aber ich hatte keine Wahl, nachdem ich mein Spiegelbild gesehen hatte. Ich war mit unser vermischten Essenz bedeckt und mein Haar hatte sich verknotet.

Glücklicherweise konnte ich sie mit einem Shampoo und einer Bürste, die ich in Anders Badezimmer gefunden hatte, züchtigen. Meine Haut hatte dank des kochend heißen Wassers einen intensiven Rotstich.

Wenigstens konnte ich Ander von meinem Körper waschen.

Ich erschauderte, als ich mich daran erinnerte, wie er sich zwischen meinen Schenkeln anfühlte, bevor ich an seine letzten Worte dachte, und die Art, wie er mich über meinem Platz in seinem Leben informiert hatte … Ich war nicht mehr als eine glorifizierte Zuchtstute.

*Nein, nicht einmal das.*

Er hatte mich gefickt, weil ich läufig war, was *er* veranlasst hatte und mir dann gesagt, dass wir bis zur Geburt getrennt leben würden.

Was würde danach passieren? Würde er mir das Kind wegnehmen und mich dann an den nächsten Alpha weiterreichen?

Meine Zähne knirschten, als sich ein Knurren seinen Weg aus meiner Brust bahnte.

*Nein, das wird nicht geschehen!*

Er müsste sich etwas anderes einfallen lassen, wenn er dachte, ich würde diesen Wahnsinn freiwillig mitmachen. Aber wenn es nach meinen Erfahrungen der letzten Woche ging, wusste ich, dass er nicht meine geistige Zustimmung brauchte, um meinen Körper zu erregen.

Ein Teil von mir verabscheute ihn für alles, was passiert war, und schrie, dass ich nie eine Wahl hatte, aber ich hatte schon vor langer Zeit gelernt, dass nichts auf dieser Welt jemals fair war. Es kam darauf an, dass wir überlebten.

Ich konnte akzeptieren, dass mein Körper ihn begehrte.

Ich konnte sogar akzeptieren, dass *ich* ihn wollte.

Aber mich als Zuchtstute zu benutzen, hatte die Grenze überschritten.

Er hatte mich mehr als einmal als seine Auserkorene bezeichnet, doch mit ein paar grausam formulierten Worten, hatte er alles zurückgenommen.

*Weil ich ihm nicht genug gefalle? Weil ich versucht habe, wegzulaufen? Wie kann er es mir verübeln?*

Niemand hatte mich um Erlaubnis gefragt, als sie mich in einen X-Clan Wolf verwandelten, geschweige denn in eine Omega.

Sie hatten mich aus dem Wald entführt und mich mit einem Haufen Chemikalien vollgepumpt, als ich bewusstlos war, um meine Verwandlung zu erzwingen. Dann nahm Ander mich und brachte mich in seiner Suite unter, weil ich ihm nun angeblich gehörte.

Niemand, der ein Gewissen hatte, konnte mir vorwerfen, dass ich versucht hatte, die Flucht zu ergreifen.

Aber Ander tat es offensichtlich.

Okay, es war nicht die klügste Idee gewesen, weil ich in der Nähe von unzähligen notgeilen Wölfen läufig war. Aber er war der Grund, warum mein Zyklus so früh begonnen hatte.

Er hatte genauso viel Schuld an dem Vorfall wie ich, wenn nicht sogar mehr.

Und nun verleugnete er mich.

Er hatte mich mit seinem Kind in meinem Bauch zurückgelassen und mir gesagt, ich solle aus seinem Zimmer verschwinden, *weil ich nicht seine Gefährtin war.*

„Arschloch", knurrte ich, ließ mein Handtuch auf den Boden fallen und marschierte zu seinem Schrank, um ein Hemd herauszunehmen. Ich weigerte mich, mich von ihm so behandeln zu lassen, und ich würde ihm nicht erlauben, mir mein Kind wegzunehmen, nur weil er *der* Alpha war.

Es musste einen Ausweg geben.

Ich schnappte mir ein Hemd und warf es mir über den Kopf, dann drückte ich eine Handfläche auf meinen flachen Bauch und hielt inne …

Es wäre so einfach, erneut wegzulaufen … Diesmal mithilfe eines besseren Plans, aber ich musste jetzt ein anderes Leben in Betracht ziehen. Obwohl eine Schwangerschaft vielleicht nicht auf meiner Liste für die Zukunft stand, war es auch nicht etwas, das ich hasste.

Es war einfach ein Gedanke, den ich mir nie erlaubt hatte, in Betracht zu ziehen. Die grausame Welt, in der wir lebten, war kein Ort, an dem ich jemals ein Kind aufzuziehen wollte.

Der Andorra Sektor war anders.

Eine Welt der Wölfe, die nicht von den Infizierten betroffen war.

Aber diese neue Welt enthielt Regeln, die ich nicht verstand, und eine Hierarchie, die mich untergrub, ohne mir eine Wahl zu geben.

Ander Cain könnte mir mein Kind wegnehmen und das würde er wahrscheinlich auch tun.

*Wie kann ich ihn aufhalten?*, fragte ich mich und stampfte durch zur Tür. Unser Nest aus Laken und Decken verhöhnte mich ... eine Erinnerung an unsere gemeinsame Zeit, von der er behauptet hatte, es sei seine Pflicht und nichts weiter.

Mein Blick fiel auf den Teppich.

Ich hasste es, wie ich mich bei seinen Worten gefühlt hatte, aber ich hasste es noch mehr, dass er sie ausgesprochen hatte. Wie konnte ich mich jemandem so verbunden fühlen, den ich kaum kannte? Ander war ein Mann, den ich logischerweise hassen sollte.

Weil er eine Leidenschaft in mir geweckt hatte, von der ich nie wusste, dass sie existiert.

Vielleicht würde ein anderer Alpha eine ähnliche Reaktion hervorrufen. Wollte ich das überhaupt?

Mit einem Kopfschütteln wagte ich mich in den Wohnbereich und in Richtung Küche. Mein Magen knurrte und verlangte nach Nahrung. Ich konnte mich nicht einmal an meine letzte Mahlzeit erinnern.

Ander stand direkt neben dem Herd, sein Rücken zu mir, während er sich auf das konzentrierte, was er gerade tat. Ich nahm mir einen Moment Zeit, um ihn von hinten zu bewundern. Ich bemerkte, wie seine Jeans seinen perfekt geformten Hintern umschlang und wie sich das graue T-Shirt, das er trug, über seine breiten Schultern spannte.

*Warum muss er so verführerisch aussehen?*

Ich rümpfte die Nase, als ich einen unbekannten Geruch wahrnahm, und unterbrach meinen Gedankengang. Er roch nicht gut, sondern anders ... süßlich, nicht männlich.

„Wo bist du gewesen?", fragte ich in einem fordernden Tonfall, den ich nicht an den Tag legen wollte, aber ich mochte diesen neuen Duft nicht. Er verunsicherte mich.

*Mein Wolf,* wurde mir klar.

Ich konnte sie unter meiner Haut spüren und teilte den Zwiespalt den sie empfand. Ich würde nur zu gerne fliehen, aber gleichzeitig wollte ich mich auch gierig auf den Alpha stürzen.

Ich verstand meine Gedanken nicht.

Er ignorierte mich und gab stattdessen eine eigene Forderung von sich, „Setz dich an den Tisch. Du musst essen."

Meine Augen verengten sich. „Nicht, bevor du mir sagst, warum du so komisch riechst." Die Aussage klang lächerlich, aber mein Wolf nickte zustimmend, also verschränkte ich meine Arme und wartete.

Und wartete …

Er sagte nichts, während er zwei Schüsseln mit herzhaftem Essen zubereitete. Ich konnte die Zutaten trotz meiner geschärften Sinne nicht identifizieren.

*Fremd, reichhaltig und fleischig.*

Ich wollte es probieren … bis er an mir vorbei schritt und ich diesen ekelhaft süßen Duft wieder roch.

Ich runzelte die Stirn. „Ich mag es nicht, wie du riechst."

Er schnaubte und stellte die Schalen auf den Tisch. „Du hast dich gestern nicht beschwert, als wir uns in unserem Nest geräkelt haben."

Die Erinnerung an unser *Nest* stieß mir sauer auf und stellte meine Nackenhaare auf. Ich wollte nicht darüber nachdenken. Oder darüber, wie es geendet hatte. Ich entschied mich, Platz zu nehmen und mich dem Essen zu widmen, das er bereitgestellt hatte.

Während ich den Geschmack des Essens genoss, wurde ich die Unruhe in meinem Inneren nicht los, die durch seinen neuen Duft verstärkt wurde.

Als ich mit meiner Schüssel fertig war, schob ich sie beiseite und blickte ihn über den Tisch hinweg an. „Sag mir, warum du so anders riechst."

Er nahm einen weiteren Bissen, bevor er meinen Blick erwiderte. „Ist das deine Version von Dankbarkeit, dass ich dein Essen zubereitet habe? Mir noch mehr Befehle zu erteilen?" Er wölbte eine Braue. „Brauchst du noch eine Lektion, um dir über deinen Platz in der Hierarchie klarzuwerden, Omega? Ich bringe dir gerne etwas bei."

Ich wollte meine Schüssel nehmen, sie über seinem Kopf zerbrechen und dann die scharfen Stücke vom Boden aufheben und immer wieder auf ihn einstechen.

„Du hast dich gestern klar ausgedrückt, als du mir mitgeteilt hast, dass ich nichts bin außer einer Zuchtstute", erwiderte ich kalt, obwohl mein Herz mit jedem Wort schneller raste. „Ich war läufig und du hast deinen Job gemacht. Also nein, ich werde dir nicht dafür danken, dass du mir Essen gemacht hast. Du hast mich nur gefüttert, weil dein Kind in mir heranwächst." Meine Stimme wurde mit jedem Wort lauter und meine Wut kochte über. „Du kümmerst dich nur bis zur Geburt um mich, richtig? Das hast du doch gesagt, oder?"

Ich stieß mich vom Tisch ab und meine Gedanken drehten sich in meinem Kopf.

*Ich wurde gegen meinen Willen in einen Wolf verwandelt.*

Ich dachte ich an meine Läufigkeit, die er verursacht hatte – ebenfalls gegen meinen Willen – und an meinen Fluchtversuch, der durch meinen Zyklus verhindert worden war.

Er hatte mich tagelang auf jede erdenkliche Weise gefickt, und ich hatte gelernt, was er als meinen Platz in seinem Leben und in seiner Welt ansah.

Und nun kam er nach Hause und roch nach einer anderen Wölfin.

Meine Augen weiteten sich, als diese Erkenntnisse einen eiskalten Schauer über meinen Rücken schickte. „Du warst bei einer anderen Omega", hauchte ich und stolperte rückwärts. „*Deshalb* riechst du falsch."

Er sagte nichts, während er mich wie ein Testobjekt

musterte, als ob ihn meine Reaktion irgendwie faszinierte, aber nicht genug, um sie zu kommentieren.

„Sag etwas", zischte ich und ballte meine Hände zu Fäusten.

„Ich nehme keine Forderungen oder Befehle von einer Omega entgegen."

*Omega.*

*Omega.*

*Omega.*

Ich knurrte. „Mein Name ist Kat." Wenn er mich noch einmal Omega nannte, würde ich ihn ohrfeigen.

„Dein Name und deine Befehle sind unbedeutend. Ich werde dir sagen, was ich dir sagen will, und ich entscheide, wann ich es dir sagen will. Bis dahin tust du, was ich sage. Jetzt setz dich hin, während ich deine Schüssel nachfülle."

„Fick dich", knurrte ich. „Ich bin fertig mit dem Essen. Ich bin fertig mit allem hier. Ich bin fertig mit *dir*."

Er stand auf und versperrte mir den Weg, als ich ohne ein wirkliches Ziel den Flur hinunterstürmte.

Ich trat einen Schritt zurück. Nicht wegen seiner Nähe, sondern um dem üblen Geruch, der von seinem Hemd ausging, zu entkommen. Ich war kurz davor ihm das Kleidungsstück vom Leib reißen, um dem anstößigen Geruch zu entkommen. Eine andere Omega hatte ihn berührt. Es war nicht Riley gewesen, sondern eine andere.

*Ein gefährtenloses Weibchen*, erkannte ich.

Mein Mund hing offen. *Woher weiß ich das?*

„Warum warst du mit einer gefährtenlosen Omega zusammen?"

Sein Kiefer krampfte sich zusammen. „Meine Angelegenheiten gehen dich nichts an, Katriana."

Nun, er nutzte zumindest meinen Namen. Das war besser als *Omega*.

Ich mochte die Art, wie er meinen Namen aussprach.

Dekadent. Wie eine Delikatesse, die er gekostet und genossen hatte.

Er machte einen Schritt auf mich zu und der Gestank stieg mir erneut in die Nase. Ich schrie und griff nach seinem Hemd, riss es ihm in einem Wutanfall vom Leib, von dem ich gar nicht merkte, dass er stattfand, bis ich fertig war.

Anders Augenbrauen schossen in die Höhe.

Genau wie meine.

Denn *wow*, das hatte ich nicht vorgehabt.

Und mir ging es immer noch nicht besser …

„Wasch es ab", schnauzte ich. „Mach es weg!" Ich war fast hysterisch und meine Gedanken schwankten zwischen dem Wunsch, ihn zu töten, und dem Bedürfnis, mich mit ihm zu paaren.

Ich musste mich beruhigen.

*Reiß dich zusammen,* befahl ich mir.

*Wie kann er es wagen, nach Hause zu kommen und nach einem anderen Weibchen zu riechen?*

*Was zum Teufel ist los mit ihm?*

*Ich werde ihn umbringen!*

Anders Hände umschlossen meinen Hals und er drückte meinen Rücken gegen die Wand des Esszimmers. Ich wehrte mich gegen seinen Griff, als meine Füße strampelten wild, während er mich über dem Boden gegen die harte Oberfläche gepresst hielt.

„Beruhige dich, Omega", befahl er.

Ich schrie meinen Namen, um ihm klar zu machen, wie er mich nennen sollte, aber durch seinen Griff war es nichts als ein heiseres Flüstern. Ich trat nach ihm, wollte ihn in die Knie zwingen, aber er blockierte meinen Angriff mit seinem Bein, bevor er es zwischen meine Schenkel schob.

Ein Schauer lief mir über den Rücken bei dem Gefühl seines muskulösen Beins gegen meine Mitte. Instinktiv wölbte ich mich ihm entgegen, als mich ein neues Verlangen durchfuhr. Wenn er den Duft nicht abwaschen würde, würde ich ihn mit meinem eigenen übertrumpfen müssen.

Ich ließ seine Handgelenke los und griff nach seinem Nacken, riss ihn herunter und küsste ihn hart auf den Mund. Ich zog meine Zähne über seine Unterlippe, scharf genug, um Verletzungen zu hinterlassen, und wölbte mich gleichzeitig ihm entgegen.

Er erstarrte und sein Halt an meinem Hals wurde zu Stein. Ich ließ mich nicht davon abhalten, meine Zunge in seinen Mund zu tauchen und ihn mit meinem Geschmack zu brandmarken.

Seitdem ich hier angekommen war, hatte er das Sagen gehabt. Niemals ich.

Er entschied, wie wir uns küssten, wie wir fickten, wie wir uns berührten, und wann. Ich drehte den Spieß um und unterwarf ihn meiner eigenen Form der Kontrolle, während *ich* ihn küsste.

Es war ermächtigend.

Befreiend.

Glorreich.

Und machte mich süchtig.

Ich schlang meine Arme um seinen Hals, umarmte ihn mit all meiner Kraft und küsste ihn bis wir beide keine Luft mehr bekamen … wortwörtlich, denn er umschlang weiterhin meine Kehle mit seinen unnachgiebigen Händen.

Ich wusste, seine Finger würden blaue Flecken hinterlassen, also kratzte ich mit meinen Nägeln über seinen Rücken, um Narben zu hinterlassen, und biss ihn erneut.

Er knurrte als Antwort und das Geräusch löste eine Welle der Lust zwischen meinen Schenkeln aus. Alles, was ich trug, war eines seiner Hemden, wodurch ich darunter völlig entblößt war. Seine Jeans rieb an meiner heißen Mitte und verursachte ein Brennen in meiner Lunge, als ich versuchte zu keuchen.

Ich fühlte mich wie im Delirium und betrunken von dem Machtgefühl, das mich überkam.

*Das ist es wert*, dachte ich, als ich endlich den Geruch der anderen Frau nicht mehr wahrnahm, weil der Duft meines Verlangens ihn umhüllte. Ich hatte ihn gebrandmarkt und machte es der anderen Omega unmöglich, ihn für sich zu beanspruchen. Er gehörte mir.

Meine Kraft verließ mich und drohte, mich in Ohnmacht fallen zu lassen.

Ich hätte geseufzt, wenn ich es gekonnt hätte. Meine Arme zitterten, mein Halt versagte.

„Ander", murmelte ich.

Er drückte seine Lippen auf meine, versiegelte seinen Mund über meinem. Sein Kuss füllte meine Lungen, während er meine schmerzende Kehle losließ. Ich war froh, als der Druck um meinen Hals nachgab.

Seine Zunge besänftigte meine, als seine Hände meine Hüften ergriffen und mich in die Luft hoben. Ich schlang meine Beine um seine Taille und rieb meinen Kern gegen seinen harten Schwanz. Es tat auf die beste Weise weh, als mein Kitzler gegen den rauen Stoff rieb.

Feuchtigkeit tropfte aus mir heraus und bereitete mich trotz der Barriere, die zwischen uns lag, auf sein Eindringen vor.

Ich war wie benommen. Ich sollte ihn hassen, aber ich hatte das Bedürfnis, ihn zu markieren und zu beanspruchen. Ich wollte die Existenz der Omega-Schlampe aus seinen Erinnerungen löschen.

Und er ließ mich. Seine Handflächen glitten an meinen Seiten hinauf, als er mir mein Hemd auszog.

Ich ließ meine Finger zu seiner Hose fallen und öffnete den Reißverschluss, um den Körperteil freizugeben, nach dem ich mich am meisten sehnte.

Er wollte mich nur als Zuchtstute? Dann würde ich ihn ebenfalls benutzten, aber diesmal zu meinem Vergnügen.

Es war verrückt. Beschissen. Falsch.

Aber es war mir egal, als ich spürte, wie sein Schwanz meinen Eingang berührte.

Ich gab ihm keine Chance, mich zurückzuweisen oder mich zu verspotten. Ich drückte meine Schenkel zusammen und bewegte mich, um mich auf seinem geschwollenen Schaft niederzulassen. Sein Knurren sagte mir alles, was ich wissen musste.

Sein Griff wurde fester, aber nicht fest genug, um mich daran zu hindern, mich auf ihm zu erheben und fallen zu lassen. Ich nutzte die Wand hinter mir, um mich fester auf ihn runterzudrücken, während ich seine Lenden mit meinen Beinen umklammerte.

Es ging nicht mehr um ihn, sondern um mich.

Ich musste kommen. Meine Erlösung finden. Schreien. Seine Haut in meiner Essenz tränken.

Ein Stöhnen löste sich von meinen Lippen und mein Kopf fiel in meinen Nacken, als sich die Erregung in mir aufbaute.

Aber ich brauchte mehr. Er musste sich verdammt nochmal bewegen.

Ich klammerte mich an seinen Rücken und zog meine Nägel über seine Haut, grub sie in seinen Hintern und versuchte, ihn tiefer in mich hineinzuziehen.

Der verdammte Mann rührte sich nicht.

„Fick mich", flüsterte ich. „Knote mich."

Hitze strahlte von ihm aus und seine Hand glitt erneut zu meiner Kehle. „Du willst, dass ich dich ficke, Kleines?" Er drückte zu, diesmal nicht so hart wie zuvor. Sein Blick brannte sich in meinen und zeigte mir eine Emotion, die ich nicht verstand.

Verärgerung?

Wut?

Sexuelles Verlangen?

Eine Kombination aus allen dreien?

„Bitte", fügte ich hinzu und hob meine Hüften, um ihn noch tiefer in mir aufzunehmen.

Seine Nasenlöcher weiteten sich, als er meine Erregung roch.

Ein Wimmern verließ meine Lippen. Ich war so erregt, dass es fast schmerzhaft war, was erniedrigend und gleichzeitig frustrierend war. Ich brauchte die Kontrolle, aber er gab sie mir nicht, hielt sich zurück.

*Ich hasse ihn ...*

Er wollte eine unterwürfige Omega, und weigerte sich, die Frau, *die menschliche Person,* in mir zu akzeptieren, die einundzwanzig Jahre in der Hölle überlebt hatte.

Tränen stachen mir in die Augen, als Sehnsucht meinen Unterleib flutete und ich mich atemlos an ihn klammerte.

Ich wusste, was er vorhatte, kannte das Ass in seinem Ärmel. Er wollte, dass ich mich an meinen Platz erinnere.

Meine völlige Unterwerfung.

Aber ich weigerte mich und zeigte es ihm mit meinen Hüften. Ich war entschlossen, meine eigene Erlösung zu finden, auch wenn er es nicht wollte.

Seine Hand glitt in meinen Nacken und seine Finger fuhren durch mein Haar. Ich erwartete, dass er mich von herunterziehen und auf den Boden werfen würde, um mich an meine Position zu erinnern, doch er überraschte mich, indem er mich heftig küsste und endlich kraftvoll in mich stieß.

Ich stöhnte in seinen Mund, als meine Ekstase mit jedem Stoß stieg.

*Das ist es ...* Ich brauchte es. Ich sehnte mich danach.

Tränen liefen über meine Wangen und meine Erregung ging in Schmerz über, als sein Tempo immer wilder wurde.

Ich klammerte mich an ihn, schrie bei jedem tiefen Stoß und weinte lauthals, als sein Knoten pulsierte.

Mehr.

Mehr.

*Mehr.*

Ich brauchte seine Essenz, meine Erregung und diese Verbindung, um die Luft mit unserer Paarung zu tränken und der Welt zu verkünden, dass er mir gehörte.

Zumindest in diesem Moment.

Die Empfindungen waren unbeschreiblich. Der furchtbare Geruch der anderen Omega war schon lange von der Kraft meines eigenen Verlangens überschattet worden, aber ich wollte mehr.

Ich hatte das Sagen. Er war mein Alpha.

*Ich teile ihn mit niemandem!*

Oh, aber er gehörte mir nicht. Nicht einmal ansatzweise. Das hat er mir klargemacht. Wir waren nicht gepaart.

Mein Wolf tobte in meinem Kopf und drohte, ihn für seine grausamen Worte zu zerfetzen. Ich ließ ihr freien Lauf und knurrte wütend zwischen jedem Stöhnen der Glückseligkeit.

*Ja, ja! Genau da!*

Sein Knoten gehörte mir, schwoll in mir an, bewegte sich, explodierte in mir und zog mich mit sich über eine berauschende Schwelle. Ich schrie seinen Namen und fuhr mit meinen Nägeln noch einmal über seinen Rücken, als ich mich an ihn klammerte, während ein heftiger Puls nach dem anderen mich meine Seele erschütterte.

Brutal.

Erbarmungslos.

Unglaublich.

Euphorisch.

*Verdammte Scheiße!*

Ander blutete, bemerkte ich, als ich den

Kupfergeschmack auf meiner Zunge spürte.

Ich blutete ebenfalls, aber zwischen meinen Beinen.

Weinend, auch wenn ich das Hochgefühl genoss, das meinen Unterleib erfüllte, ließ ich einen Orgasmus nach dem anderen zu.

Ich registrierte kaum, dass er mich in das Zimmer brachte, in dem er mich ursprünglich gekostet hatte, aber der falsche Geruch ließ mich aus meinem bezauberten Meer aus Gefühlen auftauchen. Meine Nase juckte, denn die Laken waren zu neu.

*Das ist nicht mein Nest, oder Anders Suite. Alles riecht falsch!*

Er legte uns auf die Matratze, während er sich weiter in mir ergoss. Wir wechselten kein Wort, aber es waren auch keine erforderlich.

Dies war nur eine weitere Ablehnung. Seine Art, mich an meine Stellung in seinem Rudel zu erinnern. Er hatte mich einfach in mein neues Quartier gebracht, wo er mich zurücklassen würde.

Es brach mir das Herz und meine Schultern sackten. Vielleicht gehörte er mir in diesem Moment, aber ich hatte keinen Anspruch auf ihn, auch wenn die Spuren meiner Nägel seinen gesamten Rücken bedeckten.

Vehemenz traf mich hart. Er hatte meine schöne Erfahrung genommen und sie mit seiner Grausamkeit überschattet. Ich erinnerte mich, dass ich ihn vielleicht ficken konnte, er mich aber nicht wollte. Es stand ihm immer noch frei, eine andere zu begatten.

*Inklusive* der Schlampe, die ihren Duft auf seinem Hemd und Oberkörper hinterlassen hatte.

Ich biss die Zähne zusammen, um nicht wütend aufzuschreien. *Nein!*

Seine Finger fuhren durch meine Haare, aber die Berührung war nur ein armseliger Versuch, mich zu beruhigen. Ich begann, mich zu winden, weil ich nicht länger mit ihm verbunden sein wollte, aber sein Knurren ließ mich innehalten.

Nicht ein *Knurren*. Es war etwas anderes.

Eher ein Schnurren …?

Ich blinzelte und erstarrte, als er das Geräusch wiederholte, diesmal lauter.

Er streichelte meine Haare weiter, während er in einem hypnotischen Rhythmus schnurrte. Ich schmiegte mich an ihn, wollte mehr der Behaglichkeit, die dieses Schnurren in mir hervorrief. Es streichelte mich auf eine Art und Weise, die mich zum Schmelzen brachte und mich in einen Zustand einlullte, der ganz anders war als noch vor wenigen Augenblicken.

Ich seufzte zufrieden, bevor ein Gähnen aus meinem Mund ertönte.

*Hmm, das gefällt mir sehr gut …*

Ich kuschelte mich an seine Brust und vergrub mein Gesicht in seiner Halsbeuge. Seine Hände wanderten von meinem Haar zu meinem Rücken und fuhren sanft über meine Wirbelsäule.

Er war so zärtlich und warm.

Ich fühlte mich beschützt und entspannte mich, denn die Welt schien endlich richtig.

Zumindest für diese eine Sekunde …

Ich akzeptierte die Situation mit einem Lächeln und meine Augen schlossen sich, als ich endlich beruhigt einschlafen konnte.

Alles würde gut werden.

Aber als ich meine Augen einige Minuten, oder vielleicht Stunden, später wieder öffnete, fand ich mich alleine in einem Bett wieder, dem Anders Wärme und sein Duft fehlten.

In meinem neuen Zimmer.

*Ohne meinen Gefährten.*

# KAT

WIR HATTEN ein geregeltes Muster entwickelt.

Ander verließ mich und ich streifte alleine durch seine Suite. Er kam zurück und roch nach einer ungepaarten Omega. Ich initiierte Sex und er fickte mich, schnurrte und dann wachte ich immer alleine auf.

Jeden verdammten Tag.

*Wochenlang.*

Jedes Mal schwor ich mir, dass es nie wieder passieren würde, und jedes Mal brach ich meinen Schwur.

Aber ich konnte mich nicht dazu durchringen, es zu bereuen, wenn er mir jeden Tag diese wenigen, kostbaren Momente der Kontrolle erlaubte. Ich initiierte Sex, aber er bestrafte mich nicht dafür, dass ich ihm den Rücken aufkratzte oder ihm die Kleider vom Leib riss. Es ging sogar so weit, dass er mir erlaubte, das Tempo und den Rhythmus festzulegen. Er wartete, bis ich bettelte, bevor er die Kontrolle übernahm.

Es war zu unserem Spiel geworden … zu unserer Art des Zusammenlebens.

Doch heute war etwas anders.

Der süße Duft lag noch immer in der Luft, als er zurückkam, aber es fehlte die offensive Note, die mich normalerweise in Panik geraten ließ. Es fühlte sich weniger bedrohlich an.

Ich beschnupperte ihn, wie ich es immer tat, aber seine Haltung war steif, während ich unsere Routine ins Rollen brachte.

An manchen Tagen aßen wir gemeinsam, bevor wir Sex hatten, aber meistens riss ich den stinkenden Stoff von seinem Körper, bevor ich auf die Knie sank, um mich zu vergewissern, dass er immer noch nach mir roch, wo es am wichtigsten war.

Er roch ständig nach einer fremden Omega, aber nur am Oberkörper.

Niemals zwischen seinen Beinen.

Ich legte den Kopf schief und meine Augen verengten sich. „Was hat sich geändert?"

Es herrschte die übliche Stille.

Er antwortete mir nie. Erklärte nie, wer die Omega war, oder warum er wie sie roch.

Ander tauchte einfach auf, fütterte mich, fickte mich, schnurrte und ging wieder.

Ich hasste unser Muster fast so sehr, wie ich mich auf die Routine verließ, aber ich mochte diese neue Veränderung nicht. Es verwirrte und verunsicherte mich, und ich wusste nicht, wie ich vorgehen sollte. Der Instinkt, ihn mit meinem Duft zu prägen, trat nicht ein. Ich verspürte nur eine beiläufige Neugier, herauszufinden, was sich geändert hatte.

Meine Augen weiteten sich. „Warte …" Ich schnupperte erneut an ihm. „Sie erinnert mich an …" Ich drückte meine Nase an sein Hemd und atmete tief ein. „Die andere Omega." *Riley* …

Ich hatte sie seit dem Tag meines missglückten Fluchtversuchs nicht mehr gesehen. „Die gepaarte Omega." Meine Lippen öffneten sich. „Oh …"

Jemand hatte das Weibchen gedeckt. Das war der Grund, warum ich keine Bedrohung mehr spürte.

*Weil er nicht derjenige ist, der sie beansprucht hat.*

Ich ließ mich auf die Knie fallen und rieb meine Wange an seinen dicken Schenkeln. Eine überwältigende Erleichterung legte sich über mich.

*Er hat sie nicht gepaart. Er hat sie nicht gewählt. Er ist zu mir nach Hause gekommen.*

Meine Logik verflog und meine Instinkte übernahmen die Kontrolle, als ich den Reißverschluss seiner Jeans öffnete und seinen härter werdenden Schwanz in meinen Mund nahm.

Ich wollte mich bei ihm bedanken und ihm meine Freude darüber zeigen, dass er zu mir und nicht zu ihr zurückkehrt war.

*Er gehört mir*, dachte ich, während ich härter sog, um seine Essenz in meinen Mund zu ziehen.

Seine Pupillen weiteten sich, als er mich beobachtete und eine dieser fremden Emotionen in den Tiefen seiner goldenen Augen aufflammte.

Er packte mich nicht und kontrollierte auch nicht mein Tempo, sondern gestattete mir meinen Moment und gab mir die Möglichkeit, ihn ohne sein Eingreifen zu verwöhnen, wie ich es wollte.

Das ermutigte mich und gab mir ein Gefühl der Freude. Es gab mir die Macht. Dies sollte eine unterwürfige Position sein, aber ich hielt seinen Orgasmus in meinen Händen, buchstäblich, als ich seinen schweren Sack umschloss.

Er würde kommen, wenn ich es wollte.

Sein Vergnügen würde meins sein, weil ich ihn über die Schwelle treiben würde.

Er biss sich auf die Lippe, aber ein leises Knurren regte sich in seiner Brust und ließ meinen Kern feucht werden. Ich trug ein weiteres seiner Hemden und sonst nichts. Das war mein Ding geworden. Ich durchwühlte seinen Kleiderschrank, fand etwas zum Anziehen und legte es in mein Nest.

Zusammen mit seinen anderen Klamotten.

Wie die Jeans, die er anhatte.

Ich würde sie mit in mein Zimmer nehmen, wenn wir fertig waren ... eine Art Trophäe, die meine Bettwäsche mit seinem Duft benetzen würde.

*Was ist nur aus mir geworden?* Ich stellte mir diese Frage oft, wenn ich im Wohnbereich saß und aus dem Fenster auf die Berge starrte.

Die Flucht schien unmöglich, fast trivial, aber ich sehnte mich danach, noch einmal die frische Luft zu schmecken und zu erkunden. Ich wünschte, einer der vielen Wölfe zu sein, die ich unten auf der Straße umherstreifen sah, doch ich fragte nicht, ob ich hinausgehen durfte.

Ich wusste nicht, wie.

Alle meine Handlungen wurden von der Wölfin in mir gelenkt, die jeden Tag stärker wurde. Sie brachte mir bei, wie man in dieser neuen Welt existierte. Wie man Impuls über Vernunft stellt.

Ich wurde zu einem Tier.

*Ich bin bereits ein Tier*, korrigierte ich mich.

Ander stöhnte und lenke meine Aufmerksamkeit zurück auf seinen Schaft, der in meinem Mund anschwoll.

Er war nah dran und trotzdem ließ er mich die Kontrolle behalten, als seine Hände sich zu Fäusten ballten. Irgendwie wusste er, dass dies mehr für mich war als für ihn.

Ich dankte es ihm mit meiner Zunge, die ihn fast um den Verstand brachte.

Seine Handfläche knallte gegen die Wand hinter mir, als er kam, aber seine Zurückhaltung wurde durch die Spannung seiner Muskeln sichtbar. Er wollte das Kommando übernehmen, und ich konnte es daran erkennen, dass er seine Hüften gegen meinen Mund pumpte. Aber er berührte mich nicht.

Stattdessen warf er seinen Kopf zurück und stöhnte. Das Geräusch schmolz mein Innerstes.

„Verdammt, Katriana", hauchte er, als er mit den Fingerknöchel über meine Wange strich, bevor er mein Haar streichelte. Er riss die Kontrolle nicht an sich, und hielt mich einfach nur fest, während ich jeden Tropfen trank, den er mir zu geben hatte. Ich schob seine Jeans runter und er trat aus seinen Schuhen, um mir zu helfen.

Sein Knoten pochte am Ansatz seines Schwanzes, was bedeutete, dass er mehr wollte. Aber das tat er immer. Keiner von uns war wirklich zufrieden, wenn er sich nicht zwischen meinen Beinen ergoss. Es ging hier jedoch nicht so sehr um gegenseitiges Vergnügen, sondern darum, dass ich mich bei ihm bedankte.

Ein Teil von mir erkannte, wie beschissen es war, dass ich das Bedürfnis verspürte, ihm dafür zu danken, dass er keine andere Gefährtin genommen hatte.

Ich hasste ihn immer noch. Hasste es, dass er mich jede Nacht allein schlafen ließ, dass er mich nicht beansprucht hatte, und dass er mich hier als seine persönliche Sexsklavin hielt.

Tränen stachen mir in die Augen und zwangen mich, ein letztes Mal zu schlucken und mich dann zurückzuziehen.

*So überleben wir*, dachte ich und stand auf. *Ich tue, was ich tun muss.*

Aber war ich wirklich lebendig?

Dieser Teil blieb abzuwarten.

Ohne ihn anzusehen, ging ich in mein Zimmer, um seine Jeans in mein Nest zu legen. Es dauerte ein paar Minuten, bis ich den richtigen Platz gefunden hatte. Der Instinkt, mich in einem Stapel von Laken und Kleidung zu vergraben, war neu, aber in meiner kleinen Oase ich fühlte mich sicher. Fast wäre ich hineingekrochen, aber die Wärme an meinem Rücken ließ mich über meine Schulter blicken.

Ander stand nackt in der Tür, sein halb erregter Schwanz zwischen seinen Oberschenkeln. Er streckte eine Handfläche nach mir aus und ich wusste ohne Worte, was er wollte.

So kommunizierten wir.

Nicht mit unseren Stimmen, sondern mit unseren Körpern.

Ich knabberte an der Innenseite meiner Wange und betrachtete das Durcheinander von Kleidungsstücken, um etwas zu finden, das ich ihm zurückgeben konnte. Ich hatte so viele Hosen, dass sie ihm knapp werden mussten, obwohl sein Kleiderschrank etwas anderes zeigte.

Vielleicht waren das seine bevorzugten Jeans …

Ich wühlte herum und griff nach einem der älteren Stücke, das jetzt mehr nach mir roch, nachdem ich nächtelang damit geschlafen hatte. Sein Gesichtsausdruck blieb stoisch, als ich ihm die Jeans reichte. Er verschwand damit und ließ mich zurück.

*Immer alleine …*

Meine Unterlippe zitterte, aber ich weigerte mich, eine Träne zu vergießen. Stattdessen legte ich meine Handfläche auf meinen Bauch und konzentrierte mich auf das bisschen Glück, das ich in meiner Welt hatte.

„Erzähl mir von deinen Tattoos", sagte Ander hinter mir und ich erschrak.

Ich hatte seine Rückkehr nicht gespürt, denn mein Blick war auf den Boden gerichtet gewesen und nicht auf die Tür. Ich blinzelte zu ihm hoch und runzelte die Stirn. „Meine Tattoos?"

Er trat ins Zimmer, immer noch so nackt wie zuvor, aber ohne die Hose, die ich ihm gegeben hatte. „Ja, ich will wissen, was sie bedeuten." Er blieb vor mir stehen und strich mit seinen Fingern über meinen Arm. „Wirst du mir von

ihnen erzählen?" Keine Forderung, sondern eine Frage –
sehr untypisch für ihn.

Ich wurde wachsamer, denn ich hatte das Gefühl, dass es
sich um eine Intrige handelte, aber ich war auch von dieser
Wendung der Dinge fasziniert.

Wir hatten den letzten Monat, vielleicht auch länger,
damit verbracht, unsere Körper für uns sprechen zu lassen.
Hass, Lust und Bedürfnis, definierten unsere Beziehung.

Aber das hier war anders.

Er wollte reden.

Ich ertappte mich dabei, ihm antworten zu wollen.

„Es sind Erinnerungen", flüsterte ich. „Meine Art, die
Toten zu ehren."

Er neigte den Kopf zur Seite und streckte seine Hand
aus, um das Hemd aufzuknöpfen, das ich mir wie ein Kleid
übergestreift hatte. Normalerweise riss er es mir vom Leib
oder zog es mir über den Kopf, aber er schien in einer
sanfteren Stimmung zu sein, als wolle er mich auf seine
eigene Weise wertschätzen.

Das Hemd fiel auf und enthüllte meinen blassen
Oberkörper. Meine Tattoos befanden sich größtenteils auf
meinem Arm, mit Ausnahme des Namens und der Blume,
die quer über meinem Schlüsselbein waren. Er zeichnete die
Schrift mit dem Finger nach. „Und das hier? Welche
Erinnerung stellt das dar?"

„Meine Mutter." Ich schluckte. „Es ist ihr Familienname
unter einer Blume, deren Name dieselbe Bedeutung hat wie
meiner. Sie hat es für mich entworfen, bevor sie starb."

„Was bedeutet die Blume?"

Meine Kehle wurde trocken. „Es ist eine Blume, deren
Blüten zu Krallen werden. Sie sagte immer, ich sei schön,
aber tödlich." Natürlich fühlte ich mich jetzt nicht mehr
ganz so gefährlich.

*Eher unterwürfig …*

Wie eine Hülle von mir selbst. „Wenigstens waren die Krallen angemessen", fügte ich hinzu und dachte an meinen Wolf.

Seine Berührung wanderte nach oben und zeichnete die violetten Krallen nach. „Ich denke, es repräsentiert dich perfekt. Wunderschön, zart und gefährlich." Sein Finger glitt an meinem Kiefer entlang. „Du musst nur aufblühen, Katriana." Er legte einen Finger unter mein Kinn und zog mich näher zu sich. „Erzähl mir von den anderen Tattoos. Und ihren Farben."

Ich wusste, was er meinte. Er sprach von den Farbspritzern auf meinem Arm, die zu dem Vogel auf meinem Handrücken führten. „Verlust", antwortete ich heiser. „Jeder einzelne steht für jemanden aus meiner Vergangenheit, den ich durch die Grausamkeit dieser Welt verloren habe."

„Und der Kardinalvogel?"

„Mein Vater, den ich nie kannte." Ich räusperte mich, denn zu viele Emotionen erfüllten meine Stimme. „Meine Mutter hat immer gesagt, dass unsere Verwandten in Vogelform zurückkommen. Es war ein alter Aberglaube, den ihre Eltern an sie weitergegeben hatten. Ich habe noch nie einen echten gesehen, also habe ich mir einen stechen lassen als Erinnerung daran, dass er mich zwar nie besuchen wird, aber trotzdem ein Teil von mir ist."

*Ein Kindertraum*, dachte ich.

Ander schob das Hemd von meinen Schultern, sodass ich genauso nackt war wie er. Sein Blick wanderte über die bunten Tattoos und ließ mich ganz warm werden. „Abgesehen von der Blume und dem Namen auf deiner Brust hast du dir nur den Arm und die Hand tätowiert", murmelte er. „Warum nirgendwo anders?"

Ich leckte mir über die Lippen und zuckte mit den Schultern. „Es scheint falsch zu sein, jemandem zu erlauben, die Stelle mit meiner Mutter zu teilen. Alles andere ist ein Mahnmal, ein Weg, die Erinnerungen zu ehren und sie gleichzeitig auf Abstand zu halten." Es hörte sich lächerlich an, aber so verarbeitete ich den Verlust meiner Liebsten. „Sie näher heranzulassen, würde von mir verlangen, zu fühlen."

Er legte den Kopf schräg und begegnete meinem Blick. „Wie tätowiert ihr euch in den Bergen?"

„Tinte, Nadeln, Feuer", erklärte ich. „Es ist erstaunlich, was die Natur an Farben bereitstellt."

Seine Knöchel strichen erneut über meinen Arm. „Klingt schmerzhaft."

„Das ist es", gab ich zu, „aber es übertönt den Kummer."

„Es muss in den Höhlen eine Familie gegeben haben, die sich mit Tattoos auskannte", fügte er hinzu.

„Ja, die Dunkins." Jim Dunkin begann, mich zu tätowieren, als ich zwölf war. Er hatte behauptet, es würde meine Gefühle abhärten.

Er hatte recht gehabt.

Ander umschloss meine Hüfte mit einer Hand, während seine andere sich um meinen Nacken legte. „Nimm mich mit in dein Nest, Katriana. Ich will dich halten."

„Wa ... warum?"

„Ein Alpha braucht keinen Grund." Er drängte mich rückwärts, bis meine Waden den Bettrahmen berührten. „Sag mir, wo ich liegen soll, damit ich dein Werk nicht zerstöre."

Er wählte für gewöhnlich seinen eigenen Platz, unabhängig davon, was ich konstruiert hatte, denn sein Fokus lag darauf, uns zusammenzuhalten. Mein Komfort war unwichtig.

Was auch immer heute in ihn gefahren war, ich mochte es.

Aber ich war nicht so dumm, zu glauben, dass es unsere Norm werden würde. Wir hatten unser Muster.

Wenigstens hatte die andere Omega sich gepaart.

Heißt das, er wollte …?

„Katriana", hauchte er und drückte seine Lippen sanft auf meine. „Hör auf, zu denken, und lad mich in dein Nest ein."

Ich nickte und löste mich von ihm, um den richtigen Platz auf dem Bett zu finden, dann machte ich ihm in stiller Einladung etwas Platz. Er gesellte sich zu mir und seine Wärme, sowie sein Duft, war in meinem kleinen Hafen sofort willkommen. Ich rollte mich an seine Seite, als sein Arm meine Schultern umschloss, und erlaubte ihm, mich zu halten.

Es ging nicht um Lust.

Oder Wut.

Es gab keine Gewalt.

Nur Wärme.

„Ich mag deine Tattoos", gab er leise zu. „Sie geben mir Aufschluss darüber, wer du bist."

„Wer ich war", korrigierte ich ihn. „Ich bin nicht mehr dieselbe Frau." Und ich würde es nie wieder sein. Dafür hatte er gesorgt, als er ein neues Leben in meine Hände gelegt hatte.

*Unser Baby.*

„Vielleicht nicht, aber wir alle entwickeln und verändern uns. Dein früheres Leiden und die daraus resultierende Stärke ist die Grundlage dessen, was du heute bist. Ob du es spürst oder nicht." Er strich über meinen Arm. „Dies ist ein neuer Abschnitt in deiner Existenz, und auch wenn es nicht das ist, was du dir einst erhofft hast, ist es doch dein Schicksal."

„Ich weiß."

Er bewegte sich, um mich unter sich zu ziehen, wobei sein viel größerer Körper über dem meinen schwebte, als er sich über mir auf seinen Ellenbogen abstützte. „Nimmst du es an?"

„Gibt es eine Alternative?", konterte ich.

„Nein."

„Dann habe ich keine andere Wahl, als es zu akzeptieren."

Er biss sanft in meine Nasenspitze und die Hitze seines Mundes verhöhnte meine Sinne.

*Sein starker Kiefer, seine starken Muskeln, sein maskuliner Duft …*

Ich seufzte, zufrieden damit, wie ich mich fühlte. Solange ich nicht nachdachte, war ich zufrieden, sobald ich mich auf Ander einließ.

„Wünschst du dir, eine Wahl zu haben?", fragte er gegen meine Lippen. „Ist es das, was du brauchst?"

„Es gibt keine Wahl", flüsterte ich.

„Das ist nicht das, was ich gefragt habe. Ist es eine Wahl, die du benötigen würdest, um dein Schicksal zu akzeptieren?"

Ich runzelte die Stirn, als ich seine goldenen Augen musterte. Wie immer verriet mir sein Ausdruck nichts. „Ich weiß nicht, wie ich das beantworten soll."

„Denk nicht darüber nach. Antworte einfach. Wünschst du dir, dass ich dir eine Wahl gelassen hätte?"

„Natürlich wollte ich eine Wahl", erwiderte ich, wobei ein Feuer in mir aufflammte, das ich fast vermisst hatte. „Wer würde das nicht?"

Aber jetzt war es zu spät, warum sollte ich mich also damit beschäftigen?

Er beobachtete mich einen Moment lang. „Ich war nie ein Mensch, Katriana. Ich war schon immer ein Alpha. Wir treffen Entscheidungen, von denen wir glauben, dass sie das Beste sind für die, die unter unserer Obhut stehen."

„Was bedeutet, mich in einen Wolf zu verwandeln, zu zwingen, läufig zu werden und mich zu schwängern", fasste ich zusammen. „Nicht gerade das, was ich für mich selbst in Betracht gezogen hätte, aber das spielt jetzt keine Rolle mehr, oder?"

Ich konnte die offenkundige Irritation in meinem Tonfall nicht unterdrücken. Warum wollte er es jetzt ansprechen, Wochen später, nachdem eh alles verloren war? Ich war schon über vier Wochen schwanger, wenn ich richtig gezählt hatte, wahrscheinlich länger, aber ich hatte die Zeit verloren, weil ich ständig schlief ...

Es war egal, denn ich konnte sowieso nichts ändern.

Und er konnte es auch nicht.

„Ich bin der Alpha des Andorra Sektors – der ranghöchste Beamte unter dieser Kuppel. Mein zu sein, bedeutet mehr, als du zu schätzen scheinst."

„Ah, aber ich gehöre dir nicht", erwiderte ich und wollte ihn von mir wegstoßen und aus meinem Nest vertreiben.

Wie konnte er es wagen, mir einen so ruhigen und schönen Moment zu nehmen? Mir solche Fragen zu stellen und alles zu zerstören? Ich wollte nicht über diese Dinge nachdenken, verließ mich mehr auf meinen Wolf als auf meinen Verstand.

„Was ist der Sinn deiner Fragen?", fragte ich fordernd. „Warum lässt du mich all das durchmachen?" *Nichts* würde sich ändern und es würde nichts bewirken. Warum sich also die Mühe machen, Alternativen in Betracht zu ziehen? *Warum will er mit mir besprechen, was passiert ist? Wieso? Warum?*

„Du weißt nicht zu schätzen, was ich dir angeboten habe, und hast dich stattdessen entschieden, dich zu verstecken. Ich versuche, zu verstehen, warum."

Da war wieder dieses Wort. *Warum?* Ich hasste es, verabscheute es und verachtete ihn.

„Warum?", wiederholte ich, aber das Wort schmeckte bitter in meinem Mund. „Du verstehst nicht, warum ich es nicht schätze, aus dem Wald geholt, in einen Wolf verwandelt, zur Brunst gezwungen und dann gegen meinen Willen geschwängert zu werden?" Ich gab ein humorloses Lachen von mir. „Wenn du das nicht verstehst, Ander, kann ich dir nicht helfen."

„Meine Wölfe haben dich aus einem trostlosen Leben in den Wäldern gerettet, wo du in einer kalten Höhle schlafen musstest, nur um mit der Hoffnung einzuschlafen, den nächsten Tag unbeschadet zu überstehen. Dir wurde Unsterblichkeit geschenkt und damit ein Weg gezeigt, dich selbst viel besser zu schützen als in deinem menschlichen Zustand, und als du Anzeichen deiner Omega-Genetik gezeigt hast, nahm ich dich unter meinen Schutz, um dich vor der Erfahrung zu bewahren, von mehreren Alphas genommen zu werden, die sich in deinen Brunst-Trieben verloren hätten."

Er blickte auf mich herab, während ich ihn musterte.

„In deiner Version der Ereignisse fehlt das kleine Detail meiner Zustimmung, die ich nie gegeben habe."

„Also wäre es dir lieber, ich hätte dich deinem kalten, elenden Schicksal überlassen, als dir das Leben zu bieten, das du hier genossen hast?", konterte er.

Ich sträubte mich. „Alles, was ich wollte, war eine Wahl."

Ja, ich hätte wahrscheinlich sein Angebot angenommen, ein Wolf zu werden. Wer würde das in meiner Lage nicht tun? „Etwas mehr Rücksicht auf meine Wünsche hätte mir sehr geholfen."

Er betrachtete mich einen stillen Moment lang. „In meiner Welt vertrauen Omegas ihren Alphas, die richtigen Entscheidungen für sie zu treffen. Sie respektieren ihre Alphas dafür."

„In meiner Welt treffen die Menschen ihre eigenen Entscheidungen."

„In deiner Welt sterben Menschen", betonte er, „oft."

„Ich würde eher sterben, als nicht wählen zu können", flüsterte ich.

„Dann bist du ein dummes Weibchen. Wähle weise, Omega", sagte er, als er sich von mir runterrollte, „und vergiss nicht, dass du diejenige warst, die diese Wahl wollte."

# KAT

Eine Woche.

Sieben *verdammte* Tage.

Ich ging aufgeregt in Anders Suite umher. Seit dem Vorfall in meinem Nest war er überhaupt nicht mehr nach Hause gekommen und sein Geruch verflüchtigte sich mit jeder Minute mehr.

Essen erreichte mich jeden Tag. Es tauchte immer in der Nacht auf, während ich unruhig in meinem Nest schlief, das sich nicht mehr sicher anfühlte.

Alles war falsch.

Ich fuhr mit den Fingern durch mein Haar und ging wieder in sein Schlafzimmer. Sein perfekt gemachtes Bett ließ mich knurren und meine Gedanken tobten. Wie konnte er mich einfach hier alleine lassen? *Wie eine verherrlichte Gefangene.*

Wenigstens gab es Fenster …

Ich ging zurück in den Wohnbereich, ließ mich vor den Fenstern nieder und starrte wehmütig nach draußen.

Ich würde alles dafür geben, frische Luft einzuatmen, in den Bäumen herumzustreifen und den Boden unter meinen Pfoten zu spüren.

Ich hatte seit meiner ersten Flucht nicht mehr daran gedacht.

Vielleicht sollte ich es noch einmal versuchen. Aber

draußen, außerhalb der Kuppel. Ich wollte aufstehen, stockte aber, als ich mich an Anders Warnung erinnerte.

*„Lauf noch einmal vor mir weg und ich sperre dich in einen verdammten Käfig, bis du entbindest."*

„Ich sitzt bereits in einem Käfig", murmelte ich laut, als mein Hinterteil wieder auf den Boden plumpste und mein Kopf in meine Hände fiel.

Ich blieb dort den ganzen Tag sitzen und beobachtete, wie die Sonne den höchsten Punkt erreichte, tief in den Himmel eintauchte und dann den Sternen Platz gewährte, die hell über der Glaskuppel leuchteten.

Ich driftete schließlich in den Schlaf, nur um mit dem aufbrechenden Licht wieder aufzuwachen.

Unzählige Stunden vergingen.

Gefolgt von Tagen des Nichtstuns.

Ich hatte nur gegessen und geduscht, weil ich es musste, bevor ich wieder an meinen Platz zurückkehrte, denn mein Nest war nicht mehr attraktiv für mich. Anders Geruch war schon lange verflogen, seine Anwesenheit ein Geist meiner Vergangenheit, und ich hasste es, dass ich ihn vermisste. Ich fühlte mich innerlich leerer und einsamer als je zuvor. Wenigstens hatte er mich vorher besucht.

Nachdem ich in der Küche ein Glas Wasser getrunken hatte, watschelte ich zu meinem Platz zurück, als sich plötzlich alle Härchen in meinem Nacken aufstellten.

Meine Nase juckte mit dem süßen Duft eines Weibchens.

*Riley*, erkannte ich und drehte mich gerade um, als sie das Foyer betrat. Sie erstarrte, als sie mich in von Anders Hemden entdeckte, mein Haar zu einem unordentlichen Knoten auf meinem Kopf hochgesteckt. „Oh" war ihre Version einer Begrüßung.

Ich antwortete, indem ich mich wieder auf die Welt vor dem Fenster konzentrierte.

Die gepaarte Omega war nicht die Person, die ich sehen wollte.

Mein Herz schlug mir bis zum Hals, denn ich wollte Ander auch nicht wirklich sehen. Außer, um ihn anzuschreien, zu ficken und zu markieren. Ich würde von ihm verlangen, mir zu sagen, wieso zum Teufel er mir das angetan hatte und warum er gegangen war.

Was hatte vereinsamen mit Entscheidungsfreiheit zu tun?

„Kat?", murmelte Riley und hockte sich neben mich. „Ich bin hier, um dich und das Baby zu untersuchen. Du bist jetzt in der zehnten Woche."

*Zehnte Woche?* Mein Mund öffnete sich. *Ich bin seit zehn Wochen schwanger?*

Das bedeutete, Ander war weg seit …

Nun, ich wusste es nicht. Mein gesamtes Zeit- und Raumgefühl war seit meiner Gefangenschaft verzerrt.

Denn das war es, was hier vor sich ging.

*Freiheitsentzug.*

Sicher, ich hatte Fenster und Platz zum Herumlaufen, aber es gab buchstäblich nichts zu tun, außer sehnsüchtig nach draußen zu starren, zu essen, zu duschen und gelegentlich Ander zu ficken, wenn er mal auftauchte.

Ich drückte meine Handfläche auf meinen immer noch flachen Bauch und runzelte die Stirn. Obwohl ich das Leben, das in mir wuchs, spüren konnte, fühlte ich das neue Leben in mir nicht wirklich, denn ich war zu sehr in meine Gedanken versunken, um es zu bemerken. „Geht es dem Baby gut?", fragte ich. Meine Stimme war nach tagelangem Nichtgebrauch nur noch ein heiseres Flüstern.

Riley zuckte zusammen, presste ihren Handrücken gegen meine Stirn und dann an meine Wangen. „Können wir das unten im Labor besprechen? Es wäre einfacher, wenn ich meine ganze Ausrüstung zur Verfügung habe."

„Machst du dir Sorgen um das Baby?", fragte ich erneut und ignorierte ihre Bitte.

„Nein, ich mache mir Sorgen um dich", antwortete sie, ihre Stimme ein leises Knurren.

Ich blinzelte sie an. „Mache ich etwas falsch?" Ich hatte nicht versucht, zu fliehen. Ich war nicht sehr aktiv, aß und duschte jedoch regelmäßig. Vielleicht gab es mehr, was ich für das Baby, das in mir wuchs, tun sollte.

„Du?" Sie stieß ein humorloses Lachen aus. „Nein, es geht um deinen Gefährten."

„Ich habe keinen Gefährten", antwortete ich auf Autopilot. „Ich bin alleine. Wir, das Baby und ich, sind alleine." Die Worte kamen gebrochen heraus und mein Blick sank auf meine Hände. „Aber wir kommen schon klar."

„Ich werde Ander umbringen", knurrte sie und stand auf. „Komm mit. Ich muss dich im Labor untersuchen, und dann werde ich deinen verdammten, sturen Alpha ermorden." Sie streckte ihre Hand aus. „Lass uns gehen."

„Ich darf nicht gehen", sagte ich und richtete meine Aufmerksamkeit wieder auf die Aussicht.

„Du darfst nicht weglaufen", korrigierte sie, „aber ein Besuch in meinem Büro ist durchaus erlaubt. Ich werde dir sogar zeigen, wie du mich finden kannst, damit du öfter raus kannst."

Ich legte meine Stirn in Falten. „Herumlaufen?" Ander hatte sich doch ziemlich klar ausgedrückt, dass ich nicht weggehen sollte, oder? Hatte ich ihn missverstanden?

*Wenn er mich verdammt nochmal besuchen würde, könnte ich um Aufklärung bitten,* dachte ich bitter.

Vielleicht sollte ich gehen. Ich war diesem unberührten Penthouse-Gefängnis eingesperrt, um mich in meiner Einsamkeit zu suhlen. Was könnte denn noch schlimmer sein?

Eine Erkundungstour, wie Riley es ausdrückte, könnte

ihn auch aus seinem Versteck locken, oder vielleicht würde ich ihn in den Laboren vorfinden.

Was würde ich tun, wenn ich ihn wiedersah? Eine Vision, wie meine Faust sein Gesicht traf, ließ meine Lippen leicht zucken. Es wäre das Mindeste, was er verdient hatte, nachdem …

„Kat", sagte Riley, ihre Hand immer noch ausgestreckt. „Ich muss dich wirklich untersuchen. Wenn du es nicht für dich tun kannst, dann tu es für dein Baby."

Meine Kinnlade klappte nach unten. Sie ließ es so klingen, als wolle ich mein Kind in Gefahr bringen, was mich ärgerte. „Ich würde nie etwas tun, was meinem Baby schaden könnte." Es kam mit einem Knurren heraus – ein Klang, den ich meiner rauen Stimme gegenüber bevorzugte.

„Ich weiß", flüsterte sie. „Du bist nicht schuld." Sie hockte sich wieder vor mich. „Komm schon, ich will nur helfen. Wir kriegen das schon hin. Wir können Ander gemeinsam in den Arsch treten."

„Wo ist er?", fragte ich, unfähig, mir selbst zu helfen. „Wo ist Ander?"

„Er und Jonas beaufsichtigen den Omega-Transport aus dem Shadowlands Sektor."

„Omega-Transport?", wiederholte ich. „Wo ist der Shadowlands Sektor?" Ich hatte noch nie davon gehört, aber es war nicht wirklich überraschend, wenn man bedachte, wie groß die Welt war und wie wenig ich gesehen hatte.

„Hast du von Rumänien gehört?"

Ich nickte. „Meine Mutter hat mich als Kind die Geografie der alten Welt studieren lassen. Das ist das ehemalige Osteuropa."

„Dort befindet sich der Shadowlands Sektor, in dem der Ash Wolves Clan verweilt."

„Ash Wolves?" Ich sah sie schließlich doch an. „Sind sie anders als die X-Clan Wölfe?"

Sie murmelte etwas in ihren Kragen, bevor sie laut sagte, „Ich kann nicht glauben, dass Ander dir das alles nicht erklärt hat."

„Er spricht nicht viel", sagte ich und blickte wieder nach unten. „Normalerweise sagt er nur …", brach ich mit einem Schulterzucken ab.

Riley seufzte. „Typisch Alpha. Jonas ist genauso … ein Mann der wenigen Worte, aber Junge, kann er knurren." Sie schüttelte sich sichtlich erregt. „Darum geht es gerade nicht. Lass uns plaudern, während ich deine Untersuchung durchführe. Ich werde dir alles erzählen, was ich kann. Hoffentlich hilft es dir."

Es klang vielversprechend und gab mir die Möglichkeit, endlich diese Suite zu verlassen.

Meine einzige andere Option war, hier zu sitzen und endlos aus dem Fenster zu starren. So unterhaltsam das auch klang, ich zog Antworten vor. „Okay." Ich stieß mich vom Boden ab und ließ mein Wasser neben dem Fenster stehen.

Riley lächelte, bevor sie mein Outfit musterte. „Hast du keine Kleidung?"

Ich presste meine Lippen zusammen, als sie das Hemd ansah, dass mir bis zu meinen Oberschenkeln reichte. „Ich, äh, trage Anders Hemden." Sie passten mir wie Kleider, also funktionierte das ganz gut.

Ihr Grinsen verzerrte sich erneut und sie sah mich wutentbrannt an. „Ich werde ihn ernsthaft umbringen. *Verdammter Alpha.*" Sie stampfte in Richtung des Ausganges. „Komm mit und ich suche dir etwas zum Anziehen."

„Mir wäre es lieber, wenn du mir sagen würdest, was mit den Omegas los ist", sagte ich und lief ihr hinterher. „Seine Hemden sind in Ordnung."

Sie drückte energiegeladen den Knopf für den Aufzug, und ich war tatsächlich überrascht, den leeren Flur zu sehen, denn ich hatte angenommen, dass Ander draußen Wachen stationiert hatte.

Hatte er nicht behauptet, ich würde jederzeit bewacht werden, um jegliche Fluchtversuche zu verhindern? Entweder hatte er mich angelogen, oder waren sie irgendwo, wo ich sie nicht sehen konnte.

Mit einem niedergeschlagenen Seufzer stieg ich zu Riley in den Aufzug, wo sie mir erklärte, welche Knöpfe ich drücken musste, um sie in Zukunft zu finden. Ich hörte nur halb zu, denn ich wusste, dass ich das Penthouse nicht ohne Anders Erlaubnis verlassen würde. Nicht, weil ich ihm gehorchen wollte, sondern weil ich einfach nicht mehr die Energie hatte, gegen ihn anzukämpfen.

„Hat er wenigstens erklärt, dass Omegas selten sind? Dass die Alphas in einem ausgeglichenen Rudel normalerweise zehn zu eins in der Überzahl sind und das Verhältnis im Andorra Sektor eher dreißig zu eins ist?" Riley beobachtete meine Reaktion. Was auch immer sie in meinem Gesicht sah, ließ sie eine Reihe von Flüchen ausstoßen, weswegen ich meine Augenbrauen bis zu meinem Haaransatz hochzog.

Ich hatte ihr schon gesagt, dass Ander selten sprach. Was hatte sie erwartet? „Wir sind selten?"

„So ein *verdammter* Mist", fluchte sie, als die Aufzugtüren aufsprangen. Der Mann auf der anderen Seite zog eine Augenbraue hoch. „Oh, sieh mich nicht so an, Lionel. Du hast mich schon viel Schlimmeres sagen hören."

Der viel größere Mann grinste lediglich, als er sagte, „Das habe ich, Mädchen."

Sie winkte ihn mit einer schlichten Handbewegung ab und gab mir mit dem Kopf ein Zeichen, ihr zu folgen. „Okay, dann fangen wir also am Anfang an", sagte sie und ging schnell, während sie weitersprach, „Omegas und Alphas paaren sich normalerweise aufgrund der Art und Weise, wie unsere Körper zueinander passen. Alphas können sich nicht mit einem Beta paaren." Sie sah mich erneut an und runzelte dann die Stirn. „Noch etwas, von dem ich annehme, dass du es nicht wusstest. Ich werde einfach mal annehmen, dass du nichts weißt."

„Das wäre klug", murmelte ich. Ich wusste nur, was ich beobachtet hatte, und das war nicht viel.

„Es gibt Alphas, Betas und Omegas." Sie ging durch eine Tür, die in ein Büro führte. „Alphas stehen in der Hierarchie ganz oben, Betas in der Mitte und Omegas … Naja, wir sind ganz unten. Es ist eine Frage der Größe und der Macht, aber die meisten von uns sind eher zierlich." Sie zuckte mit den Schultern. „So funktioniert unsere Genetik nunmal."

Diesen Teil verstand ich irgendwie … zumindest, dass Alphas die Stärksten waren und das Sagen hatten. Meine Mutter hatte mir das einmal erklärt und gesagt, dass Wölfe ihre Hierarchie über alles schätzten und die Worte eines Alphas dem Gesetz gleich waren.

Ander hatte diese Erwartung definitive erfüllt.

„Omegas mögen zwar die schwächsten unserer Art sein, aber wir sind auch die meist verehrten", fuhr sie fort und klopfte auf den Untersuchungstisch, um mir zu signalisieren, dass ich mich daraufsetzen sollte. „Wir sind die Einzigen, die den Knoten akzeptieren können."

Richtig, das hatte sie bereits erwähnt.

„Was bedeutet, dass wir die Einzigen sind, die ihre Kinder gebären können", fügte sie hinzu und musterte meinen Bauch.

„Betas können sich nicht fortpflanzen?"

„Oh, das können sie miteinander und sogar mit Omegas, aber ein Alpha muss in der Lage sein, sich zu verknoten und …"

„Das kann er nur mit einer Omega", beendete ich ihren Satz für sie, da ich diesen Teil bereits kannte.

„Ja, also suchen sie verzweifelt nach unserer Art. Im Gegenteil zu den Alphas haben Betas eine Menge Möglichkeiten, da sie uns zahlenmäßig überlegen sind und so. Leg dich hin." Sie drehte sich um und begann, mit ihren Instrumenten herumzufummeln, während ich tat wie verlangt.

„Also paaren sich Alphas mit Omegas", sagte ich und ermutigte sie, mehr zu sagen. „Aber es gibt mehr Alphas als Omegas."

„Genau." Sie drehte sich mit einem Metallinstrument in der Hand um und legte es auf ein Tablett. „Und im Andorra Sektor gibt es deutlich mehr Alphas, weshalb Ander damit beschäftigt ist, einen Handel mit dem Shadowlands Sektor zu schließen, um mehr Omegas zu erwerben."

Ein saurer Geschmack füllte meinen Mund. „Weil der Andorra Sektor mehr Omegas braucht."

*Und Ander braucht eine Gefährtin*, dachte ich.

Sie nickte ernst. „Wir brauchen dringend Omegas. Es gibt nur eine Handvoll von uns und alle sind verpaart … außer dir." Sie hielt inne und starrte mich an. „Du bist die einzige gefährtenlose X-Clan Omega Wölfin in unserem Sektor, Kat. Deshalb hat Ander dich eingesperrt. So barbarisch es auch klingt, er versucht, dich zu schützen. Dass du schwanger bist, schützt dich nur bis zu einem gewissen Grad, aber sollte sich jemand dazu entschließen, Anders Herrschaft infrage zu stellen, würde er dich entführen und wahrscheinlich dein Kind töten."

Mir entgleisten meine Gesichtszüge. „*Was?*"

„Alphas sind besitzergreifend", flüsterte sie und legte ihre Hand auf meine Schulter, um mich zurück auf den Untersuchungstisch zu drücken. „Sie mögen es nicht, wenn ihre Omega das Kind eines anderen Alphas in sich trägt."

Ich runzelte die Stirn. „Willst du mir sagen, dass mein Baby in Gefahr ist?" Ich legte meine Arme schützend über

meinem Bauch. „Dass jemand versuchen könnte, es zu …?"
Ich konnte die Frage nicht zu Ende bringen. Mein Herz
raste.

„Nein, nein, nein", sagte sie und fasste mir an die Wange,
um mich zu zwingen, sie anzusehen. „Ich versuche, dir zu
erklären, was hier passiert und warum. Du bist nicht in
Gefahr. Ander würde jeden umbringen, der versucht, dich zu
berühren."

„Aber was ist in sieben Monaten?", fragte ich und
rechnete schnell nach. „Wenn das Baby kommt, was hat er
dann mit mir vor?"

Sie ließ die Schultern hängen. „Das kann ich nicht
beantworten."

„Kannst du nicht oder willst du nicht?"

„Kann ich nicht, weil ich es nicht weiß", gab sie leise zu.
„Aber er wäre wahnsinnig, dich gehen zu lassen. Die Alphas
werden einen Aufstand machen, um sich mit dir zu paaren.
Selbst mit den neuen Omegas wirst du die sein, die alle
wollen, weil du vom X-Clan abstammst. Die Ash Wolves
Omegas werden niemals vergleichbar sein, selbst wenn sie
kompatibel sind."

„I-ich verstehe das nicht." Aber ich musste versuchen, es
nachzuvollziehen.

„Warum können sie keine anderen X-Clan Omegas
finden? Gibt es denn keine anderen?"

„Oh, sie existieren. Aber die anderen Sektoren weigern
sich, mit uns zu verhandeln. Wie schon gesagt: Wir sind
wertvoll." Sie schenkte mir ein kleines Lächeln. „Und du bist
die Wertvollste von allen."

„Warum hat Ander mich dann nicht für sich
beansprucht?", platzte ich heraus.

„Weil er ein dummer Idiot ist", murmelte sie und kehrte
zu ihrem Tablett zurück. „Er hat sich mit der Lieferung aus
dem Shadowlands Sektor beschäftigt und seit Wochen

praktisch in seinem Büro gelebt. Elias und Dacianas erfolgreiche Paarung war die letzte Etappe. Dass sie mit seinem Kind schwanger ist, beweist, dass wir tatsächlich kompatibel sind."

*Daciana*, dachte ich und erinnerte mich an den Duft von Anders Hemden. „Sie war die andere Omega, die ich gerochen habe."

Riley nickte. „Ja, sie war bis vor ein paar Wochen nicht begattet, aber als sie in die Brunst kam, hat Elias sie beansprucht."

Weshalb der kränklich süße Gestank zu einem weniger bedrohlichen Duft geworden war. „Es kommen noch mehr Omegas?"

„Neun", bestätigte Riley. „Ander hat Technologie, eine Menge davon, gegen insgesamt zehn Omegas eingetauscht, einschließlich Daciana. Sie werden heute ankommen."

*Neun andere Optionen für Ander*, dachte ich. *Neun Konkurrentinnen. Neun Omega-Weibchen, mit denen ich mich nie vergleichen könnte, weil ich nicht als Wolf geboren wurde.*

„Hey, ich kenne diesen Blick." Riley schnippte mit den Fingern vor meinen Augen. „Wage es ja nicht, auch nur daran zu denken. Ander gehört dir. Er stellt nur das Rudel vor seine eigenen Bedürfnisse. Als unser Anführer tut er das oft, aber er wird wieder zu sich kommen. Sobald er das tut, musst du mir einen Gefallen tun."

„Dir einen Gefallen tun?", wiederholte ich ungläubig. „Wovon redest du?"

„Tritt ihm in den Arsch", sagte sie, als wäre die Schlussfolgerung offensichtlich. „Lass ihn zu Kreuze kriechen. Er hat es verdient, hart rangenommen zu werden."

„Aber er will mich nicht."

„Oh, er will dich." Sie klang so selbstsicher. „Warum sollte er dich sonst in seiner Suite unterbringen?"

„Wegen des Babys."

„Das ist ein Teil davon, ja, aber er hat dir seinen Samen gegeben", sagte sie lächelnd, „weil er dich will."

„Er hat das nur aus Pflichtgefühl getan. Ich war läufig und er hat seinen Job gemacht."

Sie erstarrte über ihren Instrumenten und sah mich an, als hätte ich sie geohrfeigt. „Warum zum Teufel sagst du so etwas?"

Ich blinzelte sie an. „Weil er mir das gesagt hat." Die Erinnerung an das Ereignis betäubte mich, und Riley wirkte geradezu gedemütigt, also starrte ich auf meine Hände, während seine Worte wie in einer Dauerschleife durch meinen Kopf liefen.

*„Du warst eine läufige Omega und ich habe meinen Job gemacht. Ich habe den Samen geliefert, nach dem sich dein Körper gesehnt hat, und jetzt wirst du mir ein Kind geben."*

Die Kälte seines Tons jagte mir immer noch einen Schauer über den Rücken und seine Aussage brannte tief in meiner Seele. „Er will mich nicht", erklärte ich leise und gebrochen, als ich meine Augen schloss. „Können wir die Untersuchung hinter uns bringen? Ich möchte sichergehen, dass sein Kind gesund ist."

Riley sagte so lange nichts, dass ich dachte, sie wäre gegangen, aber schließlich räusperte sie sich. „J-ja, lass uns eine Ultraschalluntersuchung machen. Ich möchte, dass du den Herzschlag hörst."

„Sicher." Ich öffnete meine Augen nicht.

Und als einige Minuten später das Pochen des Herzens des Babys den Raum erfüllte, blieb ich völlig ruhig.

Dies war meine Bestimmung.

In mir wuchs ein neues Leben.

Wenigstens hatte ich etwas richtig gemacht …

# ANDER

„Was soll das heißen, es sind nur acht?", sagte Dušans tiefe Stimme durch die Kommunikationseinheit, als er seine blassblauen Augen durch den Bildschirm auf mich fixierte. „Wir haben neun geschickt."

„Es sind nur acht angekommen", antwortete ich, wobei ich mein Bestes tat, einen ruhigen Ton beizubehalten. „Dein Vize ist hier, um das zu bestätigen." Ich drückte mit den Fingern auf den Bildschirm und drehte ihn in Mads Richtung. Sein weißblondes Haar leuchtete unter der Neonlichts meines Büros.

Der Ash Wolves Alpha zeigte keine Regung, als er meinen Bericht bestätigte. „Meira war nicht dabei."

„Wie ist das möglich?", verlangte Dušan.

„Das musst du mit Mihai klären. Er war der Letzte, der mit der Ladung gesehen wurde, bevor wir abgeflogen sind."

„Ich dachte, ich hätte *dich* mit dieser Aufgabe betraut, Stefan?" Dušan formulierte es als Frage, aber als Alpha hörte ich den tödlichen Ton der Enttäuschung.

*Wie kam jemand, der Stefan hieß, zu dem Spitznamen Mad?*

„Ich habe mit Caspian im Cockpit gearbeitet und versucht, ihm bei einigen der verbesserten Steuerungselemente zu helfen. Das war der Hauptgrund, warum du mich mit dieser Mission beauftragt hast, richtig? Meine ausgiebige Flugerfahrung?"

Elias sah mich mit hochgezogenen Augenbrauen an. Mein Sekundant erkannte die Herausforderung in Mads Stimme. Diesen Ton würde er mir gegenüber nie vor einem anderen Sektorleiter anschlagen. Vielleicht unter vier Augen, sicher, aber nicht vor anderen.

„Ich habe auch erwartet, dass du die Lieferung verwaltest", antwortete Dušan nach einem Moment des Schweigens, „was offensichtlich nicht geschehen ist. Dreh den Bildschirm wieder zu Cain."

Ich wartete nicht darauf, dass Mad meinen Bildschirm berührte, sondern griff selbst danach. Der Alpha des Shadowlands Sektors fuhr sich mit den Fingern durch sein langes, schwarzes Haar, dessen Spitzen seine Schultern streiften. Eine Narbe streckte sich von seinem Schlüsselbein bis zum Hals. Sie ähnelte nicht dem üblichen Abdruck von Wolfskrallen, sondern sah etwas zackiger und schärfer aus.

„Du kannst eine der Ladungen zurückhalten, während ich unsere fehlende Omega ausfindig mache", sagte Dušan und sein Kiefer verkrampfte sich bei den Worten vor Anspannung. „Das wird nicht schwer sein. Ich sollte sie innerhalb der nächsten Woche ausfindig machen können."

Ich betrachtete ihn schweigend und überlegte, ob ich seinem Wort trauen sollte. Die Anspannung in seinen Augen sagte mir, dass die fehlende Omega zu einem Problem auf seiner Seite führen würde.

Es war bereits ein Problem auf unserer Seite, da wir die Technologie vor zwei Stunden per Transport geschickt hatten, bevor wir die Nachricht der ankommenden Lieferung aus dem Shadowlands Sektor erhielten.

Der gleichzeitige Tausch war ein Vertrauensbeweis für beide Parteien gewesen. „Dafür müsst ihr einen Teil unserer Lieferung zurückschicken", antwortete ich.

„Eine Bürde, die wir tragen werden", murmelte der Alpha, während er sich gegen einen nahegelegenen Baum lehnte. Seine Umgebung im Vergleich zu meiner zu sehen, sagte so viel über unsere unterschiedlichen Situationen aus.

Der Andorra Sektor rühmte sich mit Macht, Technologie und fortschrittlicher Medizin, während seine Wölfe in der Wildnis lebten. Und dennoch hatte er einen Überfluss an Omega Wölfen, während wir kaum welche in Andorra finden konnten.

Erstaunlich, wie das Schicksal funktionierte.

„Es ist eine Verschwendung von Ressourcen, wenn du die Sendung zurückschickst", fügte ich hinzu und fuhr mir mit der Hand übers Gesicht. „Es wird zu lange dauern, die Güter umzuladen."

Denn er benötigte reichlich Sonnenlicht, um die für den Flug notwendige Solarenergie zu sammeln.

„Die Rücksendung der Lieferung wird mindestens einige Tage dauern", fuhr ich kopfschüttelnd fort. Bis er alles zurückgeschickt hatte, würde er die Wölfin wahrscheinlich schon in Gewahrsam haben.

„Ich habe einen Vorschlag", warf Mad ein, seine Stimme flach und emotionslos, was seinem Ausdruck passte.

Dušan blieb stoisch, als er antwortete, „Und der wäre?"

„Caspian und ich bleiben hier als Bürgschaft, während ihr das Mädchen findet. Sobald sie gefunden wird, kann Cain seinen eigenen Piloten schicken, um sie zu holen und danach machen wir uns auf den Weg zurück."

Elias warf mir einen Blick aus der Ecke zu, den ich bis ins Mark verstand.

Ein Außenstehender hatte gerade angeboten, auf unbestimmte Zeit in unserem Sektor zu bleiben.

Mir gefiel diese Lösung nicht, aber sie bot uns die Möglichkeit, die Sache ein wenig anders anzugehen. Es wäre ein Zeichen des guten Willens, Dušan zu vertrauen und sein Versprechen einzulösen. Es würde uns auch Zeit geben, die beiden Ash Wolves Mitglieder kennenzulernen, was zu besseren Handelsgeschäften führen könnte.

Ich strich mir mit dem Daumen über die Unterlippe und wägte alle Optionen ab. Dušan schien das Gleiche zu tun, denn seine hellen Augen leuchteten wie die eines Wolfes im Mondlicht.

Während Mad in Person eine tödliche Ausstrahlung hatte, behielt Dušan diese auch über den Bildschirm bei. Ich konnte praktisch sehen, wie sein Wolf hinter seinem unergründlichen Blick hauste, das Tier genauso gefährlich wie der Mensch, der ihn im Zaum hielt.

„Ich akzeptiere diesen Vorschlag, wenn du einverstanden bist", sagte Dušan nach einer gewissen Zeit. Er hatte mich gewartet, aber ich wollte erst seine Gedanken hören, bevor ich meine äußerte.

„Eine Woche", sagte ich dem ihm. „Wir werden zu diesem Zeitpunkt neu verhandeln, falls das Mädchen bis dahin nicht in deinem Gewahrsam ist."

„Oh, ich werde sie bis dahin gefunden haben", versprach er, sein Grinsen geradezu wild. „Ich werde mich bald melden."

Die Verbindung endete ohne eine formelle Verabschiedung. Dušan war eindeutig auf einer Mission. Ich nahm es ihm nicht übel, denn an seiner Stelle wäre ich genauso aufgebracht gewesen. Die Omega hatte unsere Vereinbarung bedroht.

Ich erwartete, dass er sie dafür hart bestrafen würde, bevor er sie in unsere Richtung schickte.

Mad stieß sich von der Wand ab und baute sich zu seiner vollen Größe auf. „Ich muss Caspian von unserer Planänderung in Kenntnis setzen."

Elias versperrte ihm den Weg. „Nicht so schnell." Er sah

über die Schulter des Alphas, um meinen Blick zu treffen. „Wo willst du ihn unterbringen?"

Ich wusste, was er wissen wollte. *Kerker oder Gästequartier?* Da ich vorhatte, in der Zukunft mit dem Shadowlands Sektor zu handeln, blieb mir nichts anderes übrig, als zu sagen, „Gästequartier."

Falls Elias meine Entscheidung missbilligte, zeigte er es nicht. Stattdessen forderte er Cedrick über Funk zur Unterstützung an.

Unser leitender Sicherheitsoffizier erschien innerhalb von Sekunden und bestätigte, dass er vor meinem Büro auf weitere Anweisungen gewartet hatte. „Caspian und Mad werden eine Woche lang bei uns bleiben. Kannst du dich um ihre Zimmer kümmern und sie bei Bedarf begleiten?" Obwohl es als Frage formuliert war, wusste jeder, dass es ein Befehl war. Mein Vize sprach keine Bitten aus. Er stellte Forderungen.

„Jawohl", antwortete Cedrick. Er nickte mir höflich zu, bevor er den immer noch emotionslosen Mad aus meinem Büro führte.

Elias sah mich erwartungsvoll an und ich drückte auf den Geräuschdämpfer auf meinem Schreibtisch, um unser Gespräch vor jedem zu verbergen, der vielleicht zu nah an der Tür lauschte. „Ich traue ihm nicht", sagte ich und verschwendete keine Zeit. „Ich will, dass du beide beobachtest. Sie dürfen nicht in die Nähe der Labore oder meines persönlichen Quartiers kommen."

„Verstanden", antwortete Elias. „Glaubst du wirklich, dass die neunte Frau entkommen ist?"

„Nein." Die Lieferung war viel zu wichtig für Dušan. „Jemand hat den Deal sabotiert."

„Und du glaubst nicht, dass es Dušan war."

„Ich bin mir sicher, dass er es nicht war. Für ihn hängt zu viel an unserem Handel, um so etwas Dummes zu tun. Er will unsere Zusammenarbeit genauso sehr ermöglichen wie wir, auch wenn er es nicht nach außen hin zeigt. Es ist zu-"

Die Tür knallte mit einer Wucht auf, die mich von meinem Stuhl aufspringen ließ und Elias sofort in die Defensive trieb.

Bis wir beide sahen, wer hereingestürmt war.

Riley sprintete auf meinen Schreibtisch zu und legte ihre Handflächen auf das Holz, ihr Gesichtsausdruck wutentbrannt „Hast du deiner Gefährtin wirklich gesagt, dass du sie nur gefickt hast, weil es deine Pflicht war als Alpha?"

Ich blinzelte sie an, schockiert über ihr Eindringen den mörderischen Ton in ihrer Stimme. „Riley …"

„Hast du eine Ahnung, was du dem armen Mädchen angetan hast?", fuhr sie fort, ihre Stimme so schrill, dass sie an einen Schrei grenzte. „Sie ist fertig, Ander! Du hast ihren Geist gebrochen!"

Ich öffnete den Mund, um zu antworten, als Riley wutentbrannt alle Gegenstände von meinem Schreibtisch wischte.

„Hast du deinen verdammten Verstand verloren?", forderte ich schockiert.

„Nein, *du* hast deinen verdammten Verstand verloren!", schrie sie. „Deiner Omega zu sagen, dass sie nur dazu da ist, dein Kind zu auszutragen …"

Riley schnitt eine Grimasse, denn ihr Gedankengang wurde eindeutig finsterer, als ihre Wangen so rot wurden wie ihre natürliche Haarfarbe.

„Sie denkt, sie ist nur eine verdammte Zuchtstute, Ander! Sie hat es während der Untersuchung immer wieder gesagt und hat nicht auf ein Wort gehört, weil du sie verdammt nochmal *zerstört* hast!"

„Geht es dem Baby gut?", fragte ich, als mein Herz durch die Erwähnung von Katrianas Untersuchung raste.

Meine Angestellten hatten nichts Ungewöhnliches festgestellt. Sie aß alle vorbereiteten Mahlzeiten, die für sie im Kühlschrank standen, was darauf schließen ließ, dass es ihr gut ging. Ich nahm einfach an, dass sie mit dem Nestbau beschäftigt war, wie es Omegas während der Schwangerschaft zu tun pflegten.

„Oh, deinem Kind geht es gut", erwiderte Riley, ihre Stimme so kalt, dass die Luft fast gefror, „aber deiner *Zuchtstute* geht es nicht gut. Ihr zu sagen, dass du sie fickst, weil es deine Pflicht ist … Willst du mich verarschen? Warum zum Teufel hast du sie nicht beansprucht? Du weißt doch, wie gefährlich die Schwangerschaft einer Omega sein kann."

„Du überschreitest deine Kompetenz, Riley", knurrte ich irritiert über ihre Dreistigkeit.

Mein Kopf schnellte zurück, als ihre Hand auf meine Wange traf und mich noch mehr erschreckte.

„Du bist ein Bastard!", schrie sie. „Wie kannst du es wagen, deine zukünftige Gefährtin so grausam zu behandeln? Willst du sie umbringen? Das ist es, was du tust, Ander. Sie ist nur noch die Hülle der Frau, die sie vor zwei Monaten war. *Wegen deinem Verhalten!*"

„Was ich mit meiner Gefährtin mache, geht dich nichts an", schnauzte ich und machte einen Schritt auf sie zu.

„Geht mich nichts an?", wiederholte sie, wobei ihre kastanienbraunen Augenbrauen nach oben schossen. „Sie ist meine Patientin, Ander Cain, und was du tust, ist gefährlich für ihre Gesundheit."

„Du hast gerade gesagt, dass es dem Baby gut geht", erwiderte ich und warf meine Hände in die Luft. „Es geht ihr gut."

„Ist das alles, was dich interessiert?", fragte Riley entsetzt und trat einen Schritt zurück. „Dass es deinem Kind gut geht? Was ist mit der Frau, die das Kind austrägt, Ander?

Spielt sie keine Rolle, da du sie aus reinem *Pflichtgefühl* gefickt hast?" Sie stürmte auf mich zu, aber ich ergriff ihre Handgelenke mit meinen Händen.

„Du musst dich beruhigen, Omega", sagte ich.

Sie stieß ein bösartiges Knurren aus, als Jonas in mein Büro stürmte.

Ein Blick auf ihn ließ mich die Omega loslassen und zur Seite ausweichen. „Sie ist auf mich losgegangen und ich habe sie nur zurückgehalten, damit sie sich nicht selbst verletzt", sagte ich ihm und hob meine Arme in einer nicht friedlichen Geste.

Er sah mich nicht einmal an, sondern konzentrierte sich nur auf die schreiende Frau, die gerade in meinem Büro durchdrehte. Sie brach mit einem gequälten Schrei zusammen, der mich bis in die Seele erschreckte. Ich wollte diesen Laut niemals wieder in meiner Gegenwart hören.

„Ich weiß nicht, was du getan hast, Cain. Bring es verdammt nochmal in Ordnung", sagte Jonas, hob seine Gefährtin in seine Arme und drückte sie mit einem leisen Knurren, das sie beruhigen sollte, an seine Brust. „Es ist okay, Baby. Ich habe dich."

„Er ist ein Monster", flüsterte Riley gebrochen. „Er ist ein verdammtes Monster."

Bei dieser speziellen Bezeichnung hing mir der Mund offen. Ich war noch nie so bezeichnet worden. „Riley …"

„Nein!", schrie sie mich an. „Du hast das arme Mädchen zerstört. Wie konntest du nur?" Sie schmiegte sich an Jonas, aber ihre Unterlippe zitterte immer noch. „Wie konntest du nur?", wiederholte sie leiser, als sie ihr Gesicht ins Jonas' Hals vergrub.

Seine blauen Augen trafen meine, eine tödliche Warnung in seinem Blick. „Bring es in Ordnung."

Damit trug er seine schluchzende Omega aus meinem Büro.

Ich starrte ihnen hinterher und war sprachlos.

In all den Jahren, in denen ich Riley kannte, hatte ich sie noch nie ausrasten sehen. Sie hatte mich ein paar Mal angeschrien – meistens, wenn ich mich zu sehr in ihre Forschung eingemischt habe.

*„Du hast mich aus einem bestimmten Grund eingestellt, Ander Cain. Jetzt verpiss dich und lass mich arbeiten"*, hatte sie im Laufe der Jahre ein paar Mal gesagt, aber sie hatte nie in solchem Maße die Fassung verloren.

Und ich hatte sie noch nie zum Weinen gebracht.

Ich wollte es auch nie wieder.

„Mist", hauchte ich, fuhr mir mit den Fingern durch mein Haar und sah Elias an. „Was zum Teufel ist gerade passiert?"

„Du hast es versaut", antwortete mein Vize, die Arme vor der Brust verschränkt. „Eindeutig."

„*Ich* habe es versaut?", gaffte ich ihn an. „Wie zum Teufel habe ich es versaut? Ich habe mit dir geredet, als sie hier reingestürmt ist, und alles, was ich getan habe, war, ihre Handgelenke zu packen, um sie zu beruhigen."

„Ja, denn eine Frau zu handhaben, beruhigt sie normalerweise", antwortete Elias. „Ich spreche nicht von Riley, Cain. Ich meine Kat."

„Was ist mit ihr?"

„Hast du ihr wirklich gesagt, dass du sie gefickt hast, weil es deine Aufgabe oder Pflicht war?"

Ich seufzte, fasste mir in den Nacken und starrte an die Decke. „Ich habe versucht, ihr eine Lektion zu erteilen, Elias. Sie hat den ganzen Sektor in Gefahr gebracht, als sie versucht hat, wegzulaufen, während sie kurz vor der Brunst stand." Hätte ich sie nicht rechtzeitig erwischt, hätte sie einen verdammten Aufstand angezettelt. „Ich wusste nicht, wie ich sie sonst zur Vernunft bringen sollte."

„Willst du, dass sie bei Fuß geht?", konterte er. „Ich dachte, ein Teil ihres Reizes sei das Feuer in ihren Adern."

„Ja, das ist es ... oder, ich schätze, dass es das war", gab ich zu und dachte an unsere erste gemeinsame Woche. Danach hatte sich alles verändert. „Ihr Wolf hat nach ihrer Brunst die Kontrolle übernommen. Seitdem steuert das Biest alle ihre Reaktionen. Ich habe es anfangs genossen. Und dann nicht mehr."

Es war die Art, wie Daciana Elias ansah, die alles für mich verändert hatte. Sie blickte ihn mit Bewunderung und Respekt an, während Katriana mich kaum eines Blickes würdigte. Und wenn sie es tat, war es, als ob ihre Seele ihren Körper verlassen hatte.

Sie hatte begonnen, sich komplett auf ihre tierischen Instinkte zu verlassen, um zu überleben, und vergaß ihre Gefühle. „Ich habe sie gefragt, was sie will", fuhr ich fort und schluckte. „Sie hat gesagt, dass sie selbst wählen will, also habe ich sie in Ruhe gelassen und ihr Zeit gegeben, ihre Entscheidungen selbst zu treffen."

„Das erklärt, warum du in diesem verdammten Büro gelebt hast", sagte Elias und deutete auf die Couch, auf der ich schon viel zu lange geschlafen hatte. „Du weißt, dass ich dich wie einen Bruder liebe, oder?"

„Ja", murmelte ich, „ich weiß."

„Gut, dann verstehst du mich hoffentlich, wenn ich sage, dass du ein verdammter Idiot bist, Cain. Du hast sie in jeder Hinsicht als dein Eigentum beansprucht. Nur nicht da, wo es zählt. Du hast ihr verdammt nochmal gesagt, dass sie eine Verpflichtung ist, ein Weg, sich fortzupflanzen, und hast sie wochenlang in ihrem jämmerlichen Zustand alleine gelassen. Das ist eine ziemlich harte Strafe für *einen* Fluchtversuch, Mann." Er ließ seine Arme fallen, als er den Kopf schüttelte. „Ich stimme Jonas zu. Bring es in Ordnung."

Mit dieser tiefsinnigen Aussage schritt er zielstrebig aus meinem Büro, ohne auch nur einen Blick zurückzuwerfen.

Anscheinend waren wir fertig damit, über mein Liebesleben und das Problem mit dem Shadowlands Sektor zu diskutieren.

Gut.

Großartig.

*Fantastisch.*

Ich schlug mit meiner Faust auf den Schreibtisch und ließ die Glasplatte zerspringen.

Ich knurrte aus Zorn über die Sauerei, die ich verursacht hatte. „*Verdammter Mist*", brüllte ich und ließ alles Stehen und Liegen. „Scheiß auf alles." Ich marschierte aus meinem Büro in Richtung des Fahrstuhls.

Mein Ziel war es nicht, Katrianas Geist zu brechen … nicht komplett. Ich wollte nur, dass sie unsere Hierarchie verstand. Ihr dummer Fluchtversuch hatte nicht nur ihr eigenes Leben in Gefahr gebracht, sondern auch das meiner Wölfe.

Jeder unter dieser Kuppel sah mich als ihren Anführer. Sie verließen sich auf mich, um zu überleben, und erwarteten, dass ich Entscheidungen traf, die all ihren Bedürfnissen am besten entsprachen. Es war eine Menge Druck, aber ich akzeptierte es und tat mein bestes, den Erwartungen gerecht zu werden.

Meine Gefährtin verstand nicht, wie ihr Verhalten auf mich zurückfiel, oder dass sie sich weiterhin in Gefahr begab, wenn sie gegen meine Dominanz ankämpfte.

Vielleicht waren meine Worte grausam gewesen, aber sie waren effektiv. Seit dieser ersten Woche hatte sie nicht mehr versucht, sich mir zu widersetzen. Ihre Handlungen hatten mir nach dieser Zeit sogar sehr gut gefallen, denn ihr Instinkt, mich zu markieren, befriedigte mich unendlich.

Bis ich den Unterschied zwischen uns und Daciana und Elias sah.

Ich wusste, dass Riley Jonas ansah, als wäre er alles, was sie zum Leben brauchte.

Aber Katrianas Blick war leer. Ihr Körper tat, was ihr Wolf befahl, während ihr Geist und ihr Herz völlig tabu blieben. Ich versuchte, sie dazu zu bringen, sich zu öffnen, aber sie verlangte, Optionen zu haben.

Es gab keine andere Option.

Sie gehörte mir.

Wen könnte sie sonst wählen? Wer hatte das Zeug, ihr mehr bieten zu können? Elias war offiziell vergeben, und Jonas auch. Es blieben nur die Alphas im Rat, aber keiner dieser Männer konnte sich auch nur annähernd mit mir vergleichen.

Allein das Wissen, dass sie eine Wahl brauchte, machte mich eifersüchtig. Ich fühlte mich minderwertig und wurde wütend, denn sowas hatte ich noch nie verspürt.

Ich hatte die letzten Wochen damit verbracht, herauszufinden, wie ich ihr geben konnte, was sie wollte, auch wenn es mich umgebracht hätte.

Ich rief auf den Aufzug zu meiner Suite und zählte die Sekunden. Mit jedem Moment, der verging, wurde ich nervöser.

Was genau hatte Katriana zu Riley gesagt? Würde sie mir das Gleiche sagen, oder einfach ihrem Wolf die Oberhand geben?

Vielleicht würde ich sie ficken und sie dann zum Sprechen zwingen, während mein Knoten uns zusammenband. Das würde mir helfen, etwas von der Aggression abzulassen, und uns außerdem einander näherbringen.

Ich trug den Duft aller Omegas, die heute angekommen waren, und ich wusste, dass es meine zukünftige Gefährtin verrückt machen würde. Sie würde mich wahrscheinlich nicht einmal zu Wort kommen lassen, bevor sie mir wieder die Kleider vom Leib reißen würde, wie sie es letzten Monat getan hatte, als ich mit Dacianas Geruch nach Hause gekommen war.

Ja, dieser Plan würde funktionieren.

Wir würden ficken und dann reden.

Ich stakste aus dem Aufzug, sobald ich auf meiner Etage ankam, stürmte durch die Tür zu meinem Penthouse und knallte sie hinter mir zu.

Meine Nase juckte, als ich die falschen Düfte in meiner Suite wahrnahm.

*Tiefe Bestürzung. Verzweiflung. Schrecken.*

„Katriana?", rief ich, um meine Anwesenheit zu verkünden.

Ich brauchte nur ein paar Schritte hineinzugehen, um sie zu finden. Sie saß neben den Fenstern in einem meiner Hemden, die Schultern bis zu den Ohren hochgezogen und die Arme um ihre angewinkelten Knie gewickelt.

*Keine Reaktion.*

Ich runzelte die Stirn, als sie sich nicht zu mir umdrehte. „Katriana?", versuchte ich es erneut.

*Nichts.*

Nicht einmal ein Zucken.

Die Furche zwischen meinen Augenbrauen vertiefte sich, als ich mich an sie heranpirschte, um ihre Miene zu mustern. Leere, leblose Augen starrten auf die untergehende Sonne. Ich hockte mich neben sie. „Katriana?"

Sie blinzelte nicht einmal.

*Verdammte Scheiße!* Kein Wunder, dass Riley sauer war.

„Katriana", flüsterte ich und legte meine Hand in ihren Nacken. Sie fühlte sich kalt an. Ich fuhr mit meinem Daumen über ihre Wirbelsäule und identifizierte ihren langsamen Puls.

Es war, als ob sie in einen katatonischen Zustand gefallen war.

*Verdammt.*

Wie war das nur passiert? Ich hatte ihr nur etwas Zeit geben wollen, während ich mir überlegte, wie ich ihren Wünschen nachgehen könnte, aber das war eindeutig nach hinten losgegangen.

Ich nahm sie in meine Arme und hob sie vom Boden, um sie ähnlich zu halten, wie Jonas Riley gehalten hatte.

Ein Knurren begann in meiner Brust, das beruhigen sollte, aber es verbesserte ihren reglosen Zustand nicht. Sie lag regungslos da, ihr Kopf auf meiner Schulter, die Arme schlaff um ihren Bauch gewickelt.

„Lass uns in dein Nest gehen", schlug ich vor, ging auf ihr Zimmer zu und erstarrte im Eingangsbereich. Mein Mund verzerrte sich im Angesicht der Zerstörung in ihrem Zimmer. „Du …" Ich schluckte, als meine Stimme versagte.

*Sie hat ihr Nest zerstört*, dachte ich geschockt.

Omegas brauchten ein Nest, um sich sicher zu fühlen – schwangere Omegas sogar noch mehr.

Ihren sicheren Hafen zu zerstören bedeutete …

„Oh, Katriana." Meine Brust zog sich zusammen, während mein Knurren noch intensiver wurde. Ich musste ihr alles geben, was ich konnte, um sie aus diesem Zustand herauszuholen. Ich verstand nicht einmal, wie das passiert war. Wie war meine temperamentvolle Wölfin an diesen Punkt gelangt?

„Es roch falsch", murmelte sie. Ihre Stimme zerbrach mir das Herz.

Ich drückte meine Lippen an ihre Schläfe und hielt sie fester. „Es tut mir so leid", flüsterte ich. „Ich hatte keine Ahnung."

Aber ich hätte es wissen müssen, oder zumindest vorhersehen sollen.

Schwangere Omegas brauchten ihren Alpha, um sich sicher zu fühlen, und ich hatte sie im Stich gelassen. Keine meiner Absichten konnte meine Abwesenheit verzeihen, genauso, wie keine Entschuldigung diese Situation verbessern würde.

Nein, sie brauchte etwas anderes von mir.

*Trost und Stärke.*

Ich trat aus ihrem Zimmer und brachte sie in meins. „Alles ist gut, Süße", sagte ich leise, wobei ich weiterhin beruhigend knurrte. „Wir werden ein neues Nest bauen. Ein richtiges."

Dann würde sie sich besser fühlen.

*Zumindest hoffe ich das …*

# KAT

DIE GERÜCHE, die Ander umgaben, ließen meinen Wolf innerlich auf- und abgehen und heftig knurren.

*Fruchtbare Omegas …*

*Ungepaarte Omegas …*

*Konkurrentinnen!*

Ich wollte schreien und toben und verlangen, dass er den parfümierten Stoff sofort entfernte, aber ich konnte nicht, denn das erforderte zu viel Aufwand … Energie, die ich schlicht nicht hatte.

In seinen Armen zu liegen war einfacher.

*Weniger Arbeit.*

Eine Möglichkeit, zu existieren, ohne mich der Welt stellen zu müssen.

Meine Lippen zitterten, als er mich in die Mitte seines Bettes legte und losließ. Es war nicht besser als die Fenster, nur weicher. Mein Blick wanderte zur Decke.

Nun würde ich nicht einmal mehr die Berge sehen können …

Sein Knurren verstärkte sich, das Geräusch eine hypnotische Liebkosung meiner Sinne. Aber ich weigerte mich, ihm zu verfallen. Es war eine Falle. Dieser Moment war nicht von Dauer. Er würde mich erneut verlassen, damit ich mich in meinem Elend suhlte, während sein Kind in mir wuchs.

Wie war es so weit gekommen? War dies meine neue Realität?

Ich fühlte mich so leer.

*Unerfüllt.*

Vielleicht fühlten sich die Infizierten genauso. Gedankenlos. Nur ein Ziel vor Augen – Überleben.

Nur war ich mir nicht mehr sicher, ob ich mich nach dem Überleben sehnte.

Nein, das stimmte nicht. Ich wollte leben. Für mein Baby. Aber was dann? Riley hatte angedeutet, dass das Kind in Gefahr sein könnte. Dass ein anderer Alpha mir das Baby wegnehmen würde.

Ich erschauderte bei dem Gedanken und rollte mich noch fester zusammen, als ich Anders Arme erneut um mich herum spürte.

Seine nackte Brust vibrierte besänftigend und der frische Duft von Kiefernholz umgab meine Sinne.

*Oh, die Klamotten sind weg*, grunzte mein Wolf …

*Praktisch*, dachte ich und schmiegte mich an ihn. *Kein Omega Gestank mehr. Nur noch Alpha.*

Ich streckte meine Beine, verschränkte sie mit seinen und genoss das Gefühl seiner warmen Haut.

Er hatte nicht nur sein Hemd ausgezogen, sondern auch den Rest seiner Kleidung, was ich durch seine heiße Erregung an meinem Bauch bemerkte.

Meine Kehle schnürte sich zusammen und es fiel mir schwerer zu schlucken. *Ist er deshalb zurückgekommen? Für Sex?* Ich war mir nicht sicher, ob ich ihm das in meinem jetzigen Zustand konnte. Mein Geschlecht würde für ihn feucht werden, klar, aber ich würde es nicht genießen.

*Spielt das eine Rolle?*, dachte ich verbittert. *Ist das nicht mein Job? Den Alpha zu ficken, wann auch immer er es will? Ihm zu dienen?*

Tränen lief über meine Wangen, aber sie wurden von Ander weggeküsst, als er meinen Kopf zurückneigte, damit unsere Blicke aufeinander trafen. Das säuselnde Knurren in seiner Brust wuchs und hüllte uns in einen Mantel aus Geborgenheit, der meinen Schmerz lindern sollte.

Seine Lippen strichen über meine. Nicht suchend. Nicht dominierend. Fast fürsorglich. „Es tut mir leid", flüsterte er und entschuldigte sich zum zweiten Mal.

Irgendetwas sagte mir, dass er das nicht oft tat.

„Ich werde dich nicht mehr alleine lassen", versprach er.

Ich glaubte ihm nicht, aber hatte nicht die Kraft, es ihm zu sagen.

Er sagte das nur, damit ich mich besser fühlte, um das Kind zu schützen, das in mir wuchs.

Eigentlich war das Baby der einzige Grund, warum er im Moment etwas für mich tat.

Mein Herz tat weh, denn das verdammte Organ drohte, erneut zu brechen. *Verdammter Maxim* … Er hatte den Nahrungstransport ins Visier genommen und ich Dummkopf war ihm gefolgt, weil ich seine Anweisung nicht infrage stellen wollte.

Ich vermisse die Höhle nicht.

Ich vermisste auch nicht die Menschen, mit denen ich zusammengelebt hatte. Die, die mir einst etwas bedeutet hatten, waren alle tot. Es hatten mich gelehrt, mich nie wieder zu binden. Jemanden nicht zu lieben, bedeutete, unvermeidliche Verluste nicht betrauern zu müssen.

Aber ich vermisste die Einfachheit meines früheren Lebens.

Das einzige, was mir wichtig gewesen war, war mein Überleben.

Um meiner Mutter willen.

Ich wusste nicht, wie ich mit meiner neuen Existenz umgehen sollte. Meine Aufgabe im Andorra Sektor war es, mich fortzupflanzen. Nichts weiter. Aber ich war mir nicht sicher, wie ich das akzeptieren sollte.

Anders Lippen berührten meine noch einmal, als er meine Aufmerksamkeit wieder auf sich lenkte. „Katriana", flüsterte er und küsste meine Nase. „Das Rudel verlässt sich darauf, dass ich es führe. Als du dich mir widersetzt hast, indem du versucht hast, zu fliehen, hat das ein schlechtes Licht auf meine Position geworfen. Meine Reaktion war hart, aber ein Teil von mir glaubt immer noch, dass es notwendig war. Du solltest lernen, unsere Gesellschaft zu verstehen und was es bedeutet, meine Gefährtin zu sein."

*Aber ich bin nicht deine Gefährtin*, wollte ich ihm antworten.

Stattdessen blinzelte ich nur, denn mein Mund weigerte sich, Worte zu formen. Meine stoisch zusammen gepressten Lippen waren wie zugeklebt.

War dies nun mein Leben? Atmen ohne Gedanken, existieren ohne Gefühle, für alle Ewigkeit einsam und alleine. Gefangen.

Ich erschauderte bei dem Gedanken an eine solche Erniedrigung.

*Das bin ich nicht. Das ist nicht, was mich ausmacht, und es ist nicht, wer ich sein will.*

Aber ich wusste nicht, wer ich hier sein sollte, wie ich mich verhalten sollte oder was ich denken sollte. Ich wusste nur, wie ich in der Wildnis überleben konnte, und er hatte mir alles genommen.

Es gab keine Höhle mehr, zu der ich zurückkehren konnte.

Keine Infizierten, vor denen ich mich schützen musste.

Ich musste nicht mehr um mein Leben rennen.

Ich war mir sicher, dass er es als Geschenk ansah.

Aber zu welchem Preis? Mein Verstand? Mein Körper? Meine Seele?

Die Vibrationen in Anders Brust verstärkten sich und er

legte eine Hand auf meine Wange, während er mir tief in die Augen blickte. „Ich will, dass du zu mir zurückkommst, Kätzchen." Er küsste mich sanft. „Ich vermisse deine Krallen."

Mein Wolf knurrte unter meiner Haut, da er die katzenhafte Anspielung nicht zu schätzen wusste. Oder die Beleidigung ...

„Hm, da bist du ja." Er drückte mich zurück und glitt über mich, um mich unter sich einzupferchen. Sein Knurren wurde mit jeder Sekunde lauter und erreichte einen hohen Ton, als seine Hüften sich zwischen meine Schenkeln drängten.

*So heiß,* dachte ich und spreizte meine Beine weiter, um seinen Schwanz an meinem feuchten Kern zu spüren.

Noch vor wenigen Augenblicken hätte ich es nicht für möglich gehalten, so auf ihn zu reagieren, aber mein Körper bewies mir das Gegenteil.

Dennoch machte er keine Anstalten, nach Befriedigung zu suchen. Stattdessen stützte er sich auf seinen Ellenbogen ab und hielt meinem Blick stand. „Dein Körper weiß mich zu schätzen", murmelte er, „aber ich will mehr von dir als nur Sex." Er drückte sich gegen mich, was dazu führte, dass ich mich stöhnend unter ihm wölbte. „Sprich mit mir, Katriana."

*Und was soll ich sagen?*

Sprechen führte zu Leid. Ich hatte genug gelitten.

Meine Beine weigerten sich, sich zu bewegen, obwohl ich ihnen immer wieder befahl, mir zu gehorchen. Meine Glieder lagen schlaff unter ihm, anstatt sich um seine Taille zu schlingen ... fast so, als sei die Verbindung zwischen meinem Gehirn und dem Rest meines Körpers gekappt worden.

Meine Arme spielten dasselbe Spiel.

Es tat *weh*, sich so gebrochen und gefangen zu fühlen.

Unfähig, irgendetwas zu kontrollieren. Nicht einmal mich selbst.

Eine weitere Träne fiel und die Verzweiflung verschluckte mich.

Ein Schluchzen drohte, aus meiner Kehle zu platzen, aber stattdessen entkam mir ein Schrei, der mich zusammenzucken ließ.

Und Ander summte die ganze Zeit. Seine schwere Gestalt hielt und schützte mich, während ich völlig zusammenbrach.

Er brachte mich nicht zum Schweigen, sprach kein Wort, spendete lediglich Trost.

*Dieses verdammte Knurren!*

Ich hasste es. Ich liebte es.

Verdammt, wie ich mich danach gesehnt hatte …

Das vibrierende, rhythmische Geräusch machte mich wahnsinnig und hüllte mich in den Mantel des Friedens. Es überwältigte alle meine Sinne und zwang mich, mich der Schönheit des Klangs zu unterwerfen, der in meinem Kopf widerhallte.

Mir wurde so schwindelig, dass ich das Gefühl hatte, als würde ich fallen.

*Verdammte Scheiße!*

Mir war so unglaublich heiß.

Ander bewegte sich erneut und presste meinen Kopf gegen seine Brust. Mein Schenkel glitt zwischen seine. Es dauerte nicht länger als einen Wimpernschlag, oder vielleicht verging auch eine Stunde … Ich konnte es nicht genau sagen, denn mein Zeitgefühl und Verständnis der Realität verschwamm.

Es war ein Traum.

*Ein schöner Traum.*

Oder aber auch ein Albtraum.

Ich konnte es nicht verstehen, aber dieses wunderbare,

hypnotische Echo beruhigte mich. Der Duft von Kiefernholz erfüllte jeden meiner Sinne. Anders Alpha-Hitze wärmte meine Haut, und sein Knurren, das nur für mich bestimmt war, umhüllte mein Herz.

Dunkelheit erfüllte den Raum. Die Sonne war längst untergegangen.

Aber als ich aufwachte, war ich alleine ... *wie immer*.

Kalt, zitternd und in einem Bett, das nicht mir gehörte, in einem Raum, in dem ich nichts zu suchen hatte.

Hatte ich mich hierher gewagt, weil ich von Ander geträumt hatte? Mir gewünscht hatte, er wäre hier und würde mich in seine tröstenden Arme halten?

Was für ein grausamer Traum.

Ein böser Scherz.

Eine niederschmetternde Wahrheit, die mir den Atem raubte, nur um sich in einem so lauten Schrei zu entladen, dass ich überrascht war, dass Glas nicht um mich herum zerbrach.

Ich riss mir das Hemd vom Leib, warf es zu Boden und wollte gerade mit den Decken weitermachen, als mich ein heftiges Knurren bis ins Innerste erschütterte.

Ich erstarrte. Mein Herz schlug schneller.

„Ander?", hauchte ich, hatte jedoch Angst, mich umzudrehen.

Aber das musste ich nicht. Seine Handfläche wanderte meinen Rücken hinauf, als er sich vorbeugte, um meine Schulter zu küssen. „Ich bin hier. Ich habe uns etwas zu essen gemacht." Mit der anderen Hand stellte er ein Tablett neben mir ab.

Meine Schultern entspannten sich augenblicklich.

*Er ist hier. Ander ist hier!*

Ich lehnte mich gegen ihn und suchte seine vertraute Wärme. Er setzte sich neben mich, bevor sein Arm meine Schultern umschloss, als er mich an seine Brust zog und meinen Kopf küsste. „Du musst etwas essen." Er griff um mich herum, nahm ein Stück Obst vom Tablett und führte es an meine Lippen. Ich kostete es zuerst mit der Zunge, dann erlaubte ich ihm, mich mit der Erdbeere zu füttern.

Eine weitere berührte meinen Mund, sobald ich die erste verschlungen hatte.

Ich öffnete, kaute und schluckte erneut, nur um eine dritte an meinen Lippen zu spüren.

Wir setzten das Muster für sechs weitere Runden fort, bevor er zu Käse wechselte, und dann irgendeine Art von Fleisch. Schließlich gab er mir eine Flasche Wasser, die ich in einem Zug leerte, um den salzigen Geschmack aus meinem Mund zu vertreiben.

Das Tablett war immer noch halb voll, aber ich weigerte mich, meinen Mund für ihn zu öffnen, als er versuchte, mich zu überreden, eine Weintraube zu probieren. Er steckte sie stattdessen selbst in seinen Mund, und ich beobachtete, wie seine Kehle arbeitete, während er aß.

Sein Knurren hörte nie auf, das Geräusch beruhigend, während er mich weiterhin an sich schmiegte.

*Sicher*, dachte ich, *warm, behagliche ...*

Ich schloss meine Augen und verlor mich in seinem magnetischen Grollen. Ein Seufzer entkam mir, als meine Muskeln und mein Herz nachgaben.

Es war nur ein Traum, aber für diese eine Nacht akzeptierte ich es und ließ mich kopfüber in einen Traum fallen, in dem ich in Wolfsgestalt an Anders Seite rannte und unsere Pfoten gemeinsam einen Weg bahnten, der nur uns bestimmt war.

Nicht unsere Realität.

*Eine Fantasie ...*

# ANDER

*SIE NISTET sich immer noch nicht ein. Es ist schon fast eine Woche her.*

Ich sendete die Nachricht an Riley von meinem Tablet und sah zu Katriana, die mir am Tisch gegenübersaß und in ihrem Essen herumstocherte. Sie war immer noch nicht sie selbst, aber sie lief selbstständig in der Wohnung umher.

Die zurückhaltende Energie, die um sie herumwirbelte, sagte mir, dass sie darauf wartete, dass ich ging. Sie war vorsichtig. Nicht, weil sie das wollte … ganz im Gegenteil, sie wollte unbedingt, dass ich blieb, aber sie traute mir nicht.

Meine Worte brachten nichts, also beschloss ich, ihr zu zeigen, dass ich es ernst meinte.

Mein Tablet vibrierte mit Rileys Antwort. *Nein, wirklich?*

*Danke für die Hilfe*, sendete ich ihr zurück. Ironische Omega.

*Du hast dein eigenes Bett gemacht, und jetzt musst du darin liegen.* Ihre Nachricht endete mit einem Emoji, der Ohrfeigen verteilte.

*Reizend*, antwortete ich.

Sie schickte mir ein Foto ihres Mittelfingers.

Jeden anderen würde ich an meine Position an der Spitze des Rudels erinnern, aber ich stand in der Schuld der kleinen Omega. Hätte sie mich nicht aus meinem Büro gezerrt, wäre Katrianas Zustand katastrophal gewesen.

Verdammt, es ging ihr immer noch nicht gut.

Ein Beweis dafür war die größtenteils schweigende Frau, die vor mir saß.

Ich legte mein Tablet gerade ab, als ein eingehender Anruf über das Panel ertönte.

*Dušan*. Normalerweise würde ich mich entschuldigen, um seinen Anruf in der Privatsphäre meines Büros anzunehmen, aber mir kam eine andere Idee in den Sinn.

Vielleicht würde dies meiner Omega den nötigen Einblick in mein Leben verschaffen.

Ich wischte über das Tablet und übertrug das Gespräch auf das Gerät an meinem Handgelenk. Mit ein paar Klicks konnte ich den durchsichtigen Bildschirm aufrufen, der den stoischen Gesichtsausdruck des Ash Wolf Alphas zeigte.

„Dušan", grüßte ich ihn.

„Ander." Er fuhr sich mit den Fingern durch seine dunklen Locken. Das machte er oft, fiel mir auf. Bei jedem anderen würde ich es als nervösen Tick bezeichnen, aber Dušan schien mir nicht der nervöse Typ zu sein. „Ich wollte dir ein kurzes Update über die geflohene Omega geben. Ist jetzt ein guter Zeitpunkt?"

Er muss die Küche hinter mir und mein fehlendes Hemd gesehen haben. Ich öffnete den Mund, um Ja zu sagen, als Katriana aufstand. „Ich werde in mein Zimmer gehen", sagte sie leise.

„Nein, bleib", befahl ich ihr. „Bitte", fügte ich hinzu, um die Forderung zu mildern, die ich versehentlich ausgesprochen hatte.

Dušan Augenbrauen schossen nach oben.

Ja, ein Alpha, der beschwichtigende Worte aussprach, war nicht üblich. „Denk nicht einmal daran", sagte ich zu Dušan, konzentrierte mich dann auf meine Omega und reichte ihr meine Hand. Sie kaute auf ihrer Unterlippe, als sie sich näherte und zwischen mir und dem Bildschirm hin- und herschaute.

Ihr feuchtes, kastanienbraunes Haar hing in einer dicken Pracht über ihrer rechten Schulter, die Strähnen frisch gekämmt von der Dusche, die wir uns vor einer halben Stunde geteilt hatten. Eins meiner Hemden hing an ihrem zierlichen Körper, die Enden gerade über den Knien.

Morgen würden mehrere Outfits für sie geliefert werden. Ich hätte das schon vor Monaten erledigen sollen, und Riley hatte mich gestern mit nur allzu großem Vergnügen darauf hingewiesen.

Ich hatte ihre Kritik akzeptiert, weil ich sie verdient hatte, aber irgendwann würde sie mir ein wenig Anerkennung dafür geben müssen, dass ich es jetzt zumindest versuchte.

Dušans Augen glitten zu meiner Seite, als Katriana herantrat. „Das ist der Alpha des Shadowlands Sektors", sagte ich leise und zog sie in meinen Schoß. „Dušan, das ist meine Katriana."

Falls er von der intimen Vorstellung überrascht war, zeigte er es nicht. „Freut mich, deine Bekanntschaft zu machen, Katriana."

„Gleichfalls", antwortete sie und räusperte sich. „Du kommst aus Rumänien, richtig?"

Ah, das muss Riley ihr gesagt haben. „Was früher Rumänien war, ja", antwortete Dušan, sein Tonfall deutlich weicher, als er meine Frau ansprach. Sein Akzent schien auch ein wenig ausgeprägter, was bestätigte, dass Englisch nicht seine Muttersprache war. Meine auch nicht. „Es tut mir leid, dich und deinen Alpha zu unterbrechen, aber ich habe ihm für heute ein Update versprochen."

„Das hast du in der Tat", stimmte ich zu und fuhr mit den Fingern durch Katrianas Haar. Ich küsste ihren entblößten Hals und sah dem Alpha in die Augen. Das war meine Art, zu bestätigen, dass sie mir gehörte, obwohl die Botschaft bereits laut und deutlich übermittelt wurde. Ich hatte sie nicht zu seinem Wohl vorgestellt, sondern zu ihrem. Sie musste diesen Teil meines Lebens sehen, um mich besser verstehen zu können.

Trotzdem konnte ich ihr nicht erlauben, alle geschäftlichen Details zu hören. Ich misstraute ihr nicht, aber ich wollte sie vor allen Unannehmlichkeiten schützen. Ich wusste, dass es bei diesem Update um das fehlende Weibchen ging, und falls etwas Schlimmes passiert war, wollte ich nicht, dass sie die Details erfuhr.

„Wie hoch ist die Sensibilitätsstufe?", fragte ich und wusste, dass er den Code verstehen würde.

Dušan verpasste nichts. „Grün."

Ich nickte. Hätte er eine andere Farbe genannt, hätte ich ihn an Elias weitergeleitet. „Fahr fort", sagte ich und schlang meine Arme um meine Omega.

„Wir haben den zehnten Wolf gefunden, aber es gibt eine Komplikation. Ich muss das Produkt austauschen, um bessere Qualität zu liefern."

Ich runzelte die Stirn. „Was für Komplikation?" Er hatte behauptet, dies sei eine simple Angelegenheit, also konnte die Ash Wolves Omega nicht tot sein.

Er betrachtete mich einen Moment lang, bevor er sagte, „Es handelt sich um eine ähnliche Situation wie deine."

Es lag es an mir, meine Augenbrauen hochzuziehen, denn ich folgte seiner Andeutung sofort. „Oh." Er hatte entweder die entlaufene Omega gedeckt oder hatte es vor. „Nun, dann ist es kein Problem. Ein Ersatz ist akzeptabel." Wir hatten keinen Anspruch auf eine bestimmte Ash Wolves Wölfin erhoben, nur auf eine bestimmte Anzahl. „Wie schnell wirst du sie hierher bringen können?"

„In zwei Tagen, es sei denn, du brauchst sie schon früher?"

Ich schüttelte den Kopf. „Zwei Tage sind perfekt. Wir

haben ein geselliges Beisammensein geplant, um sie meinem Rudel vorzustellen. Vielleicht können Mad und Caspian für die Feierlichkeiten bleiben, bevor sie zurückkehren?" Es war ein Schachzug meinerseits … ein Mittel, unsere Rudel zusammenzuführen und sich auf eine Weise zu vermischen, wie sie es noch nie getan hatten. Das Funkeln in Dušans Augen bestätigte, dass er meine Absicht verstand.

Wenn dieser Deal zwischen unseren Sektoren positiv verlief, könnten wir in Zukunft möglicherweise mehr Handel treiben.

„Sie würden sich geehrt fühlen", sagte er nach einem Augenblick. „Danke, Ander."

„Danke dir, Dušan."

„Es war schön, dich kennengelernt zu haben, Katriana", fügte er in einem sanfteren Ton hinzu, als seine Lippen zuckten. Es sah fast so aus, als ob er sich ein Lächeln verkniff, aber es war weg, bevor es sich vollständig gebildet hatte. Das Gespräch endete eine Sekunde später, als er die Verbindung beendete.

Ich legte einen Arm um Katriana, die immer noch auf meinem Schoß saß, während ich mit der anderen Hand auf dem Bildschirm meines Tablets tippte. Sobald ich fertig war, sendete ich eine Nachricht an Elias, denn ich hatte ihm ein Update versprochen.

Katriana sah mit einem faszinierten Gesichtsausdruck zu, während ich meine Aufgabe beendete und mit dem Daumen auf eine App tippte, um ein Live-Kamerabild der Stadt aufzurufen. „Mit diesem kleinen Gerät kann ich alles sehen", sagte ich ihr und fuhr zwischen den Winkeln hin und her. Ich hielt bei einem Wolfspaar inne, das aus dem Gebäude in Richtung der Berge rannte. „Hm. Ich schätze, Elias wird meine Nachricht später lesen." Er und sein Omega waren offenbar joggen gegangen. „Das ist seine neue Gefährtin, Daciana. Sie kommt aus dem Ash Wolves Clan."

„Ja, Riley hat mir von ihrer Ankunft erzählt." Sie spannte sich bei den Worten an und ihre Aufmerksamkeit verließ den Bildschirm. „Ich nehme an, du willst sie bald alle kennenlernen."

„Das habe ich schon", antwortete ich, „und du wirst sie in zwei Tagen bei dem gesellschaftlichen Ereignis treffen, das ich eben erwähnt habe." Ursprünglich hatte ich es als eine Möglichkeit angesehen, die Omegas und Alphas einander auf einmal vorzustellen, einschließlich meiner Katriana, damit sie beobachten und sehen konnte, ob sie einen anderen mehr wollte als mich.

Aber ich wusste jetzt, wie töricht das war.

Katriana gehörte zu mir. Sie gehörte mir, sobald ich sah, wie sie meine Labortechniker ausgeschaltet hatte.

„Warum?", fragte sie und sah mich an. „Um mich zu quälen?"

Ich sah sie stirnrunzelnd an. „Du interessierst dich nicht für gesellschaftliche Ereignisse?"

„Nein, ich möchte nicht dabei sein, wenn der Vater meines Kindes eine neue Gefährtin findet", schnauzte sie und versuchte, sich von meinem Schoß zu erheben.

Ich schlang meine Arme um sie und war sowohl fassungslos als auch begeistert.

*Da ist das Feuer,* dachte ich und unterdrückte ein Lächeln, bis ich ihre Worte registrierte.

„Warum zum Teufel denkst du, dass ich mir eine neue Gefährtin suche?", verlangte ich und legte die Stirn in Falten. „Ich brauche keine neue Gefährtin." *Ich habe dich.*

„Was passiert mit mir, wenn das Baby geboren ist, Ander?", konterte sie und ignorierte meine Frage. „Reißt du ihn oder sie aus meinem Leib und reichst mich an den nächsten Alpha? Ist das meine Zukunft hier? Meine Existenz? Das Leben, das ich führen soll?"

„Katriana …"

„Nur, weil ich versucht habe, wegzulaufen?", fuhr sie fort und lachte freudlos, wobei ihre Schultern heruntersackten. „Du hättest mich sowieso zur Fortpflanzung benutzt, oder? Das war von Anfang an mein Schicksal. Du willst mich nicht, also wirst du dich mit einer besseren Omega paaren, die weiß, wie sie dir zu gefallen hat und wie man sich richtig unterwirft. I-ich werde nur eine Zuchtstute bleiben." Ihre Worte waren gegen Ende ihres Ausbruches fast nicht mehr zu hören – ein geflüsterter Hauch, den ich selbst mithilfe meiner Wolfssinne nur mit Mühe hören konnten.

„Du bist keine Zuchtstute", korrigierte ich sie. „Du bist vielleicht nicht meine Gefährtin", *noch nicht*, „aber du bist mehr als eine Zuchtstute, Katriana."

„Wieso?", flüsterte sie niedergeschlagen, bevor sie den Kopf schüttelte. „Weißt du was? Es ist egal. Ich will mich hinlegen." Sie legte ihre Handfläche auf ihren noch flachen Bauch. „Ich habe gegessen und jetzt ist es Zeit, zu schlafen, damit *dein* Kind gesund bleibt."

Ich runzelte die Stirn, weil mir nicht gefiel, wie sie das formuliert hatte. „*Unser* Kind, Katriana."

Sie sagte nichts, als sie auf ihr Zimmer zuging.

Ich packte sie um die Taille und hob sie in die Luft, wobei ich instinktiv knurrte. Anstatt sich ihrer Zukunft zu stellen, hatte sich ihr Zustand erneut verschlechtert. Diesmal weigerte ich mich, es zuzulassen.

„Wir bewegen uns vorwärts, nicht rückwärts", sagte ich ihr und ging auf mein Zimmer zu. „Wenn es Schlaf ist, wonach du dich sehnst, dann gebe ich dir was du willst."

*Mit mir, direkt an deiner Seite …*

Ich legte sie auf das Bett und folgte ihr, aber ich hasste es, dass sie sich noch nicht wohl genug fühlte, um ein Nest zu bauen.

Ich verstand, woran es lag. Eine Woche war nicht lang genug gewesen, um sie zu heilen.

*Nein, sie brauchte viel mehr.*

Eine Geste, keine Behauptung. So etwas würde sie an dieser Stelle nur als Mitleid erregendes Zeichen sehen. Ich musste mir etwas Großes einfallen lassen.

Ich musste ihr zeigen, dass ich sie als meine Gefährtin akzeptierte.

*Öffentlich.*

Ich lächelte und küsste ihren Kopf, als eine Idee sich in meinen Gedanken formte – ein solider Aktionsplan, der einfach funktionieren musste. Es gab keine anderen Möglichkeit.

Katriana Cardona gehörte mir.

Und ich hatte die Absicht, sie zu beanspruchen.

*Für immer.*

# KAT

DER BODENLANGE SPIEGEL offenbarte eine Fremde. Ich erkannte meine kastanienbraunen Locken, aber nicht die frisierten Wellen. Meine Tattoos waren zu sehen und meine Augen hatten die richtige Farbe …

Das seidige Kleid, das meine Kurven umschmeichelte, wirkte sanft, zart und *feminin*.

Ich hatte noch nie feminines getragen, geschweige denn ein *Kleid*.

Ich bevorzugte Jeans und Pullover, Mäntel, Handschuhe, Hüte und Schusswaffen. Nicht Riemchenabsätze. Wie sollte ich in denen überhaupt laufen können?

„Was ist los?", fragte Ander, als er in einem dreiteiligen Anzug ins Bad trat.

Meine Augen weiteten sich. Ich hatte noch nie einen Anzug in Person gesehen, nur in Zeitschriften. Dasselbe galt für mein Kleid, aber zumindest erkannte ich seine Kleidung.

*Wow, er sieht umwerfend aus.*

„Katriana?", hakte er nach.

Ich schüttelte den Kopf. „Ja. Nichts. Alles in Ordnung."

*Ich möchte mich einfach nur an deinem feinen Anzug reiben, um zu sehen, ob er so weich ist, wie er aussieht. Das ist alles.*

Aber heute Abend ging es nicht *darum*.

Heute Abend würde ich alle Alphas des Rudels treffen. *Meine Zukunft.*

Ander hatte es nicht direkt gesagt, aber ich hatte ihn verstanden. Sobald er sein Baby bekam, würde einer der anderen Männer mich nehmen, um den Prozess wieder von vorne zu beginnen.

Wie viele Nachkommen würde ich bekommen? Drei? Fünf? Zehn? Dreißig? Ich erschauderte bei diesem Gedanken und erinnerte mich an Rileys Bemerkung über das Verhältnis von Alphas zu Omegas in diesem Sektor.

Dreißig war wirklich nicht so abwegig …

Wie lange ich das überleben würde, wusste ich nicht. Ich runzelte die Stirn. „Wie lange leben Wölfe?", fragte ich laut, ohne mir sicher zu sein, ob ich die Antwort überhaupt hören wollte. Ich wusste, dass Gestaltwandler langlebig waren und Krankheiten oder andere menschliche Gebrechen ihnen nicht viel ausmachten. Aber sicherlich gab es Wege für sie zu sterben … oder?

Er hob eine Schulter. „Wir leben, bis uns etwas umbringt."

„Passiert das oft?", drängte ich.

Seine goldenen Augen flackerten mit unbändiger Gewalt, als er mich gegen das Waschbecken im Bad drückte. Seine massiven Hände fielen auf die Ablage zu beiden Seiten meiner Hüften. „Warum fragst du, Katriana?"

„Äh, reine Neugier", hauchte ich zitternd. „I-ich weiß nicht viel über …", stotterte ich und schluckte. „Nicht so wichtig."

Er packte mein Kinn, als ich versuchte, meinen Blick zu senken, und zwang mich, seinem finsteren Blick zu begegnen. Mein Herz setzte mehrere Schläge aus und meine Handflächen wurden klamm.

Irgendetwas an meiner Frage hatte ihn aus der Fassung gebracht, aber ich verstand nicht, warum.

„Alles, was das Herz zu lange zum Stillstand bringt, kann einen Gestaltwandler töten", sagte er schließlich. „Es gibt einige Alphas in diesem Sektor, die fast fünfhundert Jahre alt sind – fünfmal so alt wie ich, aber genauso aussehen wie ich. Ich habe nur eine Handvoll Wölfe getroffen, die älter sind als ein Jahrtausend. Sie sahen ein paar Jahre älter aus, vielleicht vierzig nach menschlichen Maßstäben, aber ihre Stärke ist nur mit dem Alter gewachsen. Mein Vater ist einer von ihnen."

„Dein Vater?", flüsterte ich.

Er neigte sein Kinn. „Ja, er ist ein Sektorenleiter im ehemaligen Skandinavien."

„Welcher?" Nicht, dass ich davon gehört hätte, aber ich mochte es, mehr über Ander zu erfahren. Es machte ihn ein wenig nahbarer.

„Norse Sektor", antwortete er und ließ mein Kinn los, um meine Wange zu streicheln. „Wenn du daran denkst, dich umzubringen, tu es nicht. Es braucht eine Menge, um das Leben eines Wolfes zu beenden, und du wirst es am Ende bereuen."

Ich starrte ihn entgeistert an. „Was?" Dachte er, dass ich mehr über die Lebensspanne von Wölfen wissen wollte, um mich umzubringen? Ich gab ihm eine Ohrfeige, bevor ich realisieren konnte, was ich tat, und führte die Hand zu meinem Mund. „*Ohhhh …*"

Das hatte ich nicht vorgehabt, aber allein die Vorstellung, dass er dachte, ich würde mich umbringen wollen, ließ mein Blut in Wallung geraten.

Ich hatte nicht so lange überlebt, nur um mir eine Schlinge um den Hals zu legen.

Anders Lippen spitzen sich tatsächlich, als sein goldener Blick etwas von dieser wütenden Intensität verlor. „Da ist mein Kätzchen", murmelte er. Seine Hand fuhr zu meiner Wange, bevor er meine Hand von meinem Mund zog und sich vorbeugte, um mich sanft zu küssen, was ganz und gar nicht die Reaktion war, die ich erwartet hatte. „Du siehst übrigens toll aus in diesem Kleid."

Ich starre ihn ungläubig an, denn ich konnte nicht fassen, was für unsinniges Zeug ich mir in den letzten sechzig Sekunden anhören musste. „Denkst du, ich würde mich umbringen, nachdem ich einundzwanzig Jahre um mein Leben gekämpft habe?"

Er zog sich zurück, seine Miene nachdenklich. „Hast du gefragt, weil du wissen willst, wie du mich töten kannst?"

„Was? *Nein!*" Ich wollte ihn erneut ohrfeigen. „Ich habe gefragt, weil ich nichts darüber weiß, wie es ist, ein verdammter Wolf zu sein. Ich meine, ich weiß, dass es überall auf der Welt Sektoren gibt und dass X-Clan Wölfe nicht die einzige Art von Gestaltwandlern sind, aber niemand hat mir etwas darüber erzählt, wie man sich als Wolf verhält. Alle erwarten, dass ich einfach so meinen Platz als Zuchtstute akzeptiere." Den letzte Teil murmelte ich, denn ich stand kurz davor, endgültig aufzugeben.

*Aber ich würde mich nie umbringen.*

Trotzdem war es eine Erleichterung, zu wissen, dass Wölfe sterben konnten und ich dem nicht ewig ausgesetzt sein würde. *Hoffentlich.*

Er packte mich im Nacken und zerrte mich zu sich, damit ich ihn ansah. „Du bist keine verdammte Zuchtstute", knurrte er. „Du bist die Mutter meines Kindes, *eine Omega*, und du bist mein, Katriana." Sein Mund schloss sich über meinem, bevor ich protestieren konnte. Seine Zunge plünderte, dominierte und raubte mir den Atem.

In der letzten Woche waren all seine Küsse sanft gewesen.

Aber nicht dieser.

Er *verlangte* eine Antwort und sein Griff wurde fester, seine Lippen strafend.

Er erweckte meine Wölfin aus ihrem tiefen Schlummer und ich fühlte ein Pochen zwischen meinen Beinen, das ich seit Wochen vermisst hatte. Ich schlang meine Arme um seinen Hals, wölbte, nahm, was er gab, und erwiderte es in gleicher Weise.

Dies konnte ich verstehen.

Damit umgehen.

Und ich mochte es sehr, dass meine Absätze mich so viel größer machten.

Die Hand um meinen Hals wurde sanfter, als er seine andere Hand auf meinen Hintern fallen ließ und mich gegen sich zog. *Ja, ja! Mehr, bitte.*

Ich fühlte mich lebendig.

Menschlich.

Bereit für alles.

„Nein", sagte er und riss seinen Mund von meinem. „Ich werde dich in diesem Zustand nicht nehmen." Er ließ mich so plötzlich los, dass ich schwankte. „Wir müssen gehen, damit ich dir aus erster Hand zeigen kann, wie unsere Gesellschaft funktioniert. Vielleicht hilft es dir, uns zu verstehen."

Mein Herz sank. *Ja, die wartenden Alphas und Omegas …*

Er gab mir keine Chance, ihm zu antworten, ergriff meine Hand und zog mich aus dem Bad. Seine Schritte waren abgehackt. Wütend.

*Wütend und erregt,* bestätigte mein verbesserter Geruchssinn, als ich tief durchatme. *Sehr, sehr erregt.*

Das konnte nichts Gutes verheißen, schließlich waren wir auf dem Weg zu einer Party mit einem Haufen Omegas.

Oder vielleicht war das auch seine Absicht, um mich bloßzustellen.

Mein Wolf wollte knurren und das Bedürfnis, Ander zu markieren, wurde mit jedem Schritt stärker. Ich wollte ihn nicht teilen. Allein der Gedanke daran brachte mich dazu, Dinge zerstören zu wollen.

Aber es war so viel besser, als in Selbstmitleid zu versinken.

Fast belebend.

Es hauchte mir neues Leben ein.

Ich atmete noch einmal tief durch und schloss die Augen, als sein Duft all meine Sinne ergriff. Mein Herz flehte mich an, mir seinen Duft einzuprägen, um mich auf alles vorzubereiten, was die Nacht für mich bereithielt.

Denn ich hatte keinen Zweifel daran, dass der heutige Abend erschütternd sein würde.

Konfrontiert mit meinem Schicksal, hätte ich keine Möglichkeit, mich zu verstecken. Meine größte Angst würde zur Realität werden. Ich würde ihn mit anderen Weibchen beobachten müssen oder gezwungen werden, andere Männchen zu treffen, die um eine Chance wetteiferten, mich zu schwängern. Es machte mir Angst, zu realisieren, wie machtlos ich allem in dieser neuen Welt gegenüberstand. Alles würde noch schlimmer werden, aber ich war an einem Punkt angekommen, an dem ich nicht viel mehr ertragen konnte.

Mein zerbrechliches Herz schlug gegen meine Rippen und meine Füße stolperten, als Ander mich praktisch aus der Tür hinausschob. Ich öffnete die Augen, um meine Füße unter Kontrolle zu bekommen. Ich wollte nicht fallen, denn es bestand die Möglichkeit, dass ich mich nicht wieder aufrappeln können würde.

Meine Sicht verschwamm.

*Ich bin nicht bereit. Nicht bereit. Gar nicht bereit ...*

Die Worte wiederholten sich in meinem Kopf, als der Aufzug aufsprang, und steigerten sich zu einem fiebrigen Ton in meinen Ohren, als wir im Aufzug eingeschlossen wurden.

Ander drückte einen Knopf und der Aufzug setzte sich in Bewegung.

Meine Knie drohten einzuknicken.

Und dann stoppte alles. Seine Faust schlug gegen das Bedienungspanel und ich wimmerte, als er mich gegen die Wand drückte. Meine Hände ballten sich an meinen Seiten. „Bitte …" Ich wusste nicht, worum ich ihn anflehte, ob ich ihn bat, etwas zu tun, oder doch nichts zu tun. Das Wort rutschte mir einfach so heraus, bevor mein Verstand es erfassen konnte.

Er hielt mein Gesicht überraschend sanft zwischen seinen Handflächen und ich schloss meine Augen, um Schlimmerem zu entgehen.

„Hast du eine Ahnung, wie schwer das für mich sein wird?", fragte er leise. „Ich bin selbst schuld. Als ich beschloss, dich nicht zu beanspruchen, habe ich nie vorausgesehen, dass es eine Strafe für uns *beide* sein würde, aber das ist es, Katriana. Die Vorstellung, dass diese Alphas dich heute Abend sehen und auch nur einen Augenblick denken, dass du verfügbar bist, reicht aus, um mich in den Wahnsinn zu treiben … Genug, um mich dazu zu bringen, dich packen zu wollen, direkt in mein Quartier zurückzubringen und dich zu ficken, bis du schreist. Ich will dich so hart beißen, dass du meinen Abdruck monatelang spürst."

Mir stockte der Atem, denn die Vehemenz seiner Worte machte mich sprachlos. Ich hätte nie erwartet, so etwas aus seinem Mund zu hören. Er klang reumütig und wütend, aber nicht auf mich, sondern auf sich selbst. Das rüttelte mich auf, denn ich erkannte, dass ich mit meinem Leid nicht alleine war.

Aber ich zweifelte teilweise am Wahrheitsgehalt seiner Worte, und wusste nicht, ob ich ihm vertrauen konnte.

Er hatte die Macht, mich mit ein paar gut formulierten

Sätzen gnadenlos zu vernichten. Das hatte ich sehr schnell gelernt. Besaß er die Macht, mich wieder aufzubauen?

„Oh, Katriana", flüsterte er und drückte seine Stirn an meine. „Ich kann dich nicht zur Party gehen lassen, ohne zu wissen, dass du einen Teil von mir in dir trägst. Sie werden unsere Trennung riechen können, was sie nur noch mehr erregen wird. Du wolltest eine Wahl haben, und ich hatte vor, dir diese zu geben, aber angesichts der Realität unserer Situation kann ich das nicht. Du gehörst mir und ich werde dich nie teilen."

Sein Mund beanspruchte meinen erneut und seine Finger glitten zurück in mein Haar, während seine andere Hand zu meiner Hüfte wanderte. Ich umklammerte seine Jacke, um nicht zu fallen, und mein Herz raste schneller als je zuvor.

Seine Wut wurde zu Erregung.

*Dieser Kuss.*

Sein unglaublicher Duft.

Dieser mächtige Mann.

Ich stöhnte auf, als mein Verlangen zum Leben erwachte. Mein Kleid ließ keine Unterwäsche zu, denn der seidige Stoff lag zu eng an meinen Kurven ... nicht, dass ich überhaupt etwas zum Anziehen bekommen hätte. Es war gut, dass das Kleid schwarz war, sonst wäre es von meiner feuchten Erregung ruiniert worden.

„Ander", flüsterte ich, als mein Körper die Kontrolle übernahm.

„Sag mir, dass ich aufhören soll, Kätzchen", antwortete er. „Sag mir, dass du noch nicht bereit bist."

Oh, aber ich war bereit. „Nein", sagte ich. *Ich brauchte es.*

So beschissen es auch war, ich hatte ihn und unsere gemeinsame Zeit vermisst. Die letzten Wochen, oder wie lange es auch immer gewesen sein mag, hatten mich von der Welt abgeschirmt, aber jetzt fühlte ich mich endlich wieder wie ich selbst, wenn auch nur für einen flüchtigen Moment. Ich wollte mit ihm kämpfen, ihn markieren, meinen ganzen Frust an ihm auslassen und damit allen zeigen, wem er gehörte. Ich wollte, dass sie meine Markierungen sahen und rochen.

Mein Wolf hatte eindeutig die Kontrolle über meinen Verstand übernommen.

Doch anstatt sie zu verdrängen, hieß ich sie willkommen und erlaubte ihr, meine Handlungen zu steuern.

Sein Gürtel zerfiel praktisch in meinen Händen und meine Nägel hinterließen ihre Spuren auf dem Leder, bevor sie sich zu seinem Reißverschluss bewegten. Er bündelte mein Kleid um meine Taille und hob mich in die Luft, während sein Knurren einen neuen Schwall von Feuchte über meine Innenschenkel laufen ließ.

Dann war er in mir und seine Stöße ließen den Aufzug erzittern, als er knurrte und mich gegen die Wand presste.

Ich würde blaue Flecken davontragen, aber das machte mir nichts aus. Mein rückenfreies Kleid setzte meine Haut der glatten, metallenen Aufzugwand aus und jeder Stoß seiner Hüften trieb mich höher in Richtung Decke, was schmerzhaft enden würde.

Meine Beine waren um seine Taille geschlungen. Ich flehte ihn wortlos an, mich noch härter zu ficken, aber er wurde langsamer, als sein Mund Besitz von meinem ergriff und seine Zunge tief eindrang, um mit dem Ansturm seines Körpers zu konkurrieren.

*Nein, nein, nein!* Das war nicht richtig. Ich wollte es hart und unnachgiebig. Nicht zart, nicht sanft, nicht langsam. Ich wimmerte, aber er brachte mich zum Schweigen, küsste mich erneut und zwang mich, *mehr* zu fühlen als nur die Vereinigung unserer Körper. Er überhäufte mich mit Intimität und Sanftheit. Hielt mich, wie es nur ein Mann konnte, der jemanden verehrte.

Und ich hasste ihn dafür, weil er mein Herz öffnete.

Er durchbrach eine Mauer, von der ich nicht wusste, dass ich sie errichtet hatte.

Tränen flossen aus meinen Augen.

„So ist es richtig, Katriana", flüsterte er und ließ seinen Schwanz in mich gleiten. „Du gehörst *mir*." Er stieß vor und traf eine Stelle, die mich für einen Moment Sterne sehen ließ, bevor seine Zähne meine Unterlippe anknabberten, um mich in die Realität zurückzuholen. „Und ich gehöre zu dir", fuhr er fort und stieß erneut in mich. „Ich gehöre *nur* dir." Er eroberte mich unnachgiebig.

„Nein", hauchte ich.

„Ja", bekräftigte er. „Es gibt keine Wahl, Katriana. Unsere Seelen kennen sich bereits. Es ist bereits geschehen. Wir sind eins."

Ich schüttelte meinen Kopf hin und her, während weitere Tränen fielen. „Nein." Es war nicht getan. Ich konnte *fühlen*, dass es nicht getan war. Er hatte mich nicht gebissen. Er hatte mich nicht richtig beansprucht. Das waren nur leere Worte, die er morgen leicht widerlegen konnte.

Und das würde er wahrscheinlich, wie er es schon einmal getan hatte.

„Du bist keine verdammte Zuchtstute", knurrte er, sich eindeutig im Klaren darüber, woran ich dachte. Er musste es an meiner Körpersprache erkannt haben und der Art, wie ich mich um ihn herum versteifte,. „Du bist *meine* Katriana. Meine Omega. *Mein!*" Er unterstrich seine Aussage mit einem wilden Stoß, der mich in seinen Armen aufstöhnen ließ, während mein Körper sich wie verrückt um seinen Schwanz zusammenzog.

*Scheiße!* Ich war bereit, zu kommen, und er hatte mich noch nicht einmal verknotet.

Sein wildes Lächeln sagte mir jedoch, dass das seine Absicht war, und seine goldenen Augen glühten vor männlichem Stolz. „Deine Säfte bedecken meinen Schwanz", murmelte er. „Du hast mich als deinen Wolf beansprucht, damit alle Omegas es riechen können." Er küsste mich hart und seine Zunge fing jeden Laut der Lust ein, der meiner Kehle entwich. „Sie werden alle wissen, dass ich dir gehöre, Kätzchen, und die Alphas werden wissen, dass du mir gehörst."

Er zog sich so schnell zurück, dass ich aufschrie, nur um mich auf meinen Knien und mit seinem Schwanz im Mund wiederzufinden. Als ich seine nackte Haut schmeckte, krampften sich meine Schenkel wieder zusammen und Glückseligkeit erfüllte meine Gedanken.

Scheiße, ich war süchtig nach diesem Mann. Diesem Wolf. *Meinem Alpha.*

„Ich will in deiner Fotze kommen", sagte er und fuhr mit den Fingern durch mein Haar, „aber dann müsstest du die ganze Nacht mit Sperma herumlaufen, das an deinen Schenkeln heruntertropft. Betrachte das als deine Wahl, Süße. Willst du meinen Samen schlucken und in dir tragen oder mit feuchten Beinen auf der Party herumlaufen?"

Dank unserer Vereinigung war ich bereits feucht, aber angesichts der Essenz, die dieser Mann ergießen würde, wäre es noch viel schlimmer, wenn ich ihm erlauben würde, in mir zu kommen.

Ich saugte hart, um meine Antwort zu klarzumachen und lächelte, als er daraufhin stöhnte. „Verdammt, du machst mich fertig …", sagte er erstaunt, als sein Griff in meinem Haar fester wurde, lockerer und dann wieder fester. „Ich habe eine Menge für dich, Katriana. Sei ein gutes Mädchen und schluck alles, Baby."

Seine Zärtlichkeit umspielte meine Sinne und ließ mein Herz mit einem Schimmer von Hoffnung erblühen. Ich schluckte das Gefühl hinunter und konzentrierte mich auf sein wachsendes Vergnügen, griff in seine Hose und berührte seine Eier. Die Vorderseite seiner Hose war feucht von meinen Säften und mein Duft durchtränkte ihn an der Stelle, die am wichtigsten war.

Er hatte recht.

Alle würde mich an ihm riechen.

Bei diesem Gedanken saugte ich fester an ihm. Ich wollte, dass er mich markierte, damit jeder wusste, was wir hier getan hatten und dass ich zu ihm gehörte.

Er könnte mir alle meine Entscheidungen abnehmen.

Ich wollte keinen anderen Alpha.

Ich wollte *ihn*.

Meine Wölfin hatte bereits für mich gewählt, denn sie erkannte ihren Gefährten. Seine Ablehnung hatte ein Netz von Trauer um mich gesponnen. Ich hatte es nicht verstanden, aber jetzt ergab es Sinn.

Er hatte meine Wölfin abgewiesen und mich verwundet, verwirrt und allein zurückgelassen, weil ich mich bereits für ihn entschieden hatte. Ich war nur aus Angst vor dem Unbekannten geflohen, denn mein ganzes Leben war von der Kunst des Überlebens bestimmt worden. Als ich mit neuen Umständen konfrontiert worden war, hatte ich keinen anderen Weg gekannt, als zu fliehen und nach Hause zurückzukehren.

Nur, dass dies jetzt mein Zuhause war.

Also musste ich mich anpassen.

Ich musste lernen und meine Wölfin akzeptieren, um meinem Gefährten das zu geben, was er brauchte.

Er knurrte über mir, als sein Schaft sich in meinem Mund dehnte und er sich tief in meiner Kehle entleerte. Ich schluckte gierig, denn ich hatte seinen Geschmack vermisst und brauchte jeden Tropfen, den er mir geben konnte. Er hatte recht behalten, denn er hatte eine Menge für mich aufgespart.

Das bewies mir, dass er nicht mit einer anderen

zusammen gewesen war, was ich eigentlich schon aufgrund seines Geruchs wusste.

Sein Griff in meinem Haar lockerte sich und seine Hand umfasste meine Wange in Anbetung, während ich um ihn herum schluckte und jedes Tröpfchen seiner Essenz in mir aufnahm, wie er es verlangt hatte.

Er schenkte mir ein träges Lächeln, das mir sagte, dass er sowohl zufrieden war als auch erschöpft. Ich leckte die letzte Perle von seiner Krone und setzte mich auf meinen Knien zurück, um zu warten, dass er etwas sagte, aber Ander beugte sich nur vor, um mir vom Boden zu helfen.

Ich schlang meine Arme um seine Taille, als er seine Härte durch meine Falten gleiten ließ und seinen Schaft erneut mit meiner Erregung überzog. „Du hast mich sauber geleckt", erklärte er leise, „und das ist nicht akzeptabel. Ich will, dass alle wissen, wem mein Schwanz gehört, Katriana. Zu wem *ich* gehöre." Er küsste mich, bevor ich etwas erwidern konnte, und ich entspannte mich in seinen Armen, zufrieden mit unseren gemischten Aromen.

Die bevorstehende Party schien jetzt nicht mehr ganz so beängstigend.

„Ich werde die ganze Nacht nicht von deiner Seite weichen", versprach er, nachdem er mich leidenschaftlich küsste, „und wenn du gehen willst, sag mir einfach, dass du müde bist, damit wir in unsere Suite gehen, okay?"

*Unsere Suite*, dachte ich. „Ist es unsere?"

Er drückte seine Stirn an meine. „Ja, Katriana. Alles, was ich besitze, gehört dir. *Uns*."

Ich musterte ihn und staunte über den gut aussehenden Fremden, der mich in seinen Armen hielt. Was war mit dem ungehobelten Kerl passiert, der mich aus seinem Bett geworfen hatte und mir kaltblütig sagte, dass ich nicht seine Gefährtin war? War das alles nur für das Baby? Ein Akt, um mich zu besänftigen, bis das Kind geboren war?

Er hatte mich immer noch nicht *wirklich* beansprucht.

Aber ich konnte in seinem Blick nicht die geringste Andeutung von Täuschung erkennen. Ich wusste, wie man Menschen las, hatte es mein ganzes Leben lang getan, doch dieser Mann war mir ein Rätsel. Dominant, verpackt in einem sehr weichen, eleganten Anzug.

Ich nickte unsicher, denn ich hatte begonnen, zu hoffen …

Er presste seine Lippen hart aufeinander, als er meine Beine von seiner Taille löste. „Sei vorsichtig, wenn du den Reißverschluss meiner Hose schließt, Kätzchen. Ich bin immer noch sehr hart und das wird so bleiben, bis ich dich wieder knoten kann."

Ich erschauderte bei dem Gedanken und mein Inneres verkrampfte sich als Reaktion. Mein Kern sehnte sich nach ihm.

„Hm, ich liebe diesen Duft", sinnierte er und fummelte am Oberteil meines Kleides herum, während ich ihm vorsichtig die Hose hochzog. Sobald ich fertig war, ging er auf die Knie und fuhr mit seiner Zunge über meine feuchte Mitte, wobei ein leises Knurren den Aufzug erfüllte.

Meine Essenz floss als Antwort auf seinen Alpha-Ruf förmlich aus mir heraus und mein Körper bebte, denn ich war bereit, ihn erneut in mir aufzunehmen. Seine Zähne streiften meine Klitoris und schenkten mir einen weiteren, unerwarteten Höhepunkt, als meine Beine unter mir nachgaben. Seine Handfläche landete auf meinem Unterleib und drückte mich gegen die Wand, während ich mich gegen seine Zunge wölbte.

*Dieser Mann*, dachte ich, *wird mich umbringen.*

Ich erkannte kaum die Worte, die aus meinem Mund sprudelten, denn die meisten ergaben keinen Sinn und rankten sich um seinen Namen. Meine Glieder waren wie

Gelee, als mein Orgasmus endete, meine Haut heiß und meine Stirn schweißbedeckt.

Wie er das gemacht hatte, wusste ich nicht.

Aber ich werde mich nicht beschweren.

Noch nie hatte ich mich gleichzeitig träge und zufrieden gefühlt …

Naja, vielleicht, als wir eine Woche lang genistet hatten, aber etwas an diesem Moment war befreiend, intensiv, intim und unterstrichen von Versprechen, die keiner von uns laut aussprechen musste.

„*Jetzt* sind wir bereit für das Begrüßungsessen", sagte er und zog meinen Rock nach unten, sodass der Stoff wieder den Boden berührte. Ander stand auf und seine Lippen glitzerten mit meiner Feuchte, aber er wischte es nicht weg.

Ich ging auf die Zehenspitzen, um ihn zu küssen, aber er hielt mich mit einem bösen Grinsen auf. „Oh, nein, Katriana … Ich will, dass sie es sehen."

Er griff um mich herum und drückte einen Knopf, der den Fahrstuhl wieder in Gang setzte.

# ANDER

ALLE AUGEN WAREN auf Katriana gerichtet, und ich konnte es ihnen nicht verübeln.

Sie sah umwerfend aus in ihrem schwarzen Seidenkleid. Ihr gestyltes Haar sah elegant und frisch zerwühlt aus. Ich tat mein Bestes, um ihre kastanienbraunen Locken zu richten, aber sie hatten ihren eigenen Willen wie die Omega, die sich an meine Seite schmiegte.

Ich küsste ihren Scheitel, während meine Handfläche auf ihrem entblößten unteren Rücken ruhte und wir uns mit zwei meiner ältesten Freunde unterhielten … Burje und Alyona.

Auf meine Bitte hin waren die meisten der gepaarten Alphas ohne ihre Omegas erschienen. Ich hatte Burje ausdrücklich gebeten, Alyona mitzubringen, da ich vermutete, dass sie und meine Auserkorene sich gut verstehen würden. Sie schien sich gut mit allen anderen zu verstehen, aber ihr Blick wanderte weiter zu den Männern, die sich nicht die Mühe machten, ihr Interesse zu verbergen.

Sie schien von der Aufmerksamkeit überrascht zu sein, aber ich war es nicht. Sie war in so vielerlei Hinsicht eine Anomalie, aber sie war sich dessen nicht bewusst – eine Tatsache, für die ich mich verantwortlich fühlte und zu korrigieren beabsichtigte.

Ihre Anmerkung, dass sie die Wölfe nicht verstand, weil sie ohne richtige Einführung in dieses Leben gezwungen wurde, hatte mich ins Herz getroffen.

Ich hatte sie im Stich gelassen.

Als ihr zukünftiger Gefährte hätte ich derjenige sein sollen, der ihr das Leben der Gestaltwandler richtig erklärte, stattdessen ging ich einfach davon aus, dass sie es bereits wusste, da ihr Vater ein X-Clan Wolf war, aber dann verstand ich, dass sie ihren Vater nie wirklich getroffen hatte.

Ich war es auch nicht gewohnt, jemanden unter meine Fittiche zu nehmen, der so grün war. Die meisten Gestaltwandler wurden in diese Welt hineingeboren, nicht genetisch im Labor erschaffen.

Eigentlich war Letzteres ziemlich selten. Die Technologie des Andorra-Sektors übertraf die unserer Artgenossen bei weitem, was uns zum einzigen Sektor der X-Clan Kultur machte, in dem Werwölfe außerhalb der natürlichen Wege erschaffen werden konnten.

Die meisten Menschen starben jedoch bei der Verwandlung, ein weiterer Grund weshalb jeder meine Katriana treffen wollte. Sie war eine seltene Ausnahme, wegen ihrer erfolgreichen Verwandlung und weil sie aus der Welt der Infizierten stammte.

„Ich, äh …", räusperte Katriana sich und schmiegte sich dichter an mich, um meine Kraft in sich aufzunehmen. Ich liebte es, ihr Mut zu spenden. „Ich habe in den Höhlen gelebt."

Alyona hatte sie gerade nach dem Leben außerhalb der Kuppel gefragt. Ihre haselnussbraunen Augen wurden groß, als sie die Antwort meiner zukünftigen Gefährtin vernahm. „Aber wie? Du warst doch nur ein Mensch und draußen ist es bitterkalt."

„Nicht so kalt wie zu Hause", warf ich grinsend ein. Ich wuchs mit Alyona im Revier meines Vaters auf. Trotz ihrer

Omega Genetik hatte ich nie etwas für sie empfunden. Außerdem hatte sie von klein auf ein Auge auf Burje geworfen. Der zwei Meter große Mann stand ruhig neben ihr, als sein Bart über den Scheitel ihres hellblonden Schopfes.

„Zu Hause?", wiederholte Katriana und blickte zu mir auf.

„Skandinavien", murmelte ich. „Südnorwegen, um genau zu sein. Wo jetzt der Norse Sektor ist."

Sie sah mich stirnrunzelnd an. „Wenn du dort aufgewachsen bist, warum bist du dann in Andorra?"

„Weil er als Alpha zu mächtig war, um als Vize seines Vaters zu agieren", sagte Elias, der sich mit Daciana an seiner Seite zu uns gesellt hatte. „Also hat er kurz vor der Zombie-Apokalypse einen neuen Clan in Andorra gegründet." Mein bester Freund liebte diese Geschichte.

Ich schüttelte den Kopf. „Vor der Pandemie", korrigierte ich.

„In der Tat", stimmte er zu und nahm einen Schluck von seinem Bier, bevor er sich auf Katriana konzentrierte. „Hat er dir schon von seinem Leben in Iglus erzählt?"

Ich rollte mit den Augen. „Halt den Mund, Elias." Wir wussten beide, dass ich nicht in irgendwelchen verdammten Iglus gelebt hatte. „Nicht mal der Wintersektor lebt so und die sind am Polarkreis."

Er grinste. „Ja, aber die Vorstellung, wie du in einem Schlitten über Eis fährst, erheitert mich sehr."

„Erinnere mich nochmal daran, warum ich dich toleriere?"

„Weil ich fantastisch bin." Elias wackelte mit den Augenbrauen. „Und ich habe diesen Sektor für dich über Wasser gehalten, während du mit deiner hübschen Omega spielen warst, die *ich* übrigens im Wald gefunden habe."

„Ja, ja." Ich begegnete seinem Blick über Katrianas Kopf

und dankte ihm ohne Worte. Er antwortete mit einem Zwinkern. Er wusste, dass ich in seiner Schuld stand, auch wenn ich es nicht sagte.

„Du hast sie im Wald gefunden?", fragte Daciana leise. Ihr Auftreten war viel entspannter als bei unserem ersten Treffen. Elias hatte ihr Selbstvertrauen gestärkt und sie sogar ein wenig zum Strahlen gebracht. Sie blickte mit einer solchen Ehrfurcht zu ihm auf, dass mir das Herz weh tat.

Katriana hatte mich noch nie so angesehen.

Aber ich wollte, dass sie es tat …

„Ihr menschlicher Clan hatte versucht, eine unserer Nahrungsmittellieferungen zu stehlen", erklärte Elias und konzentrierte sich auf meine zukünftige Gefährtin. „Es ist nicht gut für sie ausgegangen, aber Kat hat ein Talent zum Überleben, das die anderen in ihrer Gruppe nicht besaßen, also haben wir sie angemessen belohnt."

„Indem ihr mich in einen Wolf verwandelt habt", antwortete Katriana sarkastisch und ihre Schultern versteiften sich. „Danke für die *Belohnung*."

Seine Lippen spitzten sich. „Sehr gern geschehen, Omega." Seine Antwort übermittelte eine subtile Warnung, denn Katrianas Ton war meinem Vize nicht unbemerkt geblieben. Während er ihren Ungehorsam im Privaten wahrscheinlich tolerieren würde, konnte er sich das in diesem Raum nicht leisten, weil wir von Alphas umgeben waren, die seine Position als Vize infrage stellen könnten.

Ich räusperte mich und ergriff ihr Kinn, um ihren Blick auf mich zu lenken. „Willst du etwas trinken, Liebling?"

Es war eine Einladung, die Gruppe zu verlassen, um uns einen Moment Zeit zu geben und unter vier Augen zu sprechen. Ich sagte ihr mit meinen Augen, dass sie meine Einladung besser annehmen sollte.

Sie nickte und schluckte.

Ich belohnte ihren unausgesprochenen Gehorsam mit

einem zärtlichen Kuss, dann entschuldigte ich uns mit einem Nicken und lächelte, bevor ich sie in die entfernteste Ecke in der Nähe der Bar führte.

„Es tut mir leid", begann sie, aber ich brachte sie mit meinen Lippen zum Schweigen, fuhr mit den Fingern durch ihr Haar und teilte ihre Lippen sanft mit meiner Zunge.

Ich war nicht wütend, und ich wollte, dass sie das wusste.

Ich wollte gesehen werden, damit alle wussten, wie sehr ich damit kämpfte, meine Hände von ihr zu lassen, und nicht hinterfragten, warum wir diesen Moment der Zweisamkeit brauchten.

Sie umklammerte die Aufschläge meiner Jacke, drückte sich an mich und schmiegte ihre weichen Kurven an all die richtigen Stellen. Ich vertiefte unseren Kuss und erlaubte ihr, die Lust zu schmecken, die noch immer meine Zunge benetzte. Sie stöhnte … ein Geräusch, das ich tief in ihrem Inneren entstand. Während sie, *ihr menschlicher Teil*, vielleicht nicht realisierte, was mit ihr geschah, wusste ich, dass ihr Wolf mich verstand.

Dies war eine öffentliche Inanspruchnahme. Eine Art, allen zu zeigen, dass ich sie gewählt hatte.

Keine der verfügbaren Omegas würde sich mir nähern, nicht dass es eine von ihnen bisher versucht hatte. Sie wussten vom ersten Moment an, dass ich tabu war, auch wenn ich noch nicht nach Paarung roch.

Leider würde das nicht ausreichen, um alle Alphas abzuschrecken.

Besonders diejenigen, die meine Position bereits infrage stellten.

Wie zum Beispiel Enzo …

Ich spürte seinen hasserfüllten Blick, den er so schlecht verbarg, von der anderen Seite des Raums. Artur war nicht viel besser, aber er konnte wenigstens eine stoische Miene bewahren, sollte es die Situation erfordern.

Ich legte meine Hand auf Katrianas Nacken, löste unsere Lippen voneinander und drückte meine Stirn an ihre. „Du machst das sehr gut, Süße", sagte ich ihr leise, meine Worte nur für ihre Ohren bestimmt.

Das Geschnatter und die leise Musik des Ballsaals würden unsere Stimmen übertönen, sodass wir ungestört sprechen konnten. Selbst die Wölfe, die versuchten, uns zu belauschen, würden nicht in der Lage dazu sein, da wir in dieser abgelegenen Ecke geschützt waren.

„Ich habe nicht nachgedacht", flüsterte sie. „Es kam einfach so raus."

„Lass dich von Elias nicht aus der Ruhe bringen." Ich kraulte ihren Nacken. „Er hat einen Ruf zu wahren. Genau wie ich. Deshalb nehmen die anderen wahrscheinlich an, dass ich ein strenges Wort mit dir rede." Ich umfasste ihr Gesicht, hielt ihren Blick stand und bemerkte die Verwirrung in ihren blauen Tiefen.

Richtig, weil sie unsere Gesellschaft und Regeln nicht verstand ...

Ich strich mit dem Daumen über ihre Lippen und folgte der Bewegung mit meinen Augen.

„Gestaltwandler stehen höher in der Nahrungskette", erklärte ich im Flüsterton. „Wir sind mächtig und Menschen überlegen. Ich sage das nicht, um grausam zu sein. Es ist einfach eine Tatsache des Lebens. Die meisten sehen deine Veränderung als Geschenk an, für das du ihrer Meinung nach dankbar sein solltest, da es deinen Status erhöht."

Sie schluckte und knabberte an ihrer Unterlippe. „Und du? Denkst du, ich sollte dir dankbar sein?"

„Ja", antwortete ich ehrlich und hielt mich nicht zurück, „ohne unsere Gabe würdest du in einer Höhle leben oder tot sein. Sicherlich kannst du die Vorteile sehen."

Ich deutete mit dem Kinn durch den mit Kerzen beleuchteten Ballsaal, deutete auf das frische Gourmet-

Buffet, das in der Mitte des Saals darauf wartete, verschlungen zu werden. Einige waren bereits am Essen und hatten an den runden Tischen Platz genommen, die im Veranstaltungsraum standen, während andere ihre Teller in den Händen hielten und an kleinen Häppchen knabberten. Sie trugen alle formelle Kleidung, und die meisten hielten ein Getränk in der Hand.

„Es ist ein Leben der Dekadenz", fuhr ich leise fort. „Ein Leben, von dem die meisten Menschen nur träumen können, denn eure Sektoren sind der Armut verfallen wie die Menschen, die in Höhlen wohnen."

„Es gibt menschliche Sektoren?", hauchte sie und ihre Augen weiteten sich.

„Ja, nicht in Europa, aber in anderen Gegenden der Welt. Ich weiß nicht viel darüber, da wir keinen Handel mit ihnen betreiben, sondern nur mit anderen Wölfen. So, wie es andere übernatürliche Bereiche gibt, gibt es auch sterbliche. Jeder tut, was er tun musste, um die Infektion zu überleben. Wir ziehen es vor, uns hinter unseren wissenschaftlichen Erfolgen zu verstecken. Daher die Kuppel über unseren Köpfen."

„Aber Wölfe sind bereits immun."

„X-Clan Wölfe, ja, aber nicht alle." Ich warf einen Blick auf die Gruppe der schüchternen Omegas aus dem Shadowlands Sektor. „Ash Wolves sind nicht immun. Es besteht also immer die Möglichkeit, dass das Virus eines Tages mutiert und sich auf uns auswirkt. Das ist der Grund, warum wir so viel Zeit und Energie in die Erforschung von Schutzmaßnahmen stecken. Warum wir unsere Technologie ständig verbessern, obwohl es in der heutigen Welt nicht so geschätzt wird wie früher."

„Vor der Infektion", sagte sie, als Verständnis in ihren Augen aufblitzte. „Ich habe in Zeitschriften Fotos von

Dingen gesehen, die deinen Monitoren und Uhren ähnlich sind, aber nicht annähernd so …"

„Hightech", ergänzte ich, da ich wusste, dass sie mit unseren Ressourcen nur begrenzt vertraut war. „Ja, wir haben unsere Technologie im Laufe der Jahre verbessert, Wege gefunden, unsere eigene Elektrizität zu erschaffen, indem wir natürlich vorkommende Ressourcen nutzen, und wir leben ähnlich wie vor hundert Jahren, nur in einer saubereren, sichereren Umgebung."

„Während alle anderen leiden."

Ich hob eine Schulter. „Wie ich schon erwähnte, wir sehen Menschen nicht als unseresgleichen an. Das haben wir nie. Aber wir erlauben ihnen, auf unserem Land zu leben und in unseren Höhlen, obwohl wir sie leicht verjagen könnten. Die Ressourcen, zu denen sie in den Bergen Zugang haben, die Früchte, die im Frühling wachsen und die sie das ganze Jahr über ernten, existieren, weil wir dafür gesorgt haben, dass das Land fruchtbar bleibt. Wir werden sie nie einladen, unter unserer Kuppel zu leben, aber wir haben ihnen das Leben leichter gemacht, soweit wir möglich konnten."

Ich kämmte mit meinen Fingern durch ihr Haar und steckte eine Strähne hinter ihr Ohr, als sie ihre Lippen zusammen kniff. Ihre Gedanken standen ihr deutlich ins Gesicht geschrieben.

„Du denkst, ich könnte mehr tun, aber was du nicht bedenkst, sind all die Wölfe unter meiner Obhut. Es gibt Hunderte von uns, die hier leben, die alle ihre eigenen Ressourcen benötigen, und das für viel längere Zeiträume, als der durchschnittliche Mensch. Wie ich schon gesagt, wir leben sehr lange." Ich ließ ihr Haar los und drückte meine Handfläche auf ihren Bauch. „Wir haben unsere Kinder, an die wir denken müssen."

Sie ließ ihren Blick auf meine Hand fallen und ihr Ausdruck wurde wärmer. „Unser Kind."

„Ja, *unser* Kind." Ich drückte meine Stirn an ihre, schloss meine Augen und atmete ihren Duft ein. „Du wirst eine wunderbare Mutter sein, Katriana."

„Ander …"

Ein hoher Ton unterbrach unseren Moment, als Riley sich auf uns stürzte, ohne unserer intimen Haltung oder unserem Gespräch viel Beachtung zu schenken. Jonas warf mir einen entschuldigenden Blick zu, während Riley Katriana in ihre Arme zog.

„Ich habe mir solche Sorgen gemacht", rief sie und umarmte meine Wölfin fest. Ihr blau gefärbtes Haar leuchtete im Licht, passend zu dem Kleid, das sie trug. „Du siehst toll aus", fuhr sie fort, „und du riechst auch gut." Sie warf mir einen vielsagenden Blick zu.

Jap, ich war eindeutig noch nicht auf ihrer guten Seite, aber ich hoffte, dass die gute Doktorin mir bald verzeihen würde.

„Lass uns durch den Raum gehen und jeden begrüßen, den du noch nicht kennst." Riley legte ihren Arm um Katriana, aber Jonas stellte sich ihr mit einer hochgezogenen Augenbraue in den Weg.

Ohne Worte.

Aber mein Leutnant brauchte sie selten.

„Was?", fragte Riley. „Ihr seid beide hier. Wir kommen schon zurecht, und außerdem hat jemand meine neue Freundin schon viel zu lange eingesperrt. Ich will sie allen vorstellen." Rileys Blick enthielt eine klare Herausforderung, als sie mich eisern ansah.

Mein Kiefer verkrampfte sich, und ich wollte die Omega für ihre klare Respektlosigkeit erdrosseln, aber die Art, wie Jonas sie beobachtete, sagte mir, dass er später in meinem Namen ein ernstes Wort mit ihr reden würde, also ließ ich es sein und konzentrierte mich stattdessen auf Katriana.

Sie wirkte ein wenig benommen und unsicher, als sie meinen Blick nach Antworten absuchte. „Willst du mit Riley durch den Saal gehen?", fragte ich sie sanft und strich mit den Fingern über ihre Wange. „Ich werde nicht weit weg sein."

Ihre Zunge befeuchtete ihre Unterlippe, bevor sie langsam nickte. „Ja, es macht mir nichts aus."

Riley grinste meine Begleiterin breit an und zerrte sie weg.

„Sie braucht noch einen Drink, Riley", sagte ich, wobei mein Ton keinen Widerspruch duldete.

Die temperamentvolle Frau warf mir einen warnenden Blick über die Schulter zu, lenkte meine Gefährtin aber in Richtung der Bar.

Ich stieß einen Atemzug aus und schüttelte den Kopf. „Deine Gefährtin bringt mich um den Verstand." Hätte sie Katriana in den letzten Monaten nicht geholfen, hätte ich verlangt, dass sie in ihre Schranken gewiesen werden würde. In aller Öffentlichkeit. Aber so, wie es aussah, stand ich in der Schuld der frechen Omega, also war ich bereit, ihr Verhalten hinzunehmen. Für den Moment …

„Mach dir keine Sorgen. Ich werde sie später ordentlich zurechtweisen." Jonas starrte seiner Omega hinterher und beobachtete, wie ihre Hüften sich bewegten.

„Irgendetwas sagt mir, dass sie diese Zurechtweisung genießen wird", murmelte ich und bemerkte den kecken Blick, den sie ihrem Gefährten zuwarf.

„Oh, das wird sie", stimmte er zu und blickte mich mit seinen eisblauen Augen an. Angemessen, wenn man seine isländische Herkunft berücksichtigte. „Zwischen dir und Kat scheint es besser zu laufen."

„Ein bisschen", stimmte ich zu.

*Aber wir sind noch nicht annähernd da, wo ich uns haben möchte*, fügte ich im Stillen hinzu, als sie mich mit einem Glas Wasser in der Hand ansah. Ihr Blick suchte nach Zustimmung und ich schenkte ihr ein beruhigendes Lächeln. Sie erwiderte es nicht, bevor sie sich Riley wieder zuwandte.

*Ja, definitiv nicht da, wo ich uns haben will …*

„Ihr hattet einen schweren Start", sagte ich und sah Jonas an. „Wie habt ihr das geregelt?"

Er gluckste. „Schwerer Start … Das ist noch milde ausgedrückt. Wir haben ein Flugzeug zum *Absturz* gebracht."

„Aber ihr habt die Situation bereinigt", drängte ich.

„Ja, das haben wir schlussendlich." Er fuhr sich mit den Fingern durch seine hellblonden Haare, während er seine Gefährtin betrachtete. „Riley brauchte eine Aufgabe, die über das Omega-Dasein hinausging. Sie hatte Angst, dass ihre Genetik sie definieren würde, und deshalb hat sie sich so lange als Beta ausgegeben. Ich musste ihr beweisen, dass ich mehr in ihr sah als nur das Bedürfnis, mich zu paaren."

„Deshalb hast du mich aufgesucht", antwortete ich und erinnerte mich an den Tag, an dem wir uns kennengelernt hatten. „Du wolltest, dass ich ihr einen Job gebe."

„Ja." Er richtete seinen Blick wieder auf mich. „Riley wäre niemals glücklich damit, schwanger zu Hause zu sitzen. Sie ist nicht wie Daciana oder die Ash Wolves Omegas, die gezüchtet wurden, um unterwürfig zu sein. Sie ist wie deine zukünftige Gefährtin."

Ich las zwischen den Zeilen. Er sagte mir indirekt, dass ich Katriana einen Zweck außerhalb des Schlafzimmers geben musste. „Ihr zu beweisen, dass ich mehr an ihr schätze, als nur ihren Körper, würde mir helfen, sie für mich zu gewinnen", übersetzte ich seine Andeutung.

„So läuft das bei den meisten Frauen", antwortete Jonas und grinste. „Sogar bei den Ash Wolves. Aber unsere Frauen brauchen noch mehr. Riley ist am glücklichsten, wenn sie im Labor ist. Das würde ich ihr nie wegnehmen."

*Ich muss herausfinden, was Katriana will, um sie glücklich zu machen.*

„Danke für den Rat, Jonas."

„Du brauchtest meinen Rat nicht wirklich", merkte Jonas leise an und klopfte mir auf die Schulter. „Du hast diesen Weg bereits eingeschlagen, indem du ihre Bedürfnisse über deine eigenen gestellt hast. Mach einfach weiter mit dem, was du tust."

Meine Lippen zuckten amüsiert. Das war das meiste, was er je in einem einzigen Gespräch zu mir gesagt hatte, und es war nicht einmal eine lange Diskussion. „Wer hätte gedacht, dass du so gesprächig sein kannst?", stichelte ich.

Er grunzte. „Du hast gefragt. Ich habe geantwortet."

„Ich muss öfters nachfragen."

Er warf mir einen Blick zu, der zu seiner Antwort passte. „Tu es nicht."

„Verstanden, mein Freund." Aber wir wussten beide, dass ich es tun würde, wenn ich seinen Rat brauchte. Ich brauchte es normalerweise nur nicht … eine weitere Anomalie im Zusammenhang mit Katriana.

Ich war mir unsicher, wie es weitergehen sollte, und was war mir noch nie passiert.

Ich führte diesen Sektor mit strenger Hand, ohne viel über meine Handlungen nachzudenken, aber mein zierlicher, kleiner Rotschopf ließ mich alles infrage stellen. Ich bewunderte sie irgendwie für diese neue Erfahrung.

„Willst du …" Jonas' Frage wurde durch einen Aufschrei auf der anderen Seite des Raums unterbrochen.

Tonic und Darren hatten eine der neuen Omegas in die Enge getrieben, und ihre Körpersprache schrie nach Dominanz und hemmungslosem Verlangen.

„Scheiße!" Ich hatte zwar vermutet, dass so etwas

passieren würde, aber ich hatte wirklich gehofft, dass es nicht dazu kommen würde.

„Gut, dass du Protokolle erstellt hast", sagte Jonas und lief neben mir her, als ich auf die beiden Männchen zuging.

Sie knurrten so laut, dass das Geräusch durch den Saal hallte. Die ungepaarten Omegas reagierten auf den Ruf der Alphas, und ich lief schneller, um die Situation in den Griff zu bekommen.

„Halbwüchsige Wölfe", murmelte ich, bereit, die Idioten an ihren Eingeweiden aufzuhängen, als ich Katriana wimmern hörte.

Mein Kopf peitschte in ihre Richtung und fand sie in die Ecke getrieben. Von Enzo und Artur.

Verdammte Scheiße …

# ANDER

Riley flog Jonas praktisch in die Arme, ihr Gesichtsausdruck panisch. „Enzo hat mich weggeschubst. Ich wusste nicht, was …"

Ich war bereits in Bewegung und verließ den Tumult in der einen Ecke, zugunsten einer anderen, gefährlicheren Situation, die sich in der Nähe des Eingangs abspielte. Tonic und Darren waren nur ein Ablenkungsmanöver, und ein beschissenes noch dazu. Es war ein weiterer Grund, warum Enzo nie dieses Rudel führen würde. Ihm fehlte der Sinn für Strategie.

„Bin schon dabei", sagte Elias, als er an mir vorbeiging und auf die beiden Idioten zusteuerte, die die arme Omega bedrängten, die ich zurückgelassen hatte. Er wusste, was zu tun war. Wir hatten es vor der Party ausführlich besprochen und uns auf jedes mögliche Ereignis vorbereitet.

Mehrere andere Alphas hatten bereits defensive Positionen eingenommen und schützten die restlichen Omegas im Raum. Die autoritäre Energie im Saal zwang die unterwürfigen Weibchen in die Knie und viele gaben ein leises Stöhnen von sich und ihre Erregung durchdrang die Luft. Andere knurrten, weil sie weniger Kontrolle über ihre Sinne hatten.

Enzos Eskapaden hatten eine potenziell gewalttätige Situation ausgelöst, die zu Brunst und sinnlosen Plünderungen im ganzen Ballsaal führen könnten.

Glücklicherweise hatte ich bereits für genau diese Situation Sicherheitsvorkehrungen getroffen.

So sehr ich Enzo auch in den Allerwertesten treten wollte, würde es die gewalttätige Atmosphäre nur noch verstärken und dazu führen, dass einige meiner wohlgesonnenen Alphas ihren animalischen Tendenzen nachgeben würden. Omegas waren notorisch unfähig, dem Ruf eines Alphas zu widerstehen, weshalb es an uns lag, dafür zu sorgen, dass wir uns beherrschten.

Wenn ein Alpha einmal seine Beherrschung verlor, gab es kein zurück mehr.

Ich bahnte mir einen Weg zwischen Enzo und Artur, ohne Rücksicht darauf, ob ich sie dabei verletzte, und zog Katriana in meine Arme. Im Gegensatz zu vielen der anderen Omegas war sie kein zitternder Ball der Not, sondern eine vibrierende Flamme der Wut.

„Sie haben gesagt …"

„Sag es mir nicht …", flüsterte ich mit flehender Stimme. Wenn sie die Worte der zwei Alphas wiederholte und ich sie so beleidigend finden würde, wie ich erwartete, würde ich ausrasten und sie umbringen.

Und dann wäre der Teufel los.

Ich war der oberste Alpha im Saal. Jeder sah zu mir, um sich zu orientieren, und wenn ich einen Streit anfangen würde, würden sie es mir gleichtun.

Die Omegas würden den ultimativen Preis bezahlen.

Katriana blickte zu mir hoch und runzelte die Stirn über das, was sie in meinem Gesicht sah. Sie nickte und streichelte meine Wange. „Mir geht es gut."

„Natürlich geht es dir gut", knurrte Enzo. „Wir haben dich nicht angefasst."

„Ich würde dir dringend empfehlen, dich zurückzuziehen und zu gehen, Enzo", sagte ich in dem ruhigsten Ton, den ich den Umständen entsprechend an den Tag legen konnte. Meine Haltung straffte sich und meine Miene würde tödlich. „Artur sollte dich begleiten, wenn er weiß, was gut für ihn ist."

„Wir haben nichts falsch gemacht", erwiderte der Idiot. „Du hast diese Veranstaltung organisiert, damit die Alphas alle verfügbaren Omegas treffen können und diese hier ist immer noch verfügbar."

Ich drehte mich langsam um und schob Katriana hinter mich. „Das ist der Grund, warum du diesen Sektor niemals anführen wirst", informierte ich ihn, wobei ich ihn mit meinem Alpha-Blick dominierte. „Du denkst nicht, bevor du handelst oder sprichst."

Er hielt meinem Blick stand, und ich konnte erkennen, dass er mich nur zu gerne herausfordern wollte.

Ich trat näher an ihn heran, damit er sehen konnte, wie vollständig und vollkommen ich ihn in meiner jetzigen Stimmung vernichten würde.

Es würde kein Zurück mehr geben.

Keine zweite Chance.

Ich könnte ihn töten und wäre in meinem Handeln gerechtfertigt, da sein Verhalten an diesem Abend ein Chaos angerichtet hatte.

Das Knurren und Winseln um uns herum verstummte und alle registrierten die Aggression, die von ihrem obersten Alpha ausging ... *mir*. Enzo stand am Rande des Abgrundes und wurde sich seiner heiklen Situation bewusst.

„Wenn du es anfängst, werde ich es beenden", warnte ich ihn. „Genau wie bei den letzten beiden Malen, als du versuchtest, mich zu stürzen. Nur dieses Mal werde ich dir keine weitere Chance geben. Hast du das verstanden?"

„Bringt sie hier raus", rief Elias und forderte die Alphas

auf, die stark genug waren, ihren Drang der Verpaarung zurückzuhalten, die Omegas aus dem Saal zu treiben.

Ich packte Enzo an der Kehle, bevor er zu seinen Lakaien sehen und beenden konnte, was er angezettelt hatte. Mit meiner Hand, die immer noch um seine Kehle geschlungen war, spürte sein Knurren in seiner Brust, aber der Ton entkam nicht, weil ich seine Stimmbänder zerquetschte, ehe er eine Chance hatte.

„Ich weiß, was du tust", sagte ich ihm leise, „aber ich bin dir immer mehrere Schritte voraus. Was glaubst du, warum ich den verpaarten Alphas erlaubt habe, heute Abend dabei zu sein?"

Ich wusste, dass ich mich darauf verlassen konnte, dass sie die Kontrolle behalten würden. Nur Burje, Elias und Jonas hatten ihre Gefährtinnen mitgebracht.

Burje, weil er und Alyona alte Freunde waren und ich wollte, dass sie meine Katriana kennenlernten.

Elias, weil Daciana eine Ash Wolves Omega war und ich dachte, dass ihre Anwesenheit die Omegas ihres ehemaligen Clans trösten könnte.

Und Jonas, weil ich wusste, dass Riley auf sich selbst aufpassen konnte. Alle anderen waren ohne ihre Gefährtinnen gekommen, nur für den Fall, dass sie einspringen mussten, um eine Omega unter ihren Schutz zu nehmen.

„Rechne es dir selber aus", ermutigte ich ihn. „Du weißt, dass ich mehr als genug Männer hier habe, um die Situation zu handhaben und zu entschärfen."

Es gab zweiundzwanzig gepaarte Männchen in meinem Revier.

Zwanzig von ihnen waren an diesem Abend anwesend. Die anderen beiden waren bei den begatteten Omegas, die vorsichtshalber von Betas umgeben waren. Alle Alphas nahmen die Sicherheit ihrer Gefährtinnen sehr ernst, denn mit den Neuzugängen der unbegatteten Omegas war die Spannung unter den Alphas im Andorra Sektor sehr hoch.

Konkurrenztriebe waren eine heikle Sache.

Enzo zerfetzte meinen Anzug, als er sich an meinem Arm festkrallte, um sich gegen meinen Griff zu wehren.

Ich blickte ihn streng an. „Unterwirf dich und ich lasse dich gehen."

Er knurrte gerade lange genug, um seinen tief sitzenden Hass auszudrücken, wandte sich aber schnell ab, um seine Herausforderung zurückzunehmen.

Ich verstärkte meinen Griff, um ihn wissen zu lassen, dass das Gefühl auf Gegenseitigkeit beruhte, bevor ich ihn grob gegen die Wand stieß, nur für den Fall, dass er mich austricksen und auf mich losgehen wollte.

Aber er tat es nicht.

Er beugte sich vor und lehnte seine Ellbogen auf die Knie, während er eine Reihe von Flüchen ausstieß.

„Eines Tages wirst du verlieren, Cain", sagte Artur beiläufig. „Ich kann es kaum erwarten, das zu erleben."

Ich lächelte den alten Bastard an. „Okay, ich werde sicherstellen, dass ich dich auf meinem Weg in den Ruin mit mir reiße", sagte ich genauso beiläufig. „Und jetzt geh mir aus den Augen, bevor ich diese Aussage als Herausforderung ansehe, von der wir beide wissen, dass sie es ist."

Er sträubte sich, ergriff aber geschickt den Arm seines Freundes und verließ den Saal.

Der Rest des Raums hatte sich fast geleert und alle Omegas waren in Sicherheit gebracht worden.

„Sie sind in Sicherheit", bestätigte Elias von seiner Position in der Mitte des Raumes. Seine Lippe blutete von dem Handgemenge, das ich in der Ecke zurückgelassen hatte.

Eine Handvoll jüngerer Alphas war bewusstlos und die anderen standen mit den Händen in den Taschen mit irritierten Mienen um Elias herum.

Alle bis auf einen, Mad, den ich fast vergessen hatte. Er war heute Abend mit Kaspian anwesend und stand mit einem merkwürdigen Ausdruck auf dem Gesicht auf einer Seite des Saals. Es schien, als hätte er seinen üblicherweise stoischen Ausdruck in seiner Suite gelassen.

Er würde Dušan zweifellos über die Ereignisse des heutigen Abends berichten. Das war wahrscheinlich der Grund, warum er zugestimmt hatte, nach der Ankunft der letzten Omega zu bleiben. Er wollte die Ereignisse des heutigen Abends überwachen.

Zum Glück hatten wir alles im Griff, sonst hätte es unsere zukünftige Zusammenarbeit beeinträchtigen können.

Ich atmete tief durch und fuhr mir mit den Fingern durch mein Haar. „Okay, das ist nicht so gelaufen, wie ich es mir vorgestellt hatte", informierte ich alle, ohne mir die Mühe zu machen, den Notfallplan zu kommentieren, den ich aufgestellt hatte. Dank Elias und meinem Team, das den Vorfall schnell bereinigt hatten, wussten alle bereits Bescheid.

Mehrere Alphas grunzten zustimmend, aber einer trat vor.

*Samuel.*

„Vielleicht nicht, aber du hast uns Beweise geliefert", sagte er barsch und überraschte mich damit mehr, als ich ihm zugestehen wollte. Samuel stimmte in den Meetings normalerweise für Enzos Team, und war unnachgiebig gegen diesen Deal mit dem Ash Wolves Clan gewesen. „Die Omega Weibchen sind mit uns kompatibel."

„Das haben die genetischen Tests bereits bewiesen", stellte Elias klar, „oder willst du meine Gefährtin noch einmal sehen?" Das Angebot war als rhetorische Ohrfeige gedacht, denn sein Tonfall bestätigte, dass er Daciana nicht in die Nähe dieses Saals lassen würde.

Samuel winkte ihn ab. „Es ist eine Sache, eine Paarung zwischen einem anderen Alpha und seiner Omega zu beobachten, aber eine ganz andere, die Anziehungskraft zu spüren."

Ah, eins der Weibchen war ihm also ins Auge gefallen. Interessant … Ich würde herausfinden müssen, welche es war. Obwohl der Alpha und ich nicht oft einer Meinung waren, wäre ich bereit, mit ihm zusammenzuarbeiten. Das würde bedeuten, ihn auf meiner Seite zu haben.

„Irgendwelche anderen Kommentare?", fragte ich in den Raum hinein. Da achtzig Prozent meines Rates vor mir standen, schien es ein guter Zeitpunkt zu sein, andere Anliegen anzusprechen.

Die meisten schienen nur darüber verärgert zu sein, dass man ihnen den Abend verdorben hatte. „Wie willst du die Priorität der Paarungen festlegen?", fragte Samuel und wölbte eine Augenbraue.

„Das tue ich nicht. Die Omegas werden es tun." Diese Proklamation erzeugte ein lautes Grollen in der Menge, das Katriana dazu brachte, sich an meine Jacke zu klammern und ihren Körper an meinen zu pressen. Ich streckte einen Arm aus, um sie an mich zu drücken, ohne mich darum zu kümmern, wie merkwürdig das aussehen musste, während ich weiter zum Rat sprach. „Wir machen das auf die alte Art. Die Alphas werden den Omegas den Hof machen. Wenn ihr wollt, dass eine Omega euch auswählt, um sie durch ihren Zyklus zu begleiten, dann schlage ich vor, dass ihr anfangt, sie zu umwerben."

Das war ein Teil des Deals, den ich mit Dušan eingegangen war. Er wollte, dass seine Omegas fair behandelt wurden, und ich war mehr als einverstanden.

Mads gewölbte Augenbraue verriet mir, dass er in der

Tat sehr neugierig gewesen war, ob ich mich an diese Anforderung halten würde.

„Tu nicht so überrascht und beleidigt", schnauzte Elias, als die X-Clan Alphas sich noch mehr aufregten. „Ander hat euch gesagt, dass das Teil der Vereinbarung ist. Wir haben dafür abgestimmt, es so durchzuziehen."

„Aber die Omegas sind doch schon hier", protestierte Rajan vom hinteren Teil des Raums. „Warum müssen wir dann noch nach den Regeln der Ash Wolves spielen, wenn wir unseren Teil der Abmachung eingehalten haben?"

*Du meinst, abgesehen von der Tatsache, dass einer seiner Leutnants in diesem verdammten Raum steht und dieses Gespräch gerade mit anhört?* Ich wollte nichts lieber, als ihn anzuknurren, aber ich blieb ruhig. *Denk nach, bevor du sprichst, verdammter Idiot.*

Stattdessen holte ich tief Luft und antwortete, „Wenn wir das nicht tun, wird es keine zukünftigen Lieferungen geben." Ich ließ das Gesagte wirken, bevor ich hinzufügte, „Wenn euch die Damen des heutigen Abends gefallen und ihr in Zukunft eine Omega für euch gewinnen wollt, dann schlage ich vor, dass ihr es so macht, wie es vereinbart ist. Wenn wir unseren Handelspartner verärgern, waren das die letzten Omegas, die er uns anvertrauen hat."

Das brachte mir eine Runde des Schweigens ein.

Sehr gut, denn es bedeutete, dass sie mehr Omegas wollten und dass mein Arrangement, über das wir monatelang gestritten und verhandelt hatten, funktionierte.

Ich konnte Elias' zusammengepresste Lippen sehen, und sein Blick verriet mir, dass er zu demselben Schluss gekommen war.

Ich hatte endlich einen Weg gefunden, die Bestien des Andorra Sektors zu besänftigen.

„In Ordnung", sagte Samuel nach einigen Sekunden. „Dann ist es eben so …"

Mehrere der Männer murmelten zustimmend und das Weibchen hinter mir entspannte sich merklich.

„Was ist mit deiner Omega?", fragte Rajan und trat vor. „Dürfen wir ihr den Hof machen, da sie unbegattet ist?"

Und damit war der kurze Moment der Gelassenheit vorbei und Spannung erfüllte erneut den Raum.

# KAT

ALLE HIELTEN DEN ATEM AN, und mein Herz schien stillzustehen. Ander bewegte keinen Muskel, und niemand sprach ein Wort. Seine Brust war bis zum Zerreißen angespannt.

*Dürfen wir ihr den Hof machen, da sie unverpaart ist?*

Enzo und sein grobschlächtiger Freund hatten mir alles über ihre Vorstellung, sich mit mir zu paaren, erzählt, obwohl ich vermutete, dass es nicht mit Anders Interpretation des Wortes übereinstimmte, da er gesagt hatte, dass die Omega-Weibchen ihre Gefährten selbst wählen dürften. Die beiden Alphas hatten mein Verständnis des Begriffs gründlich durcheinander gebracht.

*„Zu unserer Zeit wurde eine Omega im fortpflanzungsfähigen Alter vor einem Raum voller Alphas, wie in diesem hier, bestiegen werden. Derjenige, dessen Samen zuerst Wurzeln schlug, gewann den Wettstreit und konnte seine Gefährtin einfordern."*

*„Hm, ja … Es scheint, dass Ander dieser Definition nach bereits gewonnen hat"*, hatte Enzos Freund festgestellt und seine Handfläche kühn gegen meinen Unterleib gedrückt. *„Trotzdem hat er dich nicht beansprucht. Heißt das, wir können es nach der Geburt des Babys noch einmal versuchen?"*

*„Warum so lange warten? Sie würde das Kind während der Paarungszeit mit der richtigen Gruppe von Alphas verlieren."*

„*In der Tat, das würde sie.*" Dann nahm Enzos Vize seine Hand weg und ließ sie mit dem Selbstvertrauen eines Mannes, der wusste, dass er mit mir alles machen konnte, zu meinen Brüsten hinauf wandern. Fast hätte ich nach Ander gerufen, aber ein Aufschrei auf der anderen Seite des Raumes hatte meine Aufmerksamkeit auf sich gezogen, gefolgt von dem Knurren und sehr verlangenden Leuchten in den Augen von Enzo und seinem Freund.

Mir wurde erneut eiskalt, als ich an ihre Worte dachte, und wie sie mich anstarrten, als wäre ich ihr Eigentum und nicht eine Person.

Riley hatte mich gewarnt, dass es Leute gab, die mich Ander wegnehmen wollten. Die Art, wie sie sie weggeschubst hatten, als wäre sie nichts weiter als eine Mücke, die ihnen mit ihrem Summen auf die Nerven ging, lies keinen Zweifel daran, dass ihre Absichten nicht zu meinem Vorteil waren.

Ich schnitt eine Grimasse und vergrub meinen Kopf in Anders Rücken, woraufhin er seinen Arm um mich legte und mich fest an seine Seite zog. Es schien, als hätte die Art, wie ich mich hinter Ander versteckte und Schutz suchte, seine Fähigkeit zu sprechen wiederhergestellt.

„Nein", sagte er in solch einem dominanten Ton, dass meine Knie erzitterten. Der Drang, mich ihm unterwürfig zu Füßen zu werfen, überwältigte mich, bis ich verstand, was er gerade gesagt hatte.

*Nein … Nein was?* War es seine Reaktion auf meine Berührung?

„Ich mache ihr den Hof", fügte er hinzu. Mir fiel die Kinnlade herunter.

*Was?*

„Aber nach deinen eigenen Regeln sollen wir alle verfügbaren Omegas umwerben, und *sie* ist verfügbar." Die Stimme passte zu der von zuvor. Der Mann, der fragte, ob alle Alphas mir den Hof machen könnten, kannte offensichtlich nicht Gefahr, in der er schwebte. Ich kannte seinen Namen nicht, und wusste nicht, wie er aussah, aber sein Tonfall reichte, um mich wissen zu lassen, dass ich ihn nicht kennen wollte.

„Katriana ist keine verfügbare Omega", antwortete Ander, während sein Körper gegen meinen vibrierte. „Sie gehört mir."

„Noch nicht", drängte die Stimme. „Du hast sie nicht beansprucht."

„Er hat recht", meldete sich ein anderer zu Wort. „Sie mag dein Kind austragen, Ander, aber sie gehört dir nicht. Sie ist Freiwild. „Du willst doch nicht den Alpha unseres Sektors herausfordern?" fragte Elias. Ich erkannte seinen Tonfall, der gelangweilt klang.

„Das würde ich nicht empfehlen", sagte jemand anderes, die Stimme rau und tief.

Im ganzen Raum brachen Gespräch aus, und ich erkannte, dass die Männer geteilter Meinung waren, ob man ihnen eine Chance geben sollte, mich zu umwerben oder nicht. Sie waren auch geteilter Meinung darüber, wer Respekt für Anders Wünsche forderte und wer nicht.

Ich klammerte mich an seine Jacke, als ich weiterhin zitterte.

*Ich will nicht, dass sie mir den Hof machen,* dachte ich. *Ich ... will das alles nicht.*

Außer vielleicht Ander.

Nicht nur vielleicht. Ich war mir sicher. Ich *wollte* Ander. Wahrscheinlich lag es daran, dass sein Kind in mir heranwuchs, oder weil ich keinen anderen Mann intim kannte, aber vielleicht lag es auch daran, das mein Wolf den seinen erkannte. Ich konnte es nicht genau sagen, auch wenn ich mit Sicherheit wusste, dass Ander der einzige Mann war, mit dem ich mich paaren wollte.

„Es ist nur fair, dass wir alle die Chance haben, sie zumindest zu treffen, um unsere Kompatibilität zu testen."

„In meinem Heimatclan erkennt ein Alpha seine Gefährtin und nimmt sie sich. Ende."

„Warum sollten wir ihm erlauben, sich das beste Weibchen auszusuchen, während sich der Rest von uns mit der zweiten Wahl herumschlagen muss?"

„Er wird sein Kind bekommen. Warum braucht er sie dann auch noch?"

„Was würdest du tun, Ash Wolf?"

„Wen kümmert das schon?"

„Nennen wir es vorübergehende Neugierde."

Stille machte sich breit, bevor eine tiefe Stimme antwortete, „Ich glaube, diese Entscheidung musst du zwischen dir und deinem Rudel klären. Was der Shadowlands Sektor in dieser Situation tun würde oder nicht, ist irrelevant."

„Wo ist dein Beta?", fragte Ander, seine Stimme nahm eine gefährliche Note an.

„Du weißt, wie Betas sind, Cain. Er ist in der Sekunde geflohen, in der er die wachsende Aggression im Raum gespürt hat."

„Wechsle nicht das Thema", konterte einer der Alphas. „Du kannst die Omega nicht einfach für dich beanspruchen, wenn du erwartest, das alle anderen Männer die Omegas umwerben und ausgewählt werden.

„Ja, Cain. Du kannst uns nicht an Regeln binden, ohne dich ihnen ebenfalls zu unterwerfen."

„Hört ihr euch gerade alle selbst?", warf Elias ein. Seine vertraute Stimme hallte durch den Raum. „Ihr benehmt euch wie Kinder."

„Sagt der frisch gepaarte Alpha."

„Elias hat recht", sagte ein anderer. Seine Stimme war

schroff, wie die von dem, der allen empfahl, Ander nicht herauszufordern. Ich vermutete, dass es Burje sein könnte, aber ich hatte ihn vorhin nicht genug sprechen gehört, um mir sicher zu sein. „Seht ihr nicht, wie sehr ihr das arme Mädchen verängstigt? Ihr sprecht von ihr, als ob sie keine Wahl hat."

„Tut sie auch nicht", knurrte jemand. „Omegas unterwerfen sich. Hast du das vergessen, Burje?"

„Ich wette, er lässt sich von Alyona dominieren", war eine der gemurmelten Antworten.

Kichern brach aus und Spott folgte, bis ein Knurren sie alle zum Schweigen brachte.

Ein Knurren, bei dem ich meine Schenkel zusammenpresste, da mich die Autorität in diesem Laut überwältigte.

*Oh, Ander …*

„Genug", forderte mein Alpha. Seine Wut vibrierte in seiner Brust und strömte durch meine Arme hindurch zu meiner.

Ich wimmerte hinter ihm und meine Erregung drohte meine Oberschenkel zu benetzen.

*Nicht jetzt, nicht hier!*

„Lasst uns abstimmen", forderte die freche Stimme, „da du Diplomatie bevorzugst."

„Es gibt nichts abzustimmen", antwortete Ander. „Katriana gehört mir. Sie trägt mein Kind in sich. Ich werde sie einfordern, wenn die Zeit reif ist."

„Ah, aber hat sie dich gewählt?", höhnte eine tiefe Stimme. Alle Härchen auf meinem Armen stellten sich auf. „Sagtest du nicht, dass Omegas wählen sollen, mit wem sie sich paaren?"

Ander wurde starr. „Das ist also die Art und Weise, wie ihr mir eure Dankbarkeit für fast ein Jahrhundert der Führung zeigt. Ich habe unermüdlich daran gearbeitet, euch mit einer neuen Flotte von Omegas zu versorgen und nun ...“

Stille erfüllte den Saal, als seine Worte verklangen.

„Interessant“, erwiderte er und senkte seine Arme, die vor einem Moment noch schützend um mich geschlungen waren. „Ihr wollt, dass sich meine Omega öffentlich für mich entscheidet, anstatt mir zu vertrauen?“ Die Worte drangen in einem Plauderton aus ihm heraus, der nicht zu der Anspannung passte, die seine Muskeln ballte. „Soll ich es als die Beleidigung auffassen, die es ist, oder es hinnehmen, weil ihr alle wegen des Geruchs der fruchtbaren Omegas den Verstand verloren habt?“

Ich zuckte zusammen, denn seine Worte waren hart, aber ich verstand, was er damit sagen wollte.

Hierarchie war für Wölfe sehr wichtig, und sein Rudel hatte ihren Anführer gerade herausgefordert, weil sie seinen Worten nicht trauten. Ander war zu Recht wütend, und ich spürte, dass es nicht nur der Mangel an Vertrauen war, der ihn wütend machte, sondern auch die sehr reale Bedrohung, die in der Luft lag.

Er wollte nicht, dass sie mir den Hof machten, weil ich bereits ihm gehörte.

Das hatte er heute Abend bewiesen, sowohl im Aufzug, als auch in diesem Saal. Er hatte keine andere Omega angesehen, denn seine Augen waren die ganze Nacht auf mich gerichtet gewesen. Ich spürte seinen Anspruch bis in die Knochen, während sein Wolf unter der Oberfläche seiner Haut herumschlich und auf der Lauer lag, bis sein Befehlshaber ihn zur Hilfe rief, um diejenigen herauszufordern, die es wagten, seinen Anspruch infrage zu stellen.

„Es lässt sich alles mit ein paar Worten von ihr klarstellen“, stellte eine harsche Stimme fest. „Lass sie einfach hier öffentlich ihre Wahl bekannt geben, und dann können wir mit diesem Schwachsinn aufhören."

„Du akzeptierst mein Wort also nicht?", fragte Ander mit einem unterschwelligen, erstaunten Ton, der mich mitten ins Herz traf. Diese Andeutung war von jemandem gekommen, dem mein Alpha vertraut hatte. Einem Freund.

Mir wurde klar, wie sehr ihn diese Zurschaustellung von Misstrauen störte.

Fast einhundert Jahre lang hatte er diesen Clan geführt, und sie glaubten nicht, dass er mich fair behandelte.

Am Anfang hätte ich ihnen vielleicht zugestimmt. Er hatte mich in einem Moment der Schwäche genommen, aber ich hätte ihn zu jedem Zeitpunkt gewählt. Ja, mein Körper hatte ohne die Zustimmung meines Geistes reagiert.

Doch ich würde lügen, wenn ich behaupten würde, dass ich es nicht gewollt hatte. Es diente jetzt lediglich als Möglichkeit, es ihm später vorzuhalten.

Er hatte meinen Geist gebrochen, bevor ich die Chance hatte, zu reagieren.

Er hatte gesagt, ich sei nicht seine Gefährtin.

Das hatte mehr wehgetan als alles andere, was er mir hätte antun können, denn zu diesem Zeitpunkt hatte ich mich bereits für ihn entschieden, auch wenn ich es noch nicht erkannt hatte.

Meine Wolfshälfte war viel spontaner als meine menschliche Seite. Meine Wölfin sah, was sie wollte, und ging dem nach, während mein menschlicher Verstand ständig jede Situation analysierte.

Aber ich hatte ihn von Anfang an als meinen Gefährten erkannt, als mein Körper sich unterwerfen wollte, bevor ich verstehen konnte, was zum Teufel ich da tat.

„Es geht nicht darum, was ich denke", antwortete die schroffe Stimme schließlich. „Die anderen hier brauchen etwas Versicherung, also gib es ihnen, damit wir die Sache begraben können."

„Indem ich meine vorgesehene Gefährtin in Verlegenheit bringe und sie nach ihrer Wahl frage?", fragte Ander. „Etwas, das du niemals einem anderen Alpha zumuten würdest, schon gar nicht einem in meiner Position?"

Ich runzelte die Stirn hinter seinem Rücken. Ich verstand zwar die angedeutete Beleidigung der Situation, aber es würde mir nicht schwerfallen, mich öffentlich für ihn zu entscheiden, um das ganze Durcheinander zu beruhigen, wie der Fremde es vorgeschlagen hatte.

Vielleicht ging es ihm ums Prinzip der Angelegenheit, das Ander davon abhielt, zuzustimmen.

*Oder er hat Angst, dass ich mich nicht für ihn entscheide …*

Der Gedanke traf mich hart, sodass mein Mund sich vor Schreck öffnete.

*Oh. Mein. Gott.*

Das war genau der Grund, warum er sich weigerte. Er dachte, ich würde ihn zurückweisen.

Das Gespräch im Aufzug kam mir in Windeseile wieder in den Sinn, als ich Nein gesagt hatte, während er erklärte, dass es keine Wahl gäbe, und dass ich bereits zu ihm gehörte.

Meine Proteste hatten nichts mit seinen Aussagen zu tun, oder mit der Tatsache, dass er mich noch nicht beansprucht hatte, was meine Worte unwahr machte.

Aber er hatte gerade einem Raum mit unzähligen Alphas gesagt, dass ich seine Bestimmung sei. Er hatte mich physisch genommen, bevor er den Raum betreten hatte, um sicherzustellen, dass wir nacheinander rochen. Seine Absichten hätten nicht offensichtlicher sein können. Ich habe sie nur bis jetzt nicht wahrgenommen.

Meine Wahl war das Einzige, die unklar blieb.

„Du hältst uns hin", warf ein anderer Alpha ein.

„Ich halte euch nicht hin, verdammt", spuckte er zurück,

aber ich konnte seine Lüge durchschauen. „Ich bin wütend auf meine verdammten Ratsmitglieder, die meine Position untergraben. *Schon wieder.* Ich bin nicht ohne Grund der Alpha dieses Sektors, und wenn ihr mich aus dieser Position entheben wollt, dann gebt euer Bestes. Ich werde mich aber nicht auf diese Weise infrage stellen lassen."

Meine Knie zitterten, als eine weitere Welle der Aggression von Ander in den Raum strömte, seine Wut spürbar und fordernd nach Unterwerfung.

*Nein*, sagte ich und zwang meine Beine durchzuhalten. *Nein!*

Ich konnte mich nicht verbeugen oder auf die Knie fallen, nicht, wenn er mich brauchte.

Nicht, wenn ich etwas zu sagen hatte.

Ich ließ ihn los und machte einen unsicheren Schritt nach vorn, wobei meine Absätze laut auf den Marmorboden klackerten. Ich erschauderte, als Ander sich umdrehte und mir erlaubte, alle Alphas vor ihm zu sehen.

*Mindestens sechzig.*

Ich wusste, dass es unter der Kuppel mehr Männer gab als Frauen, basierend auf das, was Riley mir erklärt hatte. Vielleicht durfte nur ein bestimmter Teil von ihnen an der heutigen Veranstaltungen teilnehmen. Ich würde Ander später danach fragen müssen, zusammen mit tausend anderen Fragen, die in meinem Kopf herumschwirrten.

Ich schluckte und begegnete seinem brennenden Blick. „Geht es dir gut?", fragte er leise. Sein Tonfall war viel sanfter als der, mit dem er seine Alphas ansprach.

„Nein", gab ich zu, „mir geht es nicht gut." Ich räusperte mich und versuchte, meine Stimme und die Worte zu finden, die ich sagen wollte.

Es wäre so einfach, ihm jetzt seine gefühllose Aussage zurückzuwerfen.

*Du bist nicht meine Gefährtin.*

Vor ein paar Wochen hätte ich das vielleicht auch getan, damit er sehen würde, wie es sich anfühlte, aber, als ich die Besorgnis erblickte, die aus seinen Augen strahlte, und nicht nur wegen meines Eingeständnisses, dass es mir nicht gut ging, wusste ich, dass diese Worte ihn noch mehr verletzen würden, als sie mich verletzt hatten.

Weil ich ihn vor den anderen Alphas untergraben würde.

Ganz zu schweigen davon, dass ich ihn öffentlich anprangern würde. Es wäre etwas, das er mir nie antun würde. Eigentlich hatte er heute Abend genau das Gegenteil getan.

Also richtete ich mich zu meiner vollen Größe auf, um die Männer im Raum anzusprechen, während ich mein Bestes tat, ihre erhitzten Blicke zu ignorieren.

Ich räusperte mich und holte tief Luft, um sicherzugehen, dass meine Stimme kräftig genug war, um im ganzen Saal gehört zu werden.

„Ich wähle Ander Cain."

# KAT

MEINE ERKLÄRUNG WAR für alle im Raum unmissverständlich, aber nur ein Alpha musste meine Worte wirklich hören.

Es war jener, der mit einem schockierten Gesichtsausdruck vor mir stand, welcher alle meine Vermutungen bestätigte. Er dachte, ich würde ihn nicht so beanspruchen, was mir etwas sehr Wichtiges über ihn zeigte …

Er hatte das Gefühl, mich nicht zu verdienen, und vielleicht tat er das nicht nach all dem, was er mir angetan hatte. In dieser neuen Welt zu sein, bot mir die Möglichkeit, neu anzufangen, mich neu zu erschaffen. Ich hatte die Chance, die Person zu werden, die ich immer sein wollte, innerhalb der Parameter, die dieser Sektor vorgab.

Sein Rudel mag mein Schicksal erzwungen haben, aber ich bestimmte meine Zukunft und wie ich in die X-Clan-Welt passen würde.

Ich hatte mich für Ander Cain entschieden.

Kein anderer Mann in diesem Raum erregte mich so wie er, was sehr deutlich wurde, als alle knurrten.

Keiner von ihnen beeinflusste mich, bis Ander einen ähnlichen Ton von sich gab und ich die Vibration seines Knurrens in meiner Brust spürte. Ein einziger Blick auf ihn ließ meine Beine zusammen schnellen, und eine neue Welle der Erregung drohte, sich zwischen meinen Schenkeln auszubreiten.

Doch es war mehr als nur Lust. Es war eine neue Verbindung, die meine menschliche Hälfte zwar nicht verstehen konnte, aber mein Wolf schon. Es war eine Verbindung unserer Seelen, die mich für immer zu ihm hinzog, egal was auch passieren würde.

Er packte mich und zog mich zu einem Kuss an sich heran, der mich bis in meine Seele brandmarkte. Ich schlang meine Arme um seinen Nacken, als meine Füße den Boden verließen, und er legte seine Hände auf meine Hüften, trug mich aus dem Saal und ließ seine Wölfe ohne ein Wort zurück.

Entweder war meine Erklärung genug gewesen, um sie zum Schweigen zu bringen, oder es war ihm einfach egal. Vielleicht beides.

Seine Zunge streichelte meine, sein Mund eine flüsternde Liebkosung.

Die Haut an meiner Taille brannte fast unter der Berührung seiner Hände.

Ich schloss meine Augen und gab mich ihm völlig hin. Alles, was ich innerlich fühlte, der Schmerz, die Bewunderung, die Angst und Verwirrung, wurde zu seinem, als unsere Münder sich in einer feurigen Leidenschaft begegneten, die alle vorherigen Interaktionen übertraf.

*Die Vereinigung unserer Seelen …*

Unsere Wölfe kommunizierten auf einer ganz neuen Ebene, die nicht nur auf Verlangen beruhte, sondern auf etwas viel Intensiverem.

Er *absorbierte* mich, nahm die Hauptlast all meiner Qualen der letzten Monate von mir und ersetzte den Schmerz mit beruhigenden, heilenden Liebkosungen. Ich konnte förmlich spüren, wie er mich wieder zusammensetzte. Eine Fraktur nach der anderen.

*Er berührt meine Seele und mein Herz.*

Es war ein so berauschendes Gefühl, dass ich nicht unterscheiden konnte, ob es Realität war oder Einbildung. Was auch immer die Ursache war, ich stürzte mich kopfüber hinein und akzeptierte alles, was er mir geben wollte.

„Leg deine Beine um mich", sagte er und stieß mit dem Versuch, unser Gleichgewicht zu halten, gegen die Wand vor dem Aufzug, während er einen Knopf zum Öffnen drückte.

Mein Kleid rutsche über meine Taille und entblößte mich für jeden, der in der Nähe war. *Lass sie sehen,* dachte ich, *was dieser Alpha mit mir anstellt.* Ich war so feucht für ihn. Meine feuchte Erregung durchnässte die Vorderseite seiner Hose, als ich meinen heißen Kern direkt über sein härter werdendes Glied rieb. *Meiner!*

Der Aufzug kam an und Ander bewegte uns von einer Wand zur nächsten, als er irgendwie den Code eintippte, um uns in seine Suite zu bringen.

Ich fuhr mit meinen Zähnen an seiner Unterlippe entlang und biss ihn sanft.

Er knurrte als Antwort, was dazu führte, dass ich mich wollüstig gegen ihn wölbte. Mein Körper antwortete auf seinen Ruf. „Ander ..."

„Ich muss dich ficken, Katriana", stöhnte er und glitt mit seinem Mund an mein Ohr, um daran zu knabbern, „um dich meinen Namen schreien zu hören und dich auf meinem Schwanz kommen zu spüren, bevor ich dich so tief verknote, dass du mich noch tagelang spüren wirst."

Ich zitterte bei dem Gedanken, während Vorfreude durch meine Adern pulsierte. „Ja."

„Es wird wehtun, Baby."

„Ich weiß."

„Aber es wird sich auch gut anfühlen", versprach er.

„Ich weiß", wiederholte ich.

Unsere Umgebung verschob sich um uns herum, als der Aufzug sich öffnete und Ander mich direkt in sein Penthouse hineintrug, bevor er die Tür mit einem Tritt zuschlug.

Sein Mund wanderten an meinem Hals auf und ab.

Sein Griff wurde fester.

Sein Schwanz drückte gegen seinen Reißverschluss.

Unsere Verbindung war so viel wärmer, leidenschaftlicher und lebendiger, es waren aber zu viele Kleidungsstücke zwischen uns.

Ich war dabei, an seinem Anzug zu zerren, bevor mein Verstand einen Kurzschluss erlitt, denn sein amüsiertes Glucksen fuhr direkt in meine heiße empfindliche Mitte.

Er warf mich auf sein Bett und er beugte sich über mich, während er seine Anzugsjacke und sein Hemd aus dem Weg zog. „Halt dich am Kopfende fest", sagte er mir, „und lass nicht los, es sei denn, ich gebe dir die Erlaubnis."

Ich presste meine Lippen zusammen, um zu knurren, und ballte meine Hände zu Fäusten. Ich war mit seiner Forderung nicht einverstanden, gehorchte jedoch und ergriff die glatten Metallstangen des Bettes.

„Gute Omega", lobte er, als er seine Handfläche um meinen Hals legte, bevor er sie zum V-Ausschnitt meines Kleides gleiten ließ.

„Katriana", schnauzte ich. Wenn er mich noch einmal Omega nannte, während wir Sex hatten, würde ich ihn verdammt nochmal umbringen.

Sein Mund zog sich an einer Seite hoch. „Katriana", stimmte er zu, packte mein Kleid und riss es in der Mitte durch.

Ich zuckte überrascht zusammen, denn mein Körper lag plötzlich völlig nackt unter ihm, als die Seide sich um mich herum löste. Geschickt öffnete er die Schnallen meiner Schuhe und streifte sie mir von den Füßen, bevor er innehielt und jeden Zentimeter meiner entblößten Gestalt musterte.

„Wunderschön", sinnierte er und beugte sich vor, um eine meiner aufgestellten Brustwarzen zwischen seine Zähne zu nehmen. Fast hätte ich das Kopfteil losgelassen, aber der warnende Schimmer in seinen Augen ließ mich innehalten.

Sein Name verließ meine Lippen wie ein Fluch, und mein Inneres pulsierte vor Verlangen, während mein feuchter Kern sich zusammenzog.

Ich sehnte mich nach Reibung.

Ich brauchte *ihn*.

Seinen Schwanz und dessen tiefen, süchtig machenden Stöße.

Dieses Mal stöhnte ich seinen Namen und zitterte unter seinem geschickten Mund, als er seine Aufmerksamkeit meiner andere Brust zuwandte. „Du hast *mich* gewählt", staunte er leise, als seine goldenen Augen die meinen fanden.

„Es gab nie eine Wahl", antwortete ich und wölbte meine Hüften. „Das wissen wir beide."

Er beobachtete mich einen Moment lang, während die Hitze seines Atems meine feuchte Brustwarze kitzelte. „Du wolltest keine Wahl haben. Nicht wirklich."

„Vielleicht", stimmte ich zu, als mein Griff fester wurde. „Oder vielleicht hast du die unvermeidliche Entscheidung für mich getroffen und mir die Zeit erspart, die ich brauchen würde, um dieselbe Schlussfolgerung zu ziehen."

„Dass wir füreinander geschaffen sind", schlussfolgerte er, bevor er meinen Nippel tief in seinen Mund zog.

„*Jaaaaa*", zischte ich.

Verdammt … das war noch heißer als sonst.

Denn zum ersten Mal waren meine Wolfs- und meine Menschentriebe auf der gleichen Seite. Ich wollte Ander und niemanden sonst.

„Mein Wolf kennt dich", staune ich kopfschüttelnd. „Es ergibt keinen Sinn, aber ich fühle es in mir."

„Seelenverwandte", murmelte er und leckte über meine Brust, bevor er sich seinen Weg nach unten bahnte zu der Stelle, an der ich ihn am meisten begehrte. „Wir sind Seelenverwandte, Katriana", sagte er gegen meinen Kitzler.

„Ja!", keuchte ich. Ich hatte nie an so etwas geglaubt, vor allem, weil ich den Gedanken daran nie in Erwägung gezogen hatte. Warum sollte ich auch, wenn ich erwartete, jung zu sterben? Ich entschied mich, Romantik nicht in Betracht zu ziehen.

Doch der Andorra Sektor bot mir eine Erfahrung, der ich aus Verärgerung ins Gesicht gespuckt hatte. Ich wollte mein Schicksal selbst in die Hand nehmen, und nicht, dass es mir in den Schoß fiel. Ich wäre verrückt, die Möglichkeit der Unsterblichkeit abzulehnen, einen starken Gefährten zu finden, Kinder zu haben, oder die Möglichkeit zu haben, in einer Welt zu leben, in der ich nicht in Angst leben und mich fragen musste, welcher Tag mein letzter sein würde.

Ein trostloser Vergleich, aber das war meine Realität.

*Ander Cain ist mein Seelenverwandter.*

War das der Grund, warum er so lange ohne eine Omega gelebt hatte? Er musste mehr als nur der Wunsch gehabt haben, sich zu paaren, denn Ander existierte schon, bevor der Andorra Sektor ins Leben gerufen wurde. Hatte er die ganze Zeit auf mich gewartet?

Seine Zähne streiften meine empfindlichsten Stellen, während seine Zunge in mich eindrang und vorübergehend auf den Mond schoss. Eine Sekunde später ließ er mich los, um sich wieder auf seine Knie zurückzusetzen.

Ich öffnete meinen Mund, um zu protestieren, aber seine Finger brachten mich zum Schweigen. Meine Kehle wurde trocken, als er langsam seine Krawatte löste, sein Hemd aufknöpfte und seinen Oberkörper enthüllte. Die kleinen

Härchen entlang seines Unterleibs weckten meinen instinktiven Drang, ihn zu berühren, sodass ich fast wieder das Kopfteil losgelassen hätte. Ich wollte mit meiner Zunge über ihn fahren und mir jede muskulöse Vertiefung seines Bauches einprägen, bevor ich mich tiefer wagte.

„Du siehst hungrig aus", sagte er grinsend.

„Das bin ich", gab ich zu, „aber mir ist nicht nach Essen."

Er neigte den Kopf zur Seite. „Ich habe dich im Aufzug gefüttert, Kätzchen. Du kannst unmöglich schon wieder mehr brauchen, es sei denn, es war nicht genug?"

„Nein." Ich zuckte zusammen, als sein Hemd, Jackett und seine Krawatte auf den Boden fielen. „Gott, ich brauche dich. Fick mich, Ander!"

Seine Hand stoppte an seinem Gürtel. „Ja? Du willst mich in dir, Baby?"

„Ist das der Schmerz, den du erwähnt hast?", fragte ich und presste meine Schenkel zusammen, um die nötige Reibung zu erzeugen. „Du bringst mich um den Verstand."

Seine Handflächen landeten auf meinen Knien und zogen sie auseinander, um mich − mein *ganzes* Ich − seinem Blick auszusetzen. „Beweg dich nicht."

Ich knurrte als Antwort und Feuer entzündete mein Blut, als mein Unterleib sich zusammenzog. Meine Erregung durchdrang die Luft, als es fast aus mir herausprudelte. Ich flehte ihn an, endlich zu tun, was ich wollte. „*Ander.*"

„Katriana." Er saß da und beobachtete, wie sich jedes Härchen an meinen Armen und Beinen aufstellte. „Du bist so feucht."

*Ach wirklich*, wollte ich ihm sarkastisch entgegnen, aber stattdessen entkam mir nur ein Wimmern.

„Ich liebe es, wenn du mich so ansiehst", sagte er und streifte seinen Gürtel ab. „Feucht. Begierig. An der Grenze des Abgrundes. Sag mir, wie sehr du jetzt dieses Kopfteil loslassen und dich zum Höhepunkt fingern willst, Katriana."

„Es würde nicht funktionieren", gab ich zähneknirschend zu. „Es wäre nicht genug."

Er gluckste. „Du hast recht. Es würde dich nur noch mehr quälen." Er beugte sich vor, küsste und liebkoste meine empfindliche Knospe und ließ mich heftig erzittern. „So ein gutes Kätzchen", flüsterte er. „Hm, ich will, dass du für mich schnurrst."

Ich wollte ihm gerade sagen, dass ich das nicht kann, als er mir das Gegenteil bewies, indem er so stark saugte, dass er mich buchstäblich in einen Rauschzustand versetzte. Der Schrei, den ich ausstieß, schmerzte in meinen Ohren, aber er verblasste im Vergleich zu den Qualen, die meinen Unterleib in zwei Teile spalteten.

Trotz der Ekstase, die durch meinen Bauch schoss, befriedigte mich der Orgasmus nicht im Geringsten. Wenn überhaupt, dann machte er mich nur noch heißer und bedürftiger. „Ander", schrie ich, während Tränen drohten, mir in die Augen zu schießen.

Meine Finger schmerzten vom Festhalten des Kopfteils, und meine Oberschenkel zitterten von der Zurückhaltung, die es brauchte, um sie offenzuhalten.

Verdammt, es tat weh.

*So, so sehr …*

Wenn er mich nicht bald ficken würde, würde ich zerbrechen. Ich würde sterben.

Ein Schluchzen zerriss meine Brust und der Lustschmerz pochte noch immer tief in mir. Mein Kern brauchte Ander, um glücklich zu sein. *„Ander, bitte."*

„Shh, ich bin hier", flüsterte er. Sein Mund schloss sich über meinem, während sein Schwanz mit untrüglicher Genauigkeit in mich hineinglitt. Ich hatte nicht einmal gemerkt, dass er sich ausgezogen hatte, war zu sehr in die Empfindungen versunken, die meinen Geist überfluteten.

Aber, oh … Es fühlte sich gut an. Die Art, wie er mich jedes Mal tiefer traf, um diesen Punkt in mir zu berühren, der Sterne vor meinen Augen blitzen ließ.

Seine Lippen und die perfekten Küsse, in denen ich mich verlieren konnte … einfach faszinierend.

Er fickte meinen Mund mit seiner Zunge und dominierte mich in jeder Hinsicht. Ich wimmerte. Ich wollte ihn berühren, und irgendwie wusste er es. „Leg deine Arme um mich, Baby", sagte er leise und strich über meine Unterlippe, bevor er tief eintauchte und mir den Atem raubte.

Ich packte ihn härter als das Kopfteil, und hielt mich mit aller Kraft an ihm fest, als er sein Tempo zu einer brutalen Geschwindigkeit erhöhte, die mich in die Matratze hämmerte.

*Mehr, mehr, mehr!*, rief meine Wölfin. Sie wollte gebissen und beansprucht werden, wie er es schon vor Monaten hätte tun sollen, aber er küsste mich stattdessen.

Sein Körper besaß meinen auf eine ganz andere Art und Weise. Er gab mir keine Zeit, mich zu beschweren, oder den Raum, den ich bräuchte, um darüber nachzudenken, denn jeder Stoß brachte mich dem Orgasmus näher, der mein Konzept der Realität zu erschüttern drohte.

Ich keuchte.

Krallte mich an seinem Rücken fest.

Schrie seinen Namen.

Wurde wild vor Verlangen.

Aber er behielt die volle Kontrolle und führte uns beide in seiner eigenen Geschwindigkeit zum Höhepunkt.

Ich bettelte.

Er gab.

Ich zitterte.

Er drängte.

Ich seufzte vor Frustration.

Er stöhnte in Erwartung.

Geben und Nehmen.

Hin und her.

Härter und schneller.

Sein Knoten wuchs.

*Endlich*, dachte ich, als eine Welle der Euphorie über mir zusammenbrach, die die Welt verstummen ließ und mich atemlos machte, während er mit mir über die rauschhafte Klippe stürzte.

Ein Teil von mir erkannte, dass diese Art von Sex einen Sterblichen umgebracht oder zumindest starke Schmerzen hinterlassen hätte.

Aber ich begrüßte das Pochen zwischen meinen Schenkeln und war zufrieden mit dem Schmerz seiner Dominanz. Es gab mir das Gefühl, lebendig zu sein.

Vollkommen besessen von meinem Alpha. *Beansprucht* …

„Du hast mich nicht gebissen", schaffte ich, zu sagen, während sein Sperma in mich hineinströmte.

„Noch nicht", flüsterte er und kraulte meinen Nacken, „aber das werde ich."

„Wann?", drängte ich, was ihm ein Schmunzeln entlockte.

„Bald", versprach er. „Ich möchte dir vorher noch etwas zeigen."

Ich runzelte die Stirn. Was könnte er mir zeigen wollen? „Was?"

„Du wirst es bald herausfinden", antwortete er und knabberte an meinem Ohr. „Vertrau mir."

# ANDER

Die Uhr an mein Handgelenk vibrierte, als ich Katriana ein weiteres Kissen reichte. Ich sah Elias' Namen, ignorierte den Anruf und konzentrierte mich auf meine zukünftige Gefährtin.

Sie war vor etwa vier Stunden in den Nestbau-Modus übergegangen. Als ich versuchte, ihr zu helfen, schob sie mich mit einem Knurren weg. Also wechselte ich die Taktik und fing an, ihr Dinge aus meine Suite zu reichen, einschließlich des Kissens von der Couch ...

Welches sie mit einem finsteren Blick auf den Boden warf.

*Okay ...*

Ich ging zurück zu meinem Kleiderschrank, durchsuchte meine schmutzige Wäsche nach weiteren Hemden und brachte sie ihr als Opfergabe.

Sie schnupperte daran, schnappte sich eins mit einem Seufzer und fügte es zu ihrem Meisterwerk hinzu. Die Art und Weise, wie sie auf und ab ging, sagte mir, dass sie mehr wollte, also ging ich auf die Suche nach zusätzlichem Bettzeug und reichte ihr alles, was ich finden konnte.

Ich zog mir saubere Kleidung an und schaltete das Gerät an meinem Handgelenk aus, als es erneut vibrierte. Was auch immer Elias brauchte, konnte warten. Katrianas

Nestbau war viel wichtiger. Es bedeutete, dass sie sich wieder lebendig fühlte, geheilt, und ich hatte vor, bei jedem Schritt für sie da zu sein.

Sie riss mir meine Jeans aus den Händen und fuhr mit ihren Fingern ehrfürchtig über den Stoff, bevor sie meine Hose faltete sie und auf meinen Nachttisch legte. Sie schnappte sich das Baumwollhemd, das ich über meinen Arm gelegt hatte und fügte es zu ihrer Kreation hinzu.

Sie neigte ihren Kopf zur Seite, die Hände auf ihre nackten Hüften gestützt, und atmete tief und zufrieden ein. Ich stand still und wartete, als eine Hand zu ihrem Unterleib wanderte. Die schützende Geste erwärmte mein Herz. „Ja", flüsterte sie, „das wird reichen."

Sie stieg in ihr Nest, wackelte herum, um den perfekten Platz zu finden, und sah mich erwartungsvoll an.

Ich konnte diese unverhohlene Einladung meiner nackten Omega nicht ausschlagen, also gesellte ich mich wortlos zu ihr und starrte ihr in die Augen, während sie mich wölfisch musterte. Sie streichelte meine Wange, bevor sie ihren Daumen an meine Unterlippe schmiegte. „Danke, dass du mir geholfen hast."

„Du hast den größten Teil der Arbeit gemacht." Ich legte meinen Arm um ihren Nacken. „Ich habe nur das Material geliefert."

„Der Instinkt", flüsterte sie, „mich in deinen Sachen zu suhlen und zu vergraben, ist merkwürdig."

„Omegas fühlen sich geschützt, wenn sie sich *eingraben*", erklärte ich leise und benutzte ihren Begriff, „und schwangere Weibchen werden in den späteren Stadien ihrer Schwangerschaft sehr beschützend mit ihren Nestern."

„Wirklich?"

Ich nickte. „Ja. Das Bedürfnis wird noch viel stärker sein, wenn das Baby geboren ist. Ich wette, du wirst mich unser Kind nicht einmal ohne eine Debatte halten lassen." Ich grinste bei dem Gedanken und zog sie für einen langen Kuss an mich, der schnell heißer wurde, als ihre Zunge in meinen Mund glitt.

Gehört zu haben, wie sie vor zwei Nächten dem ganzen Raum gesagt hatte, dass sie sich für mich entschied, hatte etwas tief in mir befreit. Ich wollte sie mehr denn je für mich beanspruchen, aber ich wollte auch, dass es zur richtigen Zeit und am richtigen Ort passierte.

Das hatte mich auf eine Idee gebracht, die ich umsetzen würde, sobald wir das neue Nest eingeweiht hatten.

Ich bewegte mich über sie und ließ mich zwischen ihren bereits gespreizten Schenkeln nieder. *Paarungsruf …* Katriana war immer bereit für mich.

Sie stöhnte, als ich in sie eindrang und meine Hüften ein träges Tempo vorlegten. Ich wollte alles in mich aufnehmen, sie verschlingen, mir jedes einzelne Stöhnen einprägen und alles dann noch einmal tun, nur um zu sehen, was ich tun könnte, um ihre Reaktionen zu verändern.

Schnelle Stöße brachten sie zum Keuchen.

Langsame Streicheleinheiten führten zu einem Miauen nach mehr.

Kräftige Stöße entlockten ihr Gestöhne und Flüche, die mit meinem Namen verbunden waren.

Als ich ihren Hintern umfasste, um ihre Hüften anzuwinkeln und mich noch tiefer in sie hineinzudrängen, schrie sie auf. Hm, das war meine Lieblingsreaktion. Kein Schmerz, nur exquisite Lust.

Ich eroberte ihren Mund und küsste sie ehrfürchtig.

„Ander, Ander, Ander", sang sie gegen meine Lippen. Ich wusste, wonach sie sich sehnte, und ich gab es ihr, denn ich sehnte mich auch nach der Erlösung und nach unserer gemeinsamen Leidenschaft, die aus uns beiden strömte, während ich sie verknotete.

Als wir fertig waren, war unser Nest war vollständig getauft. Es ließ uns befriedigt und seufzend ruhen.

Ich rollte mich auf die Seite und zog sie auf mich, damit sie ihren Kopf an meine Brust schmiegen konnte, als unser vermischter Duft uns in eine berauschende Wolke der Ekstase hüllte.

„Ich werde mich nie wieder bewegen", sinnierte sie erschöpft und zeichnete Muster über meine Haut. „Ich hoffe, dass du dich wohlfühlst."

Humor brodelte in meiner Brust auf. „Irgendwann müssen wir etwas essen."

Sie griff zwischen uns, zog einen Finger durch ihre Falten und brachte die Mischung unserer Erregungen an ihre Lippen.

„Katriana", stöhnte ich, als sie die Säfte von ihrer Haut leckte. Mein Schwanz reagierte und dehnte sich schnell wieder zu einer vollen Erektion aus. „Du bringst mich noch um, Frau."

Ihre Lippen öffneten sich. „Gut, dass Wölfe nicht so leicht sterben." Sie krabbelte nach oben, setzte sich auf mich und beugte sich herunter, um etwas von dem exotischen Geschmack in meinen Mund zu bringen.

Ein aufdringlicher Geruch ließ mich sie runterziehen, während ein warnendes Knurren meinen Mund verließ. „Du hast Glück, dass ich dich als meinen Vize schätze, Elias."

Er schnaubte. „Du gehst nicht an dein Funkgerät."

Ich zog die Decke so weit zurück, dass ich ihn im Türrahmen stehen sehen konnte. „Weil ich beschäftigt bin, Trottel."

„Und das warst du auch, als Jonas an deine Tür geklopft hat. Anscheinend ignorierst du ihn ebenfalls." Die Irritation in seinem Tonfall machte meiner eigenen Konkurrenz. „Du weißt, dass ich dich nicht belästigen würde, wenn es nicht wichtig wäre."

„Was ist passiert?", verlangte ich.

„Jemand ist in die Lagerschränke eingebrochen und hat ein Dutzend Fläschchen mit X-Clan Serum gestohlen." Das war genug, um mich von meinen schützenden Gedanken zu befreien. Ich rollte von Katriana herunter und setzte mich auf, während sie sich unter den Decken versteckte.

„Deinem Gesichtsausdruck nach zu urteilen, weißt du bereits, wer es war", sagte ich und bemerkte die angespannten Falten um seinen Mund.

Er nickte. „Die Überwachungsvideos haben Kaspian erwischt, als in der Nacht des Treffens eingebrochen ist."

„Scheiße", murmelte ich und rieb mir mit der Hand über mein Gesicht. „Ich wusste, dass seine Abwesenheit nicht normal war. Er hätte Mad nie ohne Grund zurückgelassen." Es hatte sich einfach nicht richtig angefühlt. „Ich habe es sogar kommentiert."

„Ich weiß, aber alle waren zu sehr auf das Treffen konzentriert, um klar zu denken", erwiderte Elias. „Du hättest sie sehen sollen, nachdem ihr weggegangen seid." Er schüttelte den Kopf. „Das einzig Gute daran war, dass Samuel endlich zur Vernunft gekommen ist. Er hat den Alphas gesagt, dass das Umwerben und ein respektvoller Umgang mit den Weibchen der richtige Weg ist, wenn wir mehr Omegas bekommen wollen."

„Ein kurzer Sieg, nur um von Kaspians Dummheit in den Dreck gezogen zu werden." Ich seufzte und schüttelte den Kopf. „Ich kann nur raten, was Enzo und Artur jetzt sagen."

„Sie wollen Blut."

„Natürlich tun sie das. Wie sollten sie sonst mit der Situation umgehen?" Den verdammten Rohlingen fehlte die Fähigkeit, strategisch zu denken und über den Tellerrand hinauszusehen. „Lass mich raten ... Enzo will einen Luftangriff auf die Ash Wolves durchführen?"

„Nein, er will alle Omegas töten, weil er überzeugt ist, dass sie Spione sind."

Mir gefror das Blut in den Adern. „*Was?*"

„Verstehst du nun, warum ich deine kleine Zeit des Nestbaus unterbrochen habe?"

„Warum zum Teufel hast du nicht mit dieser Information angefangen?", verlangte ich und verließ die Bequemlichkeit meines Bettes, um in Richtung meines Badezimmers zu gehen. Ich holte mir meinen Bademantel, obwohl Elias mich schon unzählige Male nackt gesehen hatte. Er hatte meinen Gestaltwandel und all das, was damit verbunden war, schon oft gesehen, aber ich musste mir etwas anziehen, bevor ich mit den Telefonaten begann.

„Ich habe sie alle hinter einem Bataillon vertrauenswürdiger Alphas versteckt", sagte Elias, als er gegen den Türrahmen lehnte. Die Pose, die er einnahm, drückte Gelassenheit aus.

„Und Daciana?"

„Sie ist bei ihnen und versucht, zu helfen, die Mädchen zu beruhigen. Einer von Enzos Idioten hat versucht, den Tötungsbefehl in seine eigenen Hände zu nehmen und sich die neueste Omega namens Narcisa geschnappt. Samuel hat ihn erwischt und ihm die Kehle aufgeschlitzt."

„Wer?"

„Tonic."

Ich schüttelte den Kopf. „Sag mir, dass er tot ist."

„Leider nein." Elias presste seine Lippen so fest aufeinander, dass sie weiß wurden. „Es war eine oberflächliche Wunde, die ihn außer Gefecht gesetzt hat. Ich habe ihn in den Kerker einsperren lassen und warte auf deinen Befehl."

„Kein Wunder, dass du immer wieder angerufen hast."

„Und ich wäre schon früher hier oben gewesen, um deinen Arsch runterzuziehen, wenn ich nicht damit beschäftigt gewesen wäre, mich um das Chaos zu kümmern, das sich in deinem Sektor abspielt."

„Deshalb bist du mein Vize", sagte ich, während ich mir im Geiste bewusst machte, dass ich ihm viel schuldete.

„Das bin ich in der Tat." Er hob eine Braue. „Also, wo willst du anfangen?"

„Ich muss mit Dušan sprechen", antwortete ich und schaltete meine Armbanduhr wieder ein. „Unser Serum zu stehlen macht keinen Sinn. Wenn er es will, hätte er es als Teil unseres Handels angefordert." Der Ash Wolves Alpha hatte unsere Fähigkeit, X-Clan Wölfe zu erschaffen, kein einziges Mal erwähnt.

Ich machte mich auf den Weg zur Tür, bevor ich mich an meine Omega erinnerte, die ich in unserem Nest zurückgelassen hatte. Ich drehte mich wieder um, um in unser Nest zu spähen. „Brauchst du etwas, Kätzchen? Nahrung? Wasser? Ein Bad?" Ich könnte ihr ein Bad einlassen, während ich mit Dušan sprach.

Sie streckte die Arme über den Kopf, wobei ihre athletische Form zur vollen Geltung kam. „Wie lange wirst du weg sein?"

„Ich werde nicht gehen." Ich beugte mich runter, um sie auf die Nase zu küssen. „Ich kann den Sektor Alpha der Shadowlands von hier aus anrufen."

„Oh." Sie runzelte die Stirn. „Aber was ist mit den Omegas?"

„Ich vertraue darauf, dass Elias sie in Sicherheit bringt", sagte ich und blickte zu meinem Vize. Sein antwortendes Nicken bestätigte meinen Verdacht.

Er würde seine Gefährtin nicht irgendwo ungeschützt lassen, wenn er den Männern, denen er die Verantwortung gab, nicht absolut vertraute. „Sobald ich mit Dušan gesprochen habe, werde ich mich an die anderen wenden. Es wird schnell gehen." Denn ich wusste aus dem Bauch heraus, dass Dušan es nicht getan hatte.

Enzo und Artur suchten nach Möglichkeiten, meinen Erfolg zu vereiteln. Die Omegas aus dem Verkehr zu ziehen, würde das definitiv erreichen.

Was sie aber nicht in Betracht zogen, waren die Konsequenzen mit den Alphas, die die Ash Wolves Omegas wollten. Ich würde wetten, dass mehr Ratsmitglieder diese Frauen lebendig wissen wollten als tot, vor allem für etwas, das sie nicht getan hatten. Ganz zu schweigen davon, wie viel Arbeit es war, sie zu beschaffen …

„Etwas Saft?", fragte Katriana.

Ich schenkte ihr ein Lächeln. „Ich bin gleich wieder da."

Elias folgte mir grinsend in die Küche. „Sag, was du sagen willst", befahl ich und öffnete den Kühlschrank. Der Orangensaft stand auf dem zweiten Regal neben einem Teller mit frisch geschnittenem Käse und etwas Wurst. Ich schnappte mir beides und stellte es auf den Tresen, bevor ich mir ein Glas holte.

„Diese Häuslichkeit steht dir gut, Ander." Er stemmte eine Hüfte gegen die Wand und wackelte mit den Brauen.

„Deine Witze waren auch schon mal besser", spottete ich.

„Ich verarsche dich nicht. Ich verehre Daciana genauso und bin ihr verfallen. Du bist nicht der einzige, der seine Omega nicht aus den Augen lassen will." Er lächelte ein wenig. „Es fühlt sich gut an, nicht wahr?"

Ich schenkte Katriana ein Glas Orangensaft ein und dachte über seine Worte nach. „Ja", gab ich zu, „das tut es." Nachdem ich den Saft zurück in den Kühlschrank gestellt hatte, schickte ich eine Nachricht an Dušan, um ihm eine zweiminütige Vorwarnung zu geben. „Bleib hier", sagte ich zu Elias. „Ich bin gleich wieder da."

Katriana saß aufrecht im Bett, als ich zurückkam, und

hatte das Laken bis zu ihrer Brust hochgezogen. Ich stellte das Tablett auf den Nachttisch und beugte ich mich hinunter, um sie auf den Kopf zu küssen. „Ich werde nicht lange brauchen. Wie wäre es, wenn du isst und duschst und dann können wir vielleicht eine Runde laufen gehen?"

Mein Wolf suchte nach einer Ausrede, um herauszukommen und sich zu strecken, weil ich zwei bestimmte Alphas auseinandernehmen wollte. Ein wenig Bewegung würde mir helfen und mir erlauben, den Plan zu erfüllen, den ich bezüglich unserer Paarung im Kopf hatte.

Sie hatte mich noch nie in Wolfsgestalt gesehen, und wir hatten uns nicht richtig verbunden.

Sobald ich das in Ordnung gebracht hatte, würde ich sie beanspruchen.

Wir könnten die Nacht unter den Sternen verbringen und wild ficken.

„Laufen?", wiederholte sie mit geweiteten Augen. „Draußen?"

Ich gluckste. „Ja, Kätzchen, draußen."

„An der frischen Luft?"

„Wo sollten wir sonst hingehen?", fragte ich amüsiert, bis mir klar wurde, *warum* sie fragte. „Oh, weil du nicht raus durftest." Scheiße, ich war ein Idiot. „Das werden wir ändern", versprach ich ihr. „Wir werden heute Abend einen Spaziergang machen. Draußen. Im Schnee. Okay?"

Ihr Gesicht hellte sich auf. „*Wirklich? Als Wölfe?*"

„Ja."

Sie ließ das Laken fallen und ging auf ihre Knie, um ihre Arme um meinen Hals zu werfen. Gleichzeitig vibrierte mein Handgelenk mit einer Antwort von Dušan. Ich zog sie für einen schnellen Kuss an mich heran und bewunderte, wie sie mich so aufgeregt angrinste. „Lass mich das regeln, und dann können wir gehen. Aber iss erst, damit du genug Kraft hast."

Sie nickte enthusiastisch. „Ja, ich werde essen."

Ich presste einen Kuss auf ihre Lippen und schritt aus dem Raum. „Okay, ich werde mit Elias im Wohnzimmer sein. Komm zu uns, wenn du bereit bist, und vergiss deine neuen Klamotten nicht. Sie sind im Kleiderschrank. Ach ja, zieh dir Stiefel an." Wir mussten in Menschengestalt zum Rand des Sektors laufen, bevor wir uns verwandeln und richtig loslegen konnten.

Mein Wolf sehnte sich nach Freiheit. Es war Wochen her, seit ich mich verwandelt hatte. Länger als jemals zuvor.

Aber hier bei meiner Gefährtin zu bleiben, hatte meine eigenen Bedürfnisse verdrängt. Jetzt, da es ihr besser zu gehen schien, konnte ich ihr zeigen, wie es zwischen uns laufen würden.

Angefangen mit einem abendlichen Streifzug durch die Berge, nachdem ich mich mit Dušan beschäftigt hatte.

Ich verließ sie und gesellte mich wieder zu Elias, der sich in einen der Sessel fallen gelassen hatte. „Der riecht neu", bemerkte er.

„Ja, Katriana hat die alten zerstört."

Er lachte. „Stimmt, das hatte ich ganz vergessen."

„Nein, hast du nicht", warf ich ein und setzte mich. „Deshalb hast du den neuen Duft erwähnt, von dem wir beide wissen, dass er gar nicht mehr neu ist, wenn man bedenkt, dass ich alles vor fast drei Monaten komplett ausgetauscht habe."

Er zwinkerte mir zu und sagte, „Deshalb bist du der Sektor Alpha, Cain. Du durchschaust mich immer."

„Ja, ja." Ich wählte Dušans Namen auf meinem Gerät und rief ihn an. „Bringen wir es hinter uns."

# KAT

MEINE LIPPEN VERZERRTEN SICH, als ich sah, dass meine Haare geschnitten werden mussten. Sie hatten die Mitte meines Rückens erreicht, wodurch die roten Locken sich zu leicht verhedderten, aber ich konnte in Anders Badezimmer weder eine Schere noch ein Messer finden. Er musste sie irgendwo aufbewahren, denn seine schwarzen Strähnen waren dicht an den Ohren geschnitten, und ich hatte noch nie gesehen, dass er sie länger trug.

Ich ließ mein Haar nach der Dusche an der Luft trocknen und begann, etwas passendes zum Anziehen zu suchen. Er hatte buchstäblich die Hälfte seines Kleiderschranks mit neuen Outfits für mich gefüllt.

Ich fand Jeans, Pullover, Stiefel, langärmelige Hemden, dehnbare Hosen und Kleider. Es war alles in verschiedenen Größen vorhanden, die sich an meine Schwangerschaftsphasen anpassen würden.

Meine Wangen erwärmten sich bei dieser Rücksichtnahme, als ich mir eine Jeans und einen schwarzen Pullover schnappte. Unterwäsche war nichts, was ich als Kind trug. Kleidung war Mangelware, also ignorierte ich die Schublade mit der Unterwäsche. Irgendetwas sagte mir, dass ich kein Fan von ihnen sein würde. Ich nahm jedoch ein Paar Socken für meine Stiefel mit und war gerade dabei, sie zuzuschnüren, als Anders Stimme erklang.

„Guten Abend, Wölfe des Andorra Sektors. Wie ihr vielleicht gehört habt, gab es vor Kurzem eine Lücke in unserem Sicherheitssystem, als einer unserer besuchenden Wölfe zwölf Fläschchen X-Clan Serum gestohlen hat. Nach einem langen Gespräch mit dem Alpha des Shadowlands Sektors glaube ich, dass das Problem schnell und effizient gelöst werden kann. Er hat mir versichert, dass dies keine unter seiner Führung koordinierte Tat war, sondern von einem abtrünnigen Wolf kam. Dieser Wolf wird entsprechend bestraft werden."

Ich trat aus dem Schrank, suchte nach ihm und runzelte die Stirn. „Wie machst du das?", flüsterte ich und schaute mich im Badezimmer und Schlafzimmer um.

„Einige von euch haben auf eine höchst inakzeptable Weise nach Rache gerufen. Die Ash Wolves Omegas gehören zu unserem Sektor und stehen offiziell unter meinem Schutz. Jeder, der versucht, eins der Weibchen zu verletzen oder zu töten, wird sofort eliminiert und mit der vollen Härte unseres Gesetzes zur Rechenschaft gezogen."

Ich spähte ins Wohnzimmer und fand ihn am Esszimmertisch. Elias saß ihm gegenüber und legte seinen Zeigefinger über seine Lippen, um mir zu signalisieren, dass ich mich still verhalten sollte. Ander traf mich mit einem warmen Blick, bevor er sich wieder auf seinen durchsichtigen Bildschirm konzentrierte.

„Diese Angelegenheit steht nicht zur Debatte und wird auch nicht vom Alpha Rat besprochen werden. Verhandlungen mit dem Shadowlands Sektor erfordern ein gewisses Maß an Respekt und Vertrauen, und ich entscheide mich dafür, Dušans mündliches Versprechen zu akzeptieren, die Situation auf seiner Seite zu bereinigen. Uns zu bestehlen war nicht in Ordnung. Er erkennt das an und hat sich im Namen seiner Brüder entschuldigt. Ich werde euch alle updaten, sobald ich mehr über die Situation erfahre. Fürs Erste sollt ihr wissen, dass jegliche Gewalt in unserem Sektor nicht toleriert wird." Er starrte mit einem so grimmigen Blick auf den Bildschirm, dass mir die Haare auf den Armen zu Berge standen.

Oh, ich wollte nie am empfangenden Ende dieses Gesichtsausdrucks sein. Er würde mich wahrscheinlich sofort in die Knie zwingen. Zur Hölle, er hat mich nicht einmal angeschaut, und ich wollte mich verbeugen.

*Das* war der Alpha des Andorra Sektors. Der Mann, dem jeder vertraute, den Sektor zu führen. Dieser Alpha hatte gerade ein Edikt erlassen. Nur ein Narr würde ihm nicht gehorchen.

„Genießt den Rest des Abends", beendete er seine Ansprache, drückte einen Knopf und lehnte sich in seinem Stuhl zurück. Er wölbte eine Augenbraue in Elias' Richtung. „Zufrieden?"

„Ich bin nicht der, den du fragen solltest, Cain." Er stieß sich vom Tisch ab und stellte sich zu seiner vollen Größe auf, die mit der von Ander konkurrierte. „Ich werde die Omegas bewachen lassen. Ich traue Enzo, Artur und ihren Lakaien nicht zu, sich an deinen Befehl zu halten."

Ander nickte. „Das erhöht nur unser Bedürfnis, die Weibchen zu verheiraten. Sie werden in Gefahr sein, bis sie einen Alpha haben, der sie beschützt."

„Ich werde mit den Männern sprechen, die Interesse bekundet haben, und sehen, wie es unseren Omegas geht. Da du ja auf deine Prinzipien bestehst." Mit diesen Worten zwinkerte er mir zu und ging in Richtung Foyer. „Genießt euren Lauf. Ich werde die Stellung halten."

„Du bist ein guter Vize", rief Ander über seine Schulter.

„Ich weiß", kam von Elias, bevor die Eingangstür zuschlug.

Ander kicherte und bewegte ein paar Bilder auf dem Bildschirm umher, bevor er einen Knopf drückte, der sie alle in Luft auflöste. Er konzentrierte sich wieder auf mich, sein Blick hungrig schimmernd. Seine goldenen Augen zeichneten meine Form nach. „Du siehst wunderschön aus, zukünftige Gefährtin", murmelte er, stand auf und schlenderte auf mich zu, um seinen Finger um eine feuchte Strähnen zu wickeln. „Ich muss eine Mütze für dich finden."

„Und eine Schere", sagte ich ihm. „Ich will mir die Haare schneiden."

Er zerrte an der Strähne, während seine Lippen sich spitzten. „Ich kann dir damit nach unserem Lauf helfen, wenn du willst."

„Wirklich?"

Er zog mich zu einem Kuss heran und ich spürte seine Lippen, die wärmer waren als meine. „Natürlich."

„Das würde mir gefallen."

„Mir auch." Er küsste meine Wange, bevor er mich losließ. „Ich muss mich umziehen und dann gehen wir."

„Okay." Während er sich umzog, beschäftigte ich mich damit, den Tisch zu untersuchen. Es gab absolut nichts Einzigartiges daran. Nur Holz, keine Knöpfe und keine ausgefallenen, versteckten Platten. „Und wie sehen die Bildschirme aus?", fragte ich mich laut und suchte seinen Stuhl ab.

„Meine Uhr", antwortete Ander, der in einer Jeans und einem grauen Pullover gekleidet zurückkam. Ich erkannte die Hose als die, die ich auf den Nachttisch gelegt hatte. Er musste sich ein Wolloberteil aus dem Schrank geholt haben, ebenso wie die Schuhe und Socken.

Er streckte mir seine Hand entgegen und zeigte mir das Gerät.

„Es sieht aus wie eine altmodische Uhr, aber wenn man auf diesen Knopf hier klickt", er drückte seinen Daumen gegen die rechte Seite des Ziffernblatts, „erscheint ein Bildschirm, der meine Netzhaut zur Aktivierung scannt. Jetzt habe ich vollen Zugriff auf all meine Systeme, mein Tablet und meinen Computer im Büro." Er wirbelte die Bilder durch die Luft und zeigte mir mehrere Bildschirme.

„Und damit hast du mit jedem im Andorra Sektor gesprochen?"

Er nickte. „Ja, die ganze Stadt ist über Technologie verbunden. Jedes Haus und jeder Raum hat eine Frequenz, die ich im Notfall benutzen kann. Ich benutze sie nicht oft, aber ich hielt die Bedrohungslage gegen unsere Omegas einer öffentlichen Übertragung würdig." Ander schloss alle Bildschirme mit einer Handbewegung, drückte seine Handfläche auf meinen unteren Rücken und stupste mich in Richtung des Hauptflurs, der zur Tür führte.

„Glaubst du, es wird sie aufhalten?", fragte ich im Foyer.

„Nein." Sein Mund verzog sich. „Aber meine Männer werden es."

„Und was passiert dann?"

„Und dann kümmere ich mich um ein Problem, das schon viel zu lange besteht", antwortete er und öffnete die Haustür.

„Enzo und der Tödliche", vermutete ich und hielt neben dem Aufzug inne.

„Der Tödliche ...", wiederholte er und drückte eine Taste auf dem Pad. „Oh, du meinst Artur. Er ist wohl der tödlichere von beiden, aber Enzo hat die größere Klappe. Er versucht vergeblich seit Jahrzehnten, meine Position einzunehmen."

„Und Artur?"

„Er hat nicht versucht, mich herauszufordern." Er führte mich in den Aufzug, als die Türen sich öffneten, und drückte dann eine Reihe von Knöpfen. „Vier. Eins. Sieben. Drei. Raute-Taste. Das bringt dich in die unterste Etage."

Ich blinzelte ihn an. „Was?"

„Das ist der Code, für den Fall, dass du in Zukunft an die frische Luft möchtest. Du könntest auch auf die Dachterrasse gehen. Da gibt es eine kleine Sitzecke, aber im Winter ist es dort sehr kalt. Im Frühling wird es besser."

Der Aufzug öffnete sich und gab einen großen Raum mit Marmorboden frei, während er sprach. „Hier entlang, Kätzchen."

„Du zeigst mir, wie man rausgeht", staunte ich und blickte zu ihm auf. „Ich dachte, ich darf nicht gehen?"

„Ich habe dir gesagt, du kannst nicht *fliehen*", stellte er klar. „Aber du bist keine Gefangene, Katriana, und das hätte ich klarstellen müssen. Ich hätte schon längst mit dir spazieren gehen sollen. Es tut mir leid. Es gibt eine Menge Dinge, die ich versäumt habe, dir zu erklären, und das hört jetzt auf."

Zwei Wachen verbeugten sich, als wir uns dem Ausgang näherten. Sie öffneten eine Reihe von Glastüren, und Ander bedankte sich. Ich hörte ihn kaum, denn ich konzentrierte mich auf den Schnee und die frische Brise, die in meine Lungen drang.

Ich atmete tief ein und schloss zufrieden die Augen, als die Elemente um mich herum wirbelten. Oh, wie sehr ich die frischen Aromen und Düfte der Außenwelt vermisste …

Ich drehte mich auf dem Bürgersteig. Meine Stiefel halfen mir, in der leichten Schicht aus weißen Flocken die Bodenhaftung zu behalten. Jemand musste kürzlich Schnee geschaufelt haben, denn der Schnee in den Bäumen und Sträuchern war weit über einen Meter hoch. Er reichte mir fast bis zu den Knien.

Ich tauchte meine Hände in den Schnee und ließ ihn meine Haut gefrieren, während Ander mir eine Mütze über den Kopf zog. Erschrocken blickte ich ihn an. „Wo kommt die denn her?"

„Ich hab sie in meiner Gesäßtasche verstaut." Er reichte mir ein Paar Handschuhe.

„Was ist mit dir?", fragte ich und ließ ihn die Wollhandschuhe über meine Finger stülpen.

„Pelz", murmelte er und zwinkerte.

Ich sah ihn stirnrunzelnd an. „Ich habe auch ein Fell."

„Das hast du", stimmte er zu. „Wie wäre es, wenn du meine Hand hältst, um dich warmzuhalten?" Er fädelte seine Finger durch meine und zog mich an seine Seite. „Oben in den Bergen liegt noch viel mehr Schnee. Lass uns spielen gehen."

Wärme streichelte mein Inneres.

*Spielen* … „Das würde ich gerne tun."

„Gut." Er schob die andere Hand in seine Jeans und begann, den Bürgersteig hinunterzugehen.

Ich behielt sein schnelles Tempo bei und genoss die Landschaft, während wir durch das Herz des Andorra Sektors liefen.

Die winterlichen Elemente glitzerten unter dem Mond, und die meisten Lichter in der Stadt waren entweder ausgeschaltet, gedämpft, oder vielleicht waren es die Fenster, die das leuchtende Glühen im Inneren blockierten. So oder so war es eine wunderschöne Nacht mit Schnee und Mondlicht. Zwischen den Gebäuden befanden sich verschiedene Arten von Nadelbäumen.

„Es ist wirklich wunderschön hier", gab ich zu, als ich sein Zuhause zum ersten Mal wirklich sah. Von außen konnte man den Sektor nur flüchtig sehen, aber den Zauber von der Straße aus zu erleben, war eine ganz andere Erfahrung.

„Das ist es", stimmte er zu, „aber meine Lieblingsaussicht ist die von den Bergen." Er deutete mit dem Kinn in Richtung eines Gipfels außerhalb der Kuppel. Ich war dort noch nie gewandert, aber ich kannte die Lage, weil ich jeden

Tag von meiner Höhle aus mit dieser Aussicht aufgewacht war.

„Gehen wir dahin?", fragte ich ehrfürchtig.

„Ja." Sein Wolf schien, mich durch seine goldenen Augen anzugrinsen. „Du hast gesagt, du hättest Lust auf einen Lauf."

„Ich dachte, du meinst innerhalb der Kuppel."

„Was soll daran Spaß machen?", fragte er und führte mich durch einen schmalen Weg zwischen den Gebäuden entlang. Der Weg führte zu einem Innenhof und dahinter zu einer Glaswand. „Es gibt Bereiche im Inneren, in denen wir laufen können, wenn du das möchtest, aber die meisten von uns wagen sich in die umliegenden Wälder."

*Ist das sicher?* Wollte ich fragen. Dann wurde mir klar, wie lächerlich das klang. Wovor sollte ein X-Clan Wolf sich fürchten? Sie waren die besten Raubtiere in dieser Gegend, vielleicht sogar auf der ganzen Welt. Menschen waren zu schwach, um sich zu wehren, und die Gestaltwandler waren immun gegen die Infizierten. Warum nicht frei umherstreifen?

Die einzige Bedrohung, die mir einfiel, waren die Ash Wolves, und die lebten zu weit weg, um ein Problem zu sein.

„Ist das in Ordnung?", fragte Ander und hielt auf halbem Weg inne, um mich zu studieren.

„Es ist mehr als okay." Die Vorstellung, in den Bergen zu laufen, erregte mich tatsächlich. „Aber ich brauche vielleicht etwas Hilfe beim, äh, Gestalt wechseln." Ich hatte mich nicht mehr verwandelt, seit ich …

Ich tastete meinen Bauch ab und begegnete seinem amüsierten Blick. „Kann ich mich während der Schwangerschaft verwandeln?"

Seine Belustigung verflog und seine Mundwinkel zogen sich nach unten. „Ich habe dich wirklich enttäuscht, nicht wahr?"

„Was?" Ich blickte zu Boden. „Ich meinte nur …"

Er nahm mein Kinn, um meinen Blick wieder auf sich zu lenken. „Du weißt wirklich nichts darüber, ein X-Clan Wolf zu sein, und ich habe dich einfach wochenlang alleine gelassen, ohne irgendeine Erklärung. Wenn jemand darüber verärgert sein sollte, dann bin ich es. Ich habe wegen deines Vaters eine Menge Annahmen über dein Wissen gemacht."

„Mein Vater?", wiederholte ich und legte die Stirn in Falten. „Ich habe meinen Vater nie getroffen."

„Deine Mutter schon."

„Ich mir nicht vorstellen, dass sie ihn gut kannte." Ich kaute an meiner Wange und überlegte, wie ich das formulieren sollte. „Sie hat nie viel über ihn gesagt, außer, dass er sich um mich sorgte. Ich vermute, dass er nicht von meiner Existenz wusste. Er ist entweder gegangen oder gestorben, bevor sie ihm sagen konnte, dass sie schwanger war."

Ihre Worte schienen immer die Art von beruhigenden Sätzen gewesen zu sein, die eine Mutter zu ihrem neugierigen Kind sagen würde, um Leid zu vermeiden und Gefühle nicht zu verletzen. Als ich älter wurde, erwähnte sie ihn nur noch selten. Wenn er sich so sehr um mich sorgte, hätte sie das Mantra fortgesetzt, um sicherzugehen, dass ich ihr glaubte.

„Es ist eine grausame Welt", fügte ich achselzuckend hinzu. „Sie hat wahrscheinlich nicht einmal erwartet, dass sie mich bis zur Geburt austragen würde." Nicht, weil sie mich nicht wollte, sondern weil es unser Schicksal war.

„Du hattest also keine Ahnung, dass dein Vater ein Wolf war?", fragte er.

Ich starrte ihn an. „*Was?*"

„Wohl nicht …", murmelte er und fuhr sich mit den Fingern durch die Haare. „Scheiße. Ich dachte, du wüsstest es. Das ist die Theorie hinter der Tatsache, dass du eine

Omega bist. Seine Genetik hat etwas in dir ausgelöst, das dich für die Unterwerfung prädisponiert hat."

Mein Mund funktionierte, aber kein Wort kam heraus. Nicht, dass ich wusste, was ich sagen sollte.

*Mein Vater war ein Wolf?*

„Das erklärt auch, wie du so lange überleben konntest", fuhr er leise fort. „Du warst zur Hälfte Wolf. Durch unser Eingreifen hast du dich zu einem vollwertigen X-Clan Omega Weibchen entwickelt." Er strich mir über die Wange. „Dies ist nicht der Ort, den ich für so ein Gespräch gewählt hätte. Wenn du zurückgehen möchtest, um weiterzureden, können wir unseren Ausflug auf einen anderen Abend verschieben."

„N-nein", stammelte ich und blinzelte schnell. „I-ich will laufen."

Ich *musste* laufen, um etwas anderes zu tun, als hier zu stehen, erstarrt und unfähig, diese Informationen zu verarbeiten. Ich musste mich ablenken, um dem Wahnsinn zu entkommen, der sich an meinen Gedanken festkrallte. „Bitte", flüsterte ich, „lass uns weitermachen."

Er nickte, und seine Hand in meiner war alles, was mich vorantrieb.

*Mein Vater war ein Wolf.*

*Wusste meine Mutter davon?*

*Wo ist er?*

*Ist er im Andorra Sektor?*

*Lebt er noch?*

*Werde ich ihn jemals treffen?*

Die Fragen schossen alle auf einmal in meinen Kopf, während meine Beine sich auf Autopilot bewegten, um Ander durch den Schnee zu folgen. Als er anhielt, fühlte es sich an, als wären nur Sekunden vergangen, aber die Kuppel lag fast einen Kilometer hinter uns.

„Bist du dir sicher, Katriana?", fragte er sanft und strich über mein Kinn. „Du siehst erschüttert aus."

„Du hast mir gerade gesagt, dass mein Vater ein Wolf ist." Wie hatte er erwartet, dass ich reagieren würde? Sollte ich Räder schlagen? Ich musste fast über diese Vorstellung lachen.

„Ich dachte, du wüsstest es", murmelte er.

„Woher zum Teufel soll ich so etwas wissen?", verlangte ich, wobei meine Stimme höher war, als ich beabsichtigte.

„Du hast recht", erwiderte er und schüttelte den Kopf. „Ich habe all diese Annahmen darüber gemacht, wie viel du verstehst, basierend auf dieses Detail, ohne dich jemals wirklich zu fragen. Es tut mir leid, Katriana. Ich erweise mich nicht gerade als ein würdiger Gefährte." Seine Augenbrauen senkten sich, als er seine Hand ließ fallen „Ich muss es wieder gutmachen, und ich glaube, ich weiß, wie."

Ich sah ihn stirnrunzelnd an. „Wie?"

„Indem ich dir alles beibringe, was du darüber wissen musst, ein Wolf zu sein." Er zog seinen Pullover aus und ließ ihn auf den winterlichen Boden fallen.

„Zieh dich aus. Wir fangen damit an, wie man sich verwandelt."

# ANDER

KATRIANA STAND HERRLICH NACKT vor mir, die Arme um ihre zitternde Gestalt geschlungen. „Ich … Es k-klappt n-nicht."

Ja, das konnte ich sehen. Die meisten von uns wurden als Wölfe geboren. Die Fähigkeit, sich zu verwandeln, war ein angeborener Teil unseres Geisteszustandes, aber Katriana schien nicht in der Lage zu sein, ihren Wolf zu rufen, obwohl die Bestie unter der Oberfläche herumschlich.

Ich umkreiste sie, während meine nackten Füße bei jedem Schritt gegen die verschneite Erde protestierten. Mein Vorhaben hatte meine volle Konzentration. „Ich kann deinen Wolf rufen, aber wenn du gegen mich ankämpfst, wird es weh tun."

„Muss b-besser sein als d-das." Sie zeigte nach unten, wo sie zitternd auf meinem Pullover stand, um sich warmzuhalten.

Unsere Gene halfen uns, die Kälte besser zu verkraften als Menschen, aber ohne unser Fell spürten wir die eisigen Elemente sehr wohl.

„Wenn ich das tue, fängst du an, dich zu verändern, egal ob du bereit bist oder nicht", warnte ich.

„D-du k-kannst die Verwandlung e-erzwingen?"

Ich nickte. „Ja."

„W-wie?"

„Mit einem Knurren", sagte ich und blieb vor ihr stehen. „Omegas sind dafür gemacht, das Verlangen eines Alphas zu befriedigen, was mir erlaubt, deine Form zu bestimmen. Wenn ich dich als Wolf haben will, kann ich diesen Teil deiner Natur aufrufen, und dann kann ich dich genauso leicht dazu verleiten, dich wieder zurückzuverwandeln."

„O-oh", flüsterte sie kaum hörbar.

Ich rückte näher, legte meinen Arm um ihre Schultern, zog sie an mich heran und wärmte sie auf. Sie konnte jedes Quäntchen meiner Hitze haben, wenn es ihr half, mit dem Zittern aufzuhören.

Ich führte meine Lippen an ihr Ohr und fügte leise hinzu, „Und wenn ich will, dass du feucht und bereit bist, um meinen Schwanz zu empfangen, kann ich das auch tun. Sogar jetzt, hier im Schnee."

„Das hast du schon mal getan."

Ich nickte. „Ja. Ein Paarungsruf ist am natürlichsten, aber ich habe auch die Fähigkeit, dir dabei zu helfen, deine Veränderung zu provozieren. Vielleicht hilft es dir, zu erfahren, wo deine Verbindung blockiert wird."

„J-ja", stotterte sie und kraulte meine Brust. „H-hilf mir."

Ich küsste ihre Stirn und schloss meine Augen. „Ich verspreche, das nur zu machen, wenn du mich darum bittest", sagte ich. „Für deinen Wechsel, meine ich." Den Paarungsruf würde ich unbedingt bei ihr anwenden, weil wir beide die Belohnung dafür genossen.

Ich schlang meine Arme um sie und erlaubte meinem Wolf, an die Oberfläche zu kommen, wobei unsere Gedanken miteinander verschmolzen und ein leises Knurren erzeugten. Katriana zitterte als Antwort, als ein leises Geräusch über ihre Lippen kam, während ich mein Knurren vertiefte und ihre animalische Seite aufforderte, zu spielen.

Sie stöhnte und ihr Körper bewegte sich ruckartig. „I-ich fühle sie …"

„Folge dem Ruf, Baby", flüsterte ich und ließ sie los. „Lass deinen Wolf die Kontrolle übernehmen. Sie wird dich durch die Verwandlung leiten."

Ich trat einen Schritt zurück und beobachtete, wie Katriana auf die Knie fiel und sich ihre Gliedmaßen bereits verwandelten. Ein wunderschönes Lächeln brach über ihr Gesicht, gefolgt von einem Seufzer, als sie sich der Verwandlung hingab.

Es war zu lange her, seit sie sich das letzte Mal verändert hatte, wofür ich mir selbst die Schuld gab. Ich hätte sie von Anfang an betreuen sollen.

Ausatmend schob ich die Schuldgefühle zur Seite. Ich konnte mich entweder darin suhlen, oder etwas dagegen tun, und ich war immer der proaktive Typ gewesen. Wir würden die verlorene Zeit nachholen, und ich würde Katriana alles zeigen, was sie über unser Leben wissen musste.

Sie gab ein leises Miauen von sich, als die letzten Phasen ihrer Verwandlung sich über ihre Wirbelsäule legten und rotes Fell über jeden Zentimeter ihrer blassen Haut sprießte. Ich strich mit meinen Fingern darüber und genoss die seidige Qualität, als sie sich gegen meine Berührung lehnte. Auf meine Liebkosung folgte ein leises Grummeln der Zustimmung.

„Du bist umwerfend, Katriana", sagte ich leise, kauerte mich neben sie und ließ meinem Wolf freien Lauf. Nach fast einem Jahrhundert der Übung, sprang er aus mir heraus, was mir erlaubte, mit Leichtigkeit zwischen den Formen zu wechseln.

Es tat teilweise immer noch weh, und das würde auch nie weggehen, aber ich hatte in meiner Jugend gelernt, den Schmerz zu betäuben. Es war vor allem mein Kiefer, der schmerzte, weil er sich zu einer Schnauze umstrukturierte.

Der Rest war einfach.

Nur eine Umstrukturierung von zwei Beinen auf vier Beine.

Ich schüttelte mein schwarzes Fell aus und streckte mich, als meine Gelenke vom Nichtgebrauch knackten. Wölfe sollten sich mindestens ein paar Mal pro Woche verwandeln, was bedeutete, dass Katriana verkrampfter sein musste als ich.

Oder vielleicht auch nicht, wenn man bedachte, dass sie die meiste Zeit ihres Lebens in menschlicher Gestalt verbracht hatte. Vielleicht würde es bei ihr das Gegenteil sein.

Nachdem ich meine Hinterbeine ein weiteres Mal gestreckt hatte, drehte ich mich zu meiner Gefährtin und fand ihre blauen Augen auf meinen Körper gerichtet. Bewunderung strömte aus ihrem Blick, was meinen Wolf immens erfreute.

Ja, ich war viel größer und kräftiger als sie.

Daher auch mein Alpha-Status.

Ich stupste sie mit meiner Schnauze an und neigte meinen Kopf zur Seite, um ihr zu zeigen, dass sie mir folgen sollte.

Als Antwort gab sie ein entzückendes kurzes Jaulen von sich, das ich als Erlaubnis zum Weitergehen interpretierte. Ich ging in einem gemächlichen Tempo den Berg hinauf, spürte ihre Anwesenheit in der Nähe meiner Hinterbeine und nutzte dies als Maßstab dafür, wie stark ich sie belasten konnte. Ihre geringere Größe ließ vermuten, dass sie sich nicht so schnell bewegen konnte wie ich, aber ich hatte das Gefühl, dass sie mithalten konnte, wenn es darauf ankam.

Katriana bewies mir, dass ich recht hatte, als sie ihr Tempo an meins anpasste und gegen Ende praktisch neben mir herlief, diesmal in einem vollen Sprint. Sie muss das als Herausforderung aufgefasst haben, denn sie begann, mit mir zu rennen. Ihre Beine bewegten sich in einem unglaublichen

Tempo für jemanden, der so neu war … bis sie in einen Schneehügel stürzte.

Ich stoppte schnell und ging zurück, um ihr herauszuhelfen. Ich packte sie mit meinen Zähnen und zog sie zurück auf den sicheren Weg.

Sie knurrte, aber es klang eher schmollend. Ich leckte ihre Schnauze als Antwort und sagte ihr damit, dass alles in Ordnung war. Sowas war uns allen bereits passiert, und ehrlich gesagt war ich erstaunt über ihre Agilität, weil sie noch nicht viel Zeit in dieser Form verbracht hatte. Sie würde einen wunderschönen Wolf abgeben.

Mit einem Stups führte ich sie weiter zum Rand des Berges, um ihr die Aussicht zu zeigen. Ich achtete darauf, dass sie auf dem Pfad blieb, um meine zukünftige Gefährtin nicht an die Klippe zu verlieren.

Sie nahm es nicht zur Kenntnis, und blieb stattdessen an meiner Seite kleben, bevor sie sich neben mich legte, als ich auf meinem Lieblingsplatz saß.

Ihr Fell sträubte sich, als sie meinem Blick auf das Tal folgte. Wir waren nicht in der Nähe des höchsten Aussichtspunkts, aber wir waren hoch genug, um die atemberaubende Nachtszene zu betrachten, die sich vor uns im Mondlicht abspielte.

Ich kam hierher, wenn ich alleine sein wollte, um nachzudenken, aber es fühlte sich richtig an, Katriana an meiner Seite zu haben. Ihre Anwesenheit war mit einem warmen Gefühl umgeben, das meinen Wolf besänftigte. Ich beugte mich hinunter, um sie zärtlich am Ohr zu kraulen, und leckte über die Seite ihres Gesichts. Sie schnaubte als Antwort, also tat ich es wieder, bis sie versuchte, sich von mir abzuwenden. Ich wollte sie bei mir haben, also drückte ich sie an mich, gab ein leises, warnendes Knurren von mir und hielt sie mit meiner massiven Pfote an ihrer Schnauze. Ich leckte sie ein letztes Mal, bevor ich ihren Hals kraulte.

Sie brummte ein wenig als Antwort, doch ich spürte, wie sich ihr Körper unter meiner Aufmerksamkeit entspannte. Der menschliche Teil von ihr verstand es nicht, aber ihr Wolf schon. Sie erwiderte die Zuneigung mit ihrer eigenen Zunge, bevor sie sich mit einem Seufzer an mich schmiegte.

Wir lagen eine Weile lang so da, während die Sterne über uns tanzten. Die Zeit verging wie im Flug, bis am Horizont ein Lichtstreifen zu sehen war.

Nachdem ich ein träges Gähnen ausgestoßen hatte, stupste ich sie mit meiner Nase an, um ihr zu signalisieren, dass wir zurückgehen sollten, woraufhin sie sich protestierend auf den Rücken rollte.

So sehr ich auch den ganzen Tag hier bleiben wollte, dies war kein idealer Ort, um sie zu fordern. Ich würde mich zurückziehen müssen, und dann würde meine arme Gefährtin frieren, also würden wir einen anderen Platz auf meinem Berg finden, einen, wo sie in ihren Kleidern bleiben könnte, oder wir würden ein Feuer machen, um uns warmzuhalten.

Schließlich stand sie auf und streckte sich auf ähnliche Weise wie ich, bevor sie mir in einem viel langsameren Tempo den Pfad hinunter folgte, da wir nicht die freie Natur hinter uns lassen wollte. Unsere Wölfe sehnten sich nach der frischen Luft.

Das war etwas, das ich ihr versehentlich zu lange vorenthalten hatte.

Sobald wir vor unseren Kleidern standen, verwandelte ich mich zurück in meine menschliche Form und lächelte zu ihr hinunter. „Ich denke, wir sollten das jede Nacht machen."

Sie keuchte zustimmend und setzte sich hin, um mich zu beobachteten, während ich meine Jeans anzog.

„Du wirst dich zurückverwandeln müssen", neckte ich sie.

Sie neigte ihren Kopf zur Seite und machte einen liebenswerten Ausdruck der Verwirrung.

„Ich weiß, dass du mich verstehen kannst, Kätzchen."

Sie knurrte, als ob sie mich an ihren Wolfsstatus erinnern wollte.

Ich grinste. „Für mich bist du immer noch ein Kätzchen, Baby."

Mit einem entschlossenen Geräusch leitete sie die Verwandlung selbständig ein, was mein Herz vor Stolz anschwellen ließ.

Meine Sinne verschärften sich, unterbrachen meine Gedanken und lenkten meine Aufmerksamkeit auf unsere Umgebung. Irgendetwas roch nicht richtig. Ich schnupperte und erkannte die Ursache. „Stopp", forderte ich und meinte damit ihre Verwandlung, aber natürlich konnte sie sich nicht aufhalten, denn sie war zu jung und unerfahren. Es würde sie nur noch mehr verletzen.

Ich schluckte mein Knurren hinunter, das sich in meiner Brust aufbaute. Ich war nicht in der Lage, es bei ihr anzuwenden, denn ich wusste, dass es unsere Situation nur verschlimmern würde.

Wir mussten es auf eine andere Weise machen.

„Beeil dich", flüsterte ich, was mir ein Schnauben einbrachte.

Sie hatte die Gefahr um uns herum noch nicht wahrgenommen, und in Anbetracht ihres Zustandes, mitten in der Verwandlung, konnte ich das verstehen. Ich schnürte meine Schuhe schnell zu, bevor meine Aufmerksamkeit umherschweifte.

*Sie umzingeln uns*, wurde mir klar, als ich die subtilen Spuren im Wind aufnahm. *Sieben. Nein, acht …*

„Sobald du fertig bist, musst du laufen", sagte ich so leise, wie ich konnte. „Nimm deine Klamotten und lauf weg."

Sie hatte es fast geschafft und ich konnte die Verwirrung sehen, die in ihre Gesichtszüge eingemeißelt war.

Aber ich konnte mich nicht auf sie konzentrieren.

Nicht im Moment.

Nicht bei den sich nähernden Männchen.

„Ander …"

„Shh …" Meine Wolfsgestalt hörte besser als meine menschliche, aber ich konnte die Stiefel im Schnee trotzdem knirschen hören, und das subtile Geräusch von Stoff und Fell. Einige waren auf zwei Beinen, andere auf vier.

Ich rollte meinen Nacken und bereitete mich auf einen Kampf vor. Es gab nur einen Grund, warum sie mich umzingeln würden. Sie wollten mich, als Alpha des Sektors auszuschalten.

*Weil Enzo allein nicht stark genug ist …*

Katriana warf ihren Pullover über und stolperte, als sie nach ihren Stiefeln greifen wollte.

Ich hielt ihren Ellbogen fest, bereit, sie zu beruhigen, als ein Knacken die Luft durchdrang.

Ich registrierte ihren Schrei kaum, denn mein Magen brannte plötzlich wie Feuer, als ich vor Überraschung auf die Knie fiel.

*Neun*, dachte ich wie betäubt. *Es waren neun.*

Einer von ihnen war mit einem Scharfschützengewehr gekommen.

*Kluger Zug*, gab ich zu und blinzelte überrascht, als Blut aus meinem Unterleib strömte.

Es geschah alles so schnell, und doch verarbeitete ich jede Bewegung in Zeitlupe, die Art, wie Katriana auf meine Seite fiel und ihre Handfläche auf meine Haut drückte, meine scharfe Atmung, die viel mehr schmerzte, als sie sollte.

Ich hörte einen Fluch im Wind und nahm ein Knurren und die schneller werdenden Schritte über den Schnee wahr.

Ich schüttelte meinen Kopf und versuchte, ihr zu erklären, was los war.

Katriana musste fliehen … Musste von hier verschwinden, um Elias zu holen.

Dann spürte ich ihre Finger an meinem Handgelenk. Sie hob meine Hand und drückte den Knopf, den ich ihr nur Stunden zuvor gezeigt hatte. „Geh an! Verdammt, geh an!"

Ich blinzelte verwirrt nach unten, während die Bildschirme nach oben flogen.

„Ruf Elias an", forderte sie. „Jetzt, Ander!"

Nein, die Bildschirme waren nicht der richtige Weg, um meinen Vize zu alarmieren.

Ich wollte nicht, dass die Idioten, die sich uns näherten, Zugang zu meinen Bildschirmen hatten.

Ich schloss sie mit einer geübten Bewegung meines Handgelenks und strich dann mit dem Daumen über das verborgene Bedienfeld an der Seite meines Bandes. Ein subtiles Summen sagte mir, dass der Alarm gesendet worden war. Jetzt lag es an Elias, zu reagieren.

Ich wollte mich nicht auf andere verlassen.

„Zieh deine Schuhe an", sagte ich. „Lauf weg." Ich konnte nicht in ihrer Gegenwart kämpfen. Ich brauchte die Gewissheit, dass sie im Hauptquartier und in Sicherheit war.

Aber es war zu spät.

Einen Moment waren wir alleine, und im nächsten Moment umringten uns acht X-Clan Gestaltwandler mit Enzo und Artur am Ruder, deren Mimik siegreich.

„Sieh an, sieh an … Es scheint, dass ich doch noch deinen Untergang miterleben dar", sinnierte Artur. „Ich denke, wir fangen damit an, deine hübsche kleine Gefährtin zu nehmen."

# KAT

*LAUF!*, schrie ein Teil von mir, aber ich konnte mich nicht bewegen. Meine Beine weigerten sich und mein Atem stockte, während mein Blut in meinen Adern gefror.

Acht Männer. Acht Waffen.

Mein einsamer Beschützer war angeschossen, und ich stand im Schnee in nichts als einem Pullover.

Ich hätte keine Chance, vor ihnen fliehen. Diese Männchen waren stärker und schneller, und ich vermutete, dass sie mich jagen wollten. Die beiden in Wolfsgestalt würden sich nach ein paar Schritten auf mich stürzen und wahrscheinlich auf dem Weg nach unten verletzen.

Nein, ein Fluchtversuch würde überhaupt nichts bringen.

Ich hatte hier nur eine Option. Ich musste kämpfen.

Aber ich musste klug vorgehen und meine Karten richtig ausspielen. Ich musste beten wie der Teufel, dass Ander sich schnell von seiner Schusswunde erholen würde.

Er hatte mir gesagt, dass Wölfe schwer zu töten waren, und ich nahm an, dass sie schneller heilen als Menschen. Die einzige Frage war: Wie viel schneller?

„Versuch es nur", sagte er, um Arturs Drohung zu erwidern. Der Satz kam heiser heraus, als er eine Hand auf die Wunde an seinem Bauch drückte, während er fest auf seinen Knien blieb. Die Wärme seines Körpers strömte über meine entblößten Beine und ließ mich aus meinem gefrorenen Zustand auftauen.

Enzo zielte mit einer Pistole auf Anders Kopf. „Oh, wir werden es mehr als versuchen."

Anders Lippen verzogen sich zu einem spöttischen Grinsen. „Wenn du abdrückst, wirst du nie Sektor Alpha sein."

„Er ist nicht derjenige, der die Position will", sagte Artur und legte seine Hand auf Enzos Waffe. „Ich werde dich herausfordern, nachdem wir mit deiner Omega fertig sind." Er warf einen Blick auf Enzo. „Schieß ihm nicht in den Kopf. Ich brauche ihn lebend und wach genug, um alles mitzukriegen, aber, wenn er versucht, zu kämpfen, schieß ihm in die Beine oder in die Leiste."

Enzos Lippen spitzten sich vergnügt. „Gerne."

Anders Mund blieb offen stehen. „Ich habe dich nie für einen Feigling gehalten, Artur. Acht gegen einen ist kaum ein Weg, zu beweisen, dass du genug Macht besitzt, um zu herrschen."

„Wir werden sehen, wie du dich fühlst, nachdem ich mit deiner kleinen Gefährtin fertig bin, hm?" Seine kalten, schwarzen Augen konzentrierten sich auf mich. Seine Aggression wuchs, während er meinen Blick festhielt und verlangte, dass ich mich füge.

Das hatte er auf der Party auch versucht. Er wollte mein Rückgrat und meinen Eigensinn mit ein paar subtilen Annäherungsversuchen testen.

Ich hatte mich geweigert, mich für ihn hinzuknien, aber ich konnte ihm etwas von meiner Angst geben, um ihn in einem Gefühl der Überlegenheit zu wiegen.

Wenn es eine Sache gab, die ich über Männer wusste, dann war es ihre häufige Angewohnheit, meine Größe und mein Wissen zu unterschätzen. Er hatte eine Pistole an der

Hüfte, die ich dank meiner Mutter zu benutzen wusste, und ein Messer im Stiefel.

Seine Kumpels in Menschengestalt waren alle ähnlich gekleidet.

Wenn ich auch nur eine ihrer Waffen stehlen könnte, wäre ich in einer viel besseren Position.

„Rühr sie an, und ich bringe dich um." Ander sprach die Worte in einem tiefen Knurren aus und sein Körper vibrierte vor Intensität. Er verhielt sich nicht wie ein Mann, der gerade angeschossen worden war.

„Ich habe vor, viel mehr zu tun, als sie zu berühren", sagte Artur und machte einen Schritt auf mich zu. „Ich werde sie als mein Eigentum beanspruchen, sobald ich mit dem Kind fertig bin, das in ihr heranwächst."

Mein Blut wurde wieder kalt.

„Nein", knurrte ich aus Instinkt. Ich wölbte eine schützende Hand über meinen Bauch und starrte den Alpha nieder. „Fick dich."

Seine Augenbrauen hoben sich, als einige der anderen Männchen lachten. „Meine Güte, du bist aber ein temperamentvolles Weibchen. Kein Wunder, dass Ander Gefallen an dir gefunden hat." Er lenkte seinen Blick auf Enzo. „Ich werde es genießen, diesen Ungehorsam aus dir herauszuficken."

Enzo nickte und schaute mich an, seine Waffe immer noch auf Ander gerichtet. „Du weißt, wie gebrochen Omegas sein können, nachdem sie ein Kind verlieren. Es wird leicht sein, sie danach in die richtige Version zu formen."

Artur lächelte. „Ja."

Ander stürzte sich auf ihn, aber zwei Rüden und ein Wolf griffen ihn von hinten an, ein weiterer Knall erklang, der ihn vor Schmerz aufheulen ließ. Enzo verpasste ihm eine, und dann begann eine Schlägerei und befleckte den Schnee mit Blut.

Verdammt, damit hatte ich nicht gerechnet. Ich musste schnell nachdenken, um die Ablenkung zu nutzen.

Ein Paar Hände um meinen Hals ließen mich aufschreien, aber nichts kam heraus, als meine Atemwege zugedrückt wurden. Ein harter Körper rammte sich in meinen Rücken und ein anderer in meine Vorderseite, als ich von Knurren umhüllt wurde.

Kein bösartiges Knurren, sondern der Paarungsruf.

*Oh Gott, nein …*

Mein Körper begann, sich zu erwärmen, und mein Wolf kauerte in einer Ecke, als meine Erregung begann, die Luft mit ihrem Duft zu durchdringen.

*Nein!*

Ich weigerte mich, das mit mir machen zu lassen. *Denk nach, verdammt. Denk nach!* Am Anfang war ich in der Lage gewesen, Ander zu bekämpfen, also konnte ich diese Monster jetzt sicher ausbremsen, oder?

Aber das Knurren war viel aggressiver und tiefer. Mein Körper reagierte ohne Rücksicht auf den Instinkt unserer Paarung.

„Katriana!", rief Ander gebrochen, aber ich konnte ihn nicht sehen.

Ich konnte nicht über das Knurren hinaus denken.

*Stopp, Stopp, Stopp!*

„Du hättest deine Gefährtin einfordern sollen", sagte jemand, dessen Stimme die Wolke der Verwirrung in meinem Kopf durchdrang. „Dann würde sie nicht um einen neuen Alpha betteln."

*Lippen an meinem Hals, die nicht dahin gehören.*

*Ein Knurren, das zu tief war.*

*Nicht Ander.*

Wärme drückte gegen meinen Unterbauch, bevor mein Pullover weggezogen wurde.

Heißes Männchen.

Bedürftiges Männchen.

*Nicht. Das. Richtige. Männchen!*

Mehr Knurren.

Eines, das ich erkannte. Ich griff nach ihm. Brauchte *ihn.*

„Wir werden uns für dich gut um sie kümmern, Ander. Mach dir keine Sorgen. Sie wird kommen, auch wenn wir sie innerlich bluten lassen."

Knurren erfüllte die Luft.

*Ein schmerzhaftes Heulen.*

Ich selbst stimme in den Chor ein, weil ich das nicht wollte. Ich wusste, tief im Inneren, dass nichts davon richtig war. Ander hatte mich gewarnt, dass Omegas dem Ruf eines Alphas nicht widerstehen konnten, und jetzt wusste ich, was er meinte. Ich fiel auf alle Viere, als mein Körper einer Marionette an einer Schnur glich, während mein Verstand bei jedem Schritt rebellierte.

Das war nicht richtig.

Das war nicht mein Schicksal.

Dies war *nicht* die Art, wie ich überleben wollte.

Sich Ander zu unterwerfen, war natürlich. Der Mann, der sich hinter mir aufstellte, war überhaupt nicht natürlich.

Er stieß mich nach vorne, und mein Rücken schlug auf dem eisigen Boden auf. „Nein!", schrie ich und krabbelte so weit weg von der berauschenden Wolke, wie ich konnte, bis mein Rücken auf das Bein eines anderen Mannes traf.

Sie hatten mich umzingelt.

Sie lachten und kicherten.

Genossen meine Qualen.

Meine Wut wuchs von Sekunde zu Sekunde.

Ich registrierte sie mit einem Blick, als mein Verstand sich gerade genug konzentrierte, um die Szene meines blutenden Anders zu erfassen, der von vier Männern festgehalten wurde. Die anderen stürmten alle auf mich zu, zwei von ihnen ohne Hosen.

*Enzo und Artur.*

Sie schienen teils amüsiert und teils verrückt. Ihre Schwänze verrieten mir genau, was sie vorhatten, während ein weiteres Knurren die Luft zierte. Keiner von ihnen war richtig oder meiner.

Diese Tiere wollen mir wehtun. Mein Kind töten.

Das durfte nicht geschehen, und das würde es auch nicht, wenn ich mich nicht hinlegte und es geschehen ließ.

Sie konnten sich ihr verdammtes Geknurre in die Ärsche schieben.

Meine Wölfin hatte das Bedürfnis, sich zu unterwerfen und aufzugeben, als sie mich auf meinen Knien hielt. Der Mensch, der über die Jahre viel zu viel Schlechtes ertragen hatte, dominierte jetzt.

Ich war keine gewöhnliche Omega, sondern eine gemachte, und ich würde eher sterben, als dass ich sie das Leben, das in mir wuchs, auslöschen ließ.

Die Härchen auf meinen Armen stellten sich auf und meine Seele erwachte zum Leben. „Ich werde mich nicht unterwerfen", zischte ich und zwang mich in die Hocke, bereit, bis zu meinem letzten Atemzug zu kämpfen. „Ihr werdet mich zuerst töten müssen."

Enzo streichelte seinen Schwanz, sein Blick glänzend. „Dich zu brechen, wird ein wahres Vergnügen sein, kleiner Rotschopf."

Artur schien nicht annähernd so amüsiert, als sein Knurren sich verstärkte.

Ich lächelte. „Was ist das Problem, Alpha?", spottete ich und legte den Kopf schief. „Hast du Leistungsprobleme?" Ich musterte ihn und beobachtete, wie sie sich von allen Seiten näherten. „Es sagt sicherlich viel aus, dass du knurren musst, um dein Mädchen in Stimmung zu bringen. Ander braucht mich nur anzuschauen, um mich feucht zu machen."

Artur knurrte. „Packt sie und haltet sie fest. Wenn sie trocken gefickt werden will, dann bekommt sie das." Sein Grinsen war geradezu böse. „Ich bevorzuge Blut als Gleitmittel."

Ich sprang zur Seite, als seine Schläger nach mir griffen, bevor ich ein Bein unter dem anderen hervorschwang, was er nicht erwartet hatte. Seine Pistole flog weg, und ich stürzte mich auf sie, aber ein Arm schlang sich fest um meine Taille.

*Verdammt!* Ich zappelte und versuchte, ihn von mir zu stoßen, sein Griff wurde jedoch nur noch fester, und dann war Artur vor mir. Seine Faust traf meinen Kiefer so hart, dass ich Sterne sah.

Ander gab ein Geräusch von sich, das mich an einen Mord erinnerte und mich ein paar schmerzhafte Sekunden später wieder in die Realität brachte.

Artur erwischte mein Kinn und drückte so fest zu, dass ich hätte schwören können, dass Knochen brachen. „Ich werde jedes Loch ficken. Immer und immer wieder. Ich werde dich direkt in deine Fotze beißen, um dich als mein Eigentum zu beanspruchen, und das wird nur eine Vorspeise sein für unsere gemeinsame Zukunft. Jeder in diesem verdammten Sektor brennt auf die Omega-Hure, und ich bin ein Mann, der gerne teilt. Ich habe Enzo eingeladen, um mir zu helfen, dich zu brechen."

Seine Worte hätten Angst hervorrufen müssen, aber ich konnte nur schrill lachen.

„Welche Alpha würde seine Omega teilen?" Das brachte mir einen weiteren Schlag ins Gesicht ein.

Diesmal schmeckte ich Blut und spuckte es ihm ins Gesicht.

Er packte mich an der Kehle und drückte zu, bis ich

schwarze Punkte sah. „Ich werde dich besitzen, du kleine Hure."

*Nein,* dachte ich, *weil ich nicht dir gehöre.*

Mein Körper schlug wieder auf den Schnee auf und jemand schweres stürzte über mir zusammen, bevor ein anderer meine Schultern packte, um mich unten zu halten. Ich kämpfte darum, zu begreifen, wer wo war, und realisierte, dass ich dabei war, mein Bewusstsein zu verlieren.

Eine Hand drückte auf meinen Bauch, während meine Schenkel gespreizt wurden.

Wie ein Feuer durchdrang mich der Druck auf meinen Bauch, ging direkt zu meinem Gehirn und schoss mich zurück in die Realität.

Artur musterte seine Hand in wahnsinniger Faszination, während er sich zwischen meinen Schenkeln positionierte. Sein braunhaariger Kumpel war über meinem Kopf und beobachtete mich mit einem scharfen Lächeln.

Beide hatten sich nicht auf mein Gesicht und meine freien Hände konzentriert. Mein Oberkörper war unbeweglich, meine Arme nicht.

Ich sah eine Waffe, die an der Hüfte direkt neben meinem Kopf positioniert war, und dachte nicht nach, als ich reagierte, nach der Pistole griff und sie auf das Monster zwischen meinen Schenkeln richtete.

Zwei Schüsse in seine Brust ließen ihn nach hinten fliegen, während der Kerl über mir zu langsam aufschreckte, um mich davon abzuhalten, eine Kugel durch seinen Schädel zu schicken.

Um mich herum ertönten Schreie, aber mein Raubtiertrieb hatte begonnen, Rache zu nehmen.

Ich zielte und drückte ab.

Überlegte nicht lange.

*Bis mir die Munition ausging ...*

Dann stürzte ich mich auf eins meiner Opfer, schnappte

mir eine Klinge und begann, mich durch die Arschlöcher am Boden zu schneiden, während um mich herum reines Chaos herrschte.

Blut.

Eingeweide.

Gehirne.

Ich ergötzte mich an der Gewalt, schrie Obszönitäten und lebte in einem Meer von Tod und Zerstörung.

Ich hielt Arturs Haare, als meine Klinge sich durch seinen Hals arbeitete und wild an seinem Fleisch sägte. Ander hatte gesagt, dass es eine Menge braucht, um einen Wolf zu töten.

*Dann wollen wir mal sehen, ob sie das hier überleben.*

Ich wollte Arturs Tod.

*Er muss sterben*, flüsterte mir eine dunkle Stimme zu.

Er hatte versucht, mir mein Kind zu nehmen.

Er hatte versucht, mich zu vergewaltigen.

Er hatte meinen Gefährten verletzt.

Mich.

*Meine Familie.*

Ich wollte seinen Tod, sein Blut und sein Leben mit meinen verdammten Händen auslöschen. Ich triumphierte, als ich die Aufgabe beendete und seinen Kopf mit einem Knurren, das von meinem verwundeten Wolf kam, in den Schnee warf.

Jemand sagte meinen Namen, aber ich ignorierte sie und wandte mich meinem nächsten Opfer zu, der mich festgehalten hatte, um mit morbider Faszination zuzusehen.

*So aufgeregt scheint er jetzt nicht mehr zu sein*, dachte ich, als mein Dolch in seiner Kehle versank. Eine makabre Energie legte sich über mich, trieb meine Handlungen an und beruhigte meinen Geist, als auch dieser Wichser seinen Kopf verlor.

Als ich auf Opfer Nummer drei zuging, fand ich mich in kräftigen Armen wieder.

Ich knurrte, kämpfte gegen die Arme, die mich festhielte, und wehrte mich mit aller Kraft, doch dieser neuer Angreifer stahl meine Klinge und legte meine Hand an seinen Kopf. Ich zerrte an seinen Haaren und schrie wütend. Ich war von einem Rachebedürfnis erfüllt, bis eine warme Vibration mich innehalten ließ.

Ich mochte diesen Klang.

Beruhigend.

Schnurrend.

*Meins.*

Ich drückte mein Gesicht in den vertrauten Duft, der mich umgab, leckte über die Haut unter meinem Mund und ließ meine Lippen zu einer männlichen Kehle gleiten.

*Diesen will ich nicht aufschneiden*, sagte ich mir und schmeckte ihn stattdessen, als ich in seiner vertrauten Männlichkeit schwelgte.

*Mein Mann …*

Ich knabberte an ihm, kuschelte mich an ihn, kletterte an ihm hoch, legte meine Arme um ihn und küsste ihn.

Er knurrte gegen meinen Mund, als seine Finger durch mein Haar fuhren und er mich gegen einen Baumstamm drückte.

*Ja, ja!*

Ich krallte mich an ihm fest, während wir beide mit Blut, Eis und unaussprechlichen Dingen bedeckt waren, aber das war mir egal. „Meiner", hauchte ich und wölbte mich ihm entgegen. „Meiner. *Meiner!*"

„Ja", stimmte er zu und drückte seine mit Jeans bekleideten Hüften zwischen meine Schenkel.

Ich ließ meine Hände nach unten gleiten und wollte die Barriere entfernen, als neue Düfte meine Nase kitzelten.

Meine Arme schlossen sich um ihn, während meine Augen nach dem Eindringling suchten.

„Oh mein Gott", hauchte eine männliche Stimme. *Elias.*

Ich blinzelte. *Was war passiert?*

Nein, ich wusste, was passiert war.

Ich hatte eine Menge Wölfe getötet.

Aber wie?

*Warte mal … Ander?*

Meine Hände fuhren über ihn, diesmal aus einem anderen Grund, und suchte nach seinen Wunden. Angst packte mich an der Kehle, als ich fragte, „Geht es dir gut?"

Er gluckste und küsste meinen Hals. „Ja, Baby. Ich werde überleben."

„Das ist nicht lustig", zischte ich und versuchte, ihn so weit zurückzuschieben, dass ich seinen Unterleib sehen konnte, wo er angeschossen worden war.

Oh Gott, es gab noch mehr Wunden – mindestens drei, die ich von meiner Ausgangsstellung aus sehen konnte.

„Warum zum Teufel stehst du?", fragte ich fordernd, während ich versuchte, mich aus seinen Armen zu befreien. „Du brauchst einen Arzt. Wir brauchen Riley!"

„Mir geht es gut", antwortete er und legte seine Hand um meinen Nacken. „Sieh mich an." Ich konnte nicht, weil ich zu sehr damit beschäftigt war, das ganze Ausmaß des Schadens zu erkennen. Sein Griff wurde fester, als er befahl, „Katriana, sieh mich an."

Das fordernde Knurren in seinem Ton ließ meinen Blick nach oben fliegen, wo glühende, goldene Augen mich festhielten und an die Sonne an einem heißen Tag erinnerten.

„Mir geht es gut", versprach er und drückte seine Erregung gegen meinen empfindlichen Kern. „Wenn es nicht so wäre, wäre ich jetzt nicht bereit, dich zu ficken."

„Oh." Ich leckte mir über die Lippen. „Aber sie haben dich angeschossen."

„Ja, und es hat verdammt wehgetan, aber ich habe dir gesagt, dass Wölfe schwer zu töten sind … besonders einer, der so mächtig ist wie ich. Was glaubst du, warum er vier Alphas mitgebracht hat, um mich festzuhalten?"

„Ich unterbreche das nur ungern, aber … was soll der Scheiß?", fragte Elias, als er neben uns zum Stehen kam. „Warum sieht es so aus, als hätte jemand Artur ein Buttermesser an die Kehle gehalten?"

„Katriana hat ihn geköpft", antwortete Ander, ohne meinen Blick zu unterbrechen, „und es war eine der schönsten Gewalttaten, die ich je erlebt habe."

„Und die anderen?", fragte Elias.

Ander ließ meinen Nacken los, um leicht über meinen schmerzenden Kiefer zu streichen. „Eine gewaltsame Zusammenarbeit zwischen Katriana, mir und einem unbekannten Scharfschützen oben in den Hügeln."

„Das war ich", verkündete eine tiefe Stimme mit einem Grunzen. Ich riss meinen Blick gerade rechtzeitig in Richtung der Stimme, um zu sehen, wie ein rothaariger Alpha einen anderen Kerl zu Boden fallen ließ. „Zumindest, wenn ich dieses Arschloch erst einmal zu Fall gebracht habe." Er trat den Körper in Anders Richtung, bevor er sein Gewehr zu Boden warf. „Er hat das benutzt, um aus der Ferne zu schießen. Nachdem ich ihm das Genick gebrochen habe, habe ich beschlossen, die Sache zu übernehmen."

Ich blinzelte ihn an. Seine Stimme war vertraut.

Er war neulich auf der Party gewesen und hatte nach der Paarung gefragt. Nicht, um mich zu werben, sondern die anderen Omegas.

„Samuel", sagte Ander, seine Überraschung deutlich zu erkennen. „Du hast Enzo erschossen."

„Ja", gab er zu, „und Darren auch." Er trat den Kerl zu

seinen Füßen. „Aber dieser Idiot hat nur ein gebrochenes Genick. Ich dachte, ich könnte ihn als Zeugen brauchen, um meine Geschichte zu bestätigen." Er hob eine Schulter. „Aber wenn er erst einmal weiß, wie ich mit dem Mädchen verwandt bin, könnte das ein strittiger Punkt sein."

Das rief bei mir und Ander ein Stirnrunzeln hervor, aber Elias war der, der fragte, „Was meinst du?" Samuel sah Elias an, der mit verschränkten Armen und zusammengekniffenen Augen im Schnee stand.

„Sie ist meine Nichte."

# ANDER

„Deine was?", verlangte ich tief schockiert.

„Meine Nichte", antwortete er ruhig. „Sie ist die Tochter meiner Schwester."

Katriana erstarrte in meinen Armen, ihr Mund offen.

„Und das erzählst du mir erst jetzt?" Ich schnappte nach Luft.

„Ich habe es erst neulich Abend realisiert, als ich zum ersten Mal deine Wunschgefährtin gesehen habe. Ich habe sie sofort erkannt, aber du warst ein bisschen beschäftigt." Er ließ seine Hände in die Hosentaschen gleiten. „Ich habe einen Bericht bei Ceres eingereicht. Er wird mein Blut untersuchen, um zu beweisen, was ich bereits weiß. Sie ist definitiv Mariannas Tochter."

„Das ist der Name meiner Mutter", flüsterte sie.

„Ich wusste nicht, dass du eine Schwester hattest", sagte Elias, als hätte er meine Gedanken gelesen. „War sie eine Beta?"

„Nein." Und ich wusste, bevor er fortfuhr, was für eine Art Wolf seine Schwester gewesen war. Die Wahrheit lauerte in seinen Augen. „Sie war eine Omega."

„Du hast eine Omega vor dem Rat versteckt." Ich verlagerte meinen Griff um Katriana, da ihr Körper begann, gegen meinen zu zittern. „Sie braucht eine Jacke."

Elias reichte mir seine Jacke, bevor ich überhaupt meinen Satz beendet hatte. Ich legte sie um ihre Schultern und half ihr auf die Beine. Unsere Kleidung war ruiniert, ihre Stiefel irgendwo inmitten des Gemetzels.

„Wir sollten diese Diskussion irgendwo fortsetzen, wo es wärmer ist", sagte ich und sah mich um. Mehrere Wölfe waren mit Elias angekommen und standen stoisch da.

Ich fuhr mit den Fingern durch mein Haar und atmete aus.

Sie brauchten mich. Ich musste in den Alpha-Modus übergehen, um eine Erklärung zu liefern, ein Edikt zu erlassen, *irgendetwas*, um ihnen zu helfen, sich angesichts des Blutbads am Boden, sicher zu fühlen.

Wahrscheinlich wusste inzwischen der gesamte Sektor, was hier draußen passiert war.

*Toll* …

Es geht doch nichts über einen stilvollen Start in den Tag, bedeckt mit Blut und Schusswunden. Mein verdammter Magen krampfte während der notwendigen Heilung, und mein Oberschenkel pochte von dem schäbigen Schuss, mit dem Enzo mich bei seinem ersten Angriff getroffen hatte, aber mein Herz pochte für meine zukünftige Gefährtin und das, was sie fast durchgemacht hatte. Mein Wolf wollte durch das Massaker laufen, um sicherzustellen, dass niemand überlebt hatte.

„Meine Mutter war eine Wölfin?", flüsterte Katriana und starrte Samuel an. „Nicht mein Vater?"

„Dein Vater war ein Mensch", antwortete er. „Deine Mutter hat vorgehabt, ihn zu paaren, aber er hat die Reise nach Andorra nicht überlebt."

„Reise?", wiederholte ich.

„Marianna war nie Teil des Andorra Sektors. Sie hat nach dem Ausbruch der Infektion alleine gelebt. Sie zog die menschliche Gesellschaft den Wölfen vor. Als sie sich verliebt hat, hat sie sich an mich gewendet, um sich uns anzuschließen. Sie hat gehofft, dass du ihr erlauben würdest, ihren Zukünftigen in einen X-Clan Wolf zu verwandeln, aber er ist gestorben, bevor sie die Chance dazu hatte."

Das bedeutete, dass er überhaupt keine Omega versteckt hatte, sondern nur Details über den Status seiner Schwester zurückgehalten hatte. „Und als sie ankam?"

„Ich habe im Labor ein Mittel zur Unterdrückung des Geruchs hergestellt, was ihr geholfen hat, sich zu verstecken", gab er zu.

Als einer meiner versierten Forscher wäre ihm diese Aufgabe nicht schwergefallen, und es war ja nicht so, dass ich die Aufenthaltsorte meiner Wölfe in den Bergen patrouillierte. „Ich wusste, was mit ihr und ihrem Kind passieren würde, wenn sie entdeckt worden wären. Jemand hätte Marianna die Paarung aufgezwungen und ..."

„Ihr Kind wäre wahrscheinlich getötet worden", beendete ich für ihn, denn das Baby war das Produkt einer Omega und eines Männchens, eines *menschlichen* Männchens. Die Beleidigung allein hätte den Tod des Kindes gerechtfertigt.

Er senkte sein Kinn anerkennend. „Ich werde die Strafe dafür akzeptieren, dass ich sie versteckt habe, aber ich werde mich niemals dafür entschuldigen."

Elias und ich tauschten einen langen Blick aus. Er wusste, dass ich kein Urteil über diese Information abgeben konnte nach allem, was heute passiert war. Es gab zu viele dringendere Angelegenheiten.

„Wie ist das möglich?", fragte Katriana und lenkte meine Aufmerksamkeit wieder auf meine erste Priorität, das Aufwärmen meiner fröstelnden Gefährtin. „Omegas brauchen einen Alpha, um sich zu paaren, richtig?"

„Ja, Omegas brauchen einen Alpha für die Paarung, und sie brauchen einen brünstigen Alpha, der ihnen durch den

Zyklus hilft, sonst ist der Prozess ziemlich schmerzhaft", erklärte ich leise. „Aber eine Omega kann sich technisch gesehen mit anderen fortpflanzen. Das Kind hat nur eine viel geringere Überlebenschance."

„Und Menschen können durch unsere genetischen Marker prädisponiert sein", fügte Samuel hinzu. „Was deine Mutter mir erzählt hat, versichert mir, dass dein Vater alle Neigungen eines Alphas besaß. Hätte man ihm das X-Clan Serum verabreicht, hätte er sich wahrscheinlich in einen Alpha-Wolf verwandelt."

Katriana schüttelte den Kopf, ihre Verwirrung deutlich spürbar. „Aber meine Mutter ist gestorben … Das kann nicht richtig sein."

„Deine Mutter wurde von einem der idiotischen Höhlenmenschen in den Kopf geschossen", sagte Samuel leise. „Sie hätte es vielleicht überlebt, wenn sie ihre Wolfsnatur nicht all die Jahre unterdrückt hätte, aber sie konnte es nicht riskieren, in Tiergestalt gefangen zu werden."

„Wenn wir unsere Wölfe unterdrücken, werden wir von Natur aus schwächer", stimmte ich zu und küsste ihren Kopf. „Das ergibt Sinn."

„W-warum hat sie mir nichts davon erzählt?", flüsterte sie mehr zu sich selbst als zu uns, aber Samuel antwortete trotzdem.

„Ich kann das nicht für sie beantworten, aber ich weiß, dass du ihr die Welt bedeutet hast. Sie hat alles riskiert, um hier zu bleiben, weil sie wusste, dass du in Andorra am sichersten wärst."

„Wie war ich hier sicher?", fragte sie. „Ich habe in einer Höhle gelebt, wo ich unzählige Male fast verhungert wäre. Ich wurde von Wölfen gekidnappt und gewaltsam verwandelt. Ich wurde geschwängert. Diese Arschlöcher hier haben mich fast vergewaltigt, und jetzt bin ich blutüberströmt, friere und du nennst mich *sicher*?" Sie lachte, aber das Geräusch verwandelte sich in ein Schluchzen. Ich zog sie in meine Arme, um sie zu trösten.

„Wir werden das später besprechen", sagte ich und schaute Samuel eindringlich an. „Ich erwarte, dass du in meinem Büro wartest."

Er stimmte mit einem stummen Nicken zu, wobei sein Gesicht nichts verriet.

„Was willst du mit den Leichen machen?", fragte Elias und deutete auf das Feld.

Ich dachte über meine Optionen nach und bemerkte die lebenden Männer. Einer war Darren, der offenbar das Scharfschießen von den Bäumen aus zu seinem Hobby gemacht hatte.

Der andere war Walton, ein Neuling, der von den Alphas in den Rat berufen worden war.

Sie am Leben zu lassen, wäre tatsächlich ein Schicksal, das schlimmer war als der Tod. Sie konnten nirgendwohin fliehen und wären gezwungen, als Verbrecher zu existieren, was meiner Meinung nach passend klang.

„Eine Minute", sagte ich als Antwort auf Elias' ausstehende Frage, küsste Katriana auf die Schläfe und zog sie an meine Seite, während ich mich auf der Suche nach den Köpfen, die ich brauchte, durch das Feld bewegte.

Enzos war noch immer an seinem Körper befestigt, Arturs nicht so sehr.

„Ist es für dich in Ordnung, wenn ich dich für eine Minute loslasse, Kätzchen?", fragte ich leise. Sie schniefte als Antwort, weinte aber nicht. Ihr Schock schien, in eine kältere Emotion übergegangen zu sein, während sie auf Arturs Überreste herabstarrte.

Sie nickte und sah zu, wie ich ein Messer von einer der Leichen zog und Enzos Hals auf dieselbe Weise durchsägte, wie sie es bei Artur getan hatte.

Als ich fertig war, packte ich ihn und bewegte mich, um

den Kopf seines Kumpels zu holen. Er war nicht mehr da, wo ich ihn vor ein paar Minuten noch gesehen hatte, denn Katriana hatte ihn aufgesammelt.

Sie begegnete meinem Blick entschlossen. „Sag mir, dass ich ihn verbrennen darf."

Diese neue Seite mochte ich viel mehr als die kaputten Teile. Meine Lippen spitzten sich zustimmend. „Wir können das ganze Feld in Brand stecken, wenn du willst."

„Nur die Leichen."

Ich nickte. „Nur die Leichen." Mein Blick wanderte zu meinem Vize, dessen Ausdruck mir verriet, dass er bereits wusste, was ich wollte.

„Ihr habt euren Alpha gehört", sagte er und wandte sich an die immer noch schweigende Armee, die er mitgebracht hatte. „Greift euch die Überreste und tragt sie ins Zentrum. Es ist Zeit für ein Lagerfeuer."

„Lasst Darren und Walton hier. Sie sind hiermit exkommuniziert und können selbst herausfinden, wie sie überleben." Ich spuckte auf ihre Überreste. „Wisst ihr was? Tonic kann ihr Schicksal teilen. Schmeißt ihn raus. Er kann seinen Freunden helfen." Da er nicht an dieser kleinen Versammlung teilgenommen hatte, nahm ich an, dass er immer noch im Knast war.

„Betrachte es als erledigt", antwortete Elias.

„Gut." Ich machte mich mit Katriana an meiner Seite auf den Weg zur Kuppel.

Sie sagte nichts über den Schnee unter unseren Füßen und zitterte nicht einmal.

Ich spürte, wie ihre Entschlossenheit mit jedem Schritt wuchs. Ihre Wut trieb ihre Bewegungen an. Mein kämpferisches Weibchen war endlich zurückgekehrt.

Ich wünschte nur, es wäre unter besseren Umständen gewesen …

Eine Wache traf uns am Eingang, und das Männchen

verbeugte sich so tief, dass ich dachte, er würde den Schnee küssen.

Er muss unsere Aggressionen gespürt haben.

Die Gewalt.

Den Ärger.

Das sehr reale Bedürfnis, meine Leute in ihre Schranken zu weisen, damit so etwas nie wieder passiert.

Meine Verärgerung wuchs mit jedem Schritt, angeheizt durch Katrianas Emotionen.

Sie hatten unser Kind bedroht, sie berührt und versucht, meinen Anspruch und meine Führung an sich reißen. Ich konnte nicht zulassen, dass das ohne irgendeine Art von Konsequenz ablief.

Der Andorra Sektor würde sich vor seinem Alpha verbeugen. Sie würden mich anflehen zu bleiben. Sie würden meine Position verdammt nochmal respektieren.

Eine Menschenmenge hatte sich auf dem Platz versammelt, nachdem Elias eine Ankündigung für ein Notfalltreffen verschickt hatte.

Viele der Wölfe keuchten bei meiner Ankunft und bemerkten das getrocknete Blut, das meine Gestalt und Katrianas entblößte Beine bedeckte.

Wir sahen aus, als hätten wir die Hölle überlebt, und ich hatte immer noch zwei Wunden, die in meinem Unterbauch heilten, während Katrianas Haare aussahen wie ein Nest.

*Und wir tragen die Köpfe der beiden verantwortlichen Männer ...*

Ich warf meinen in die Mitte des Platzes. Ein kleiner Fluss, der zu unserer Linken floss, übertönte das Geräusch von Enzos Schädel, der auf dem Kopfsteinpflaster aufschlug. Katriana warf Arturs Überreste mit etwas mehr Kraft zu Boden. Sein Gesicht prallte beim Aufprall ab und ließ einige Zuschauer zurückspringen.

„Noch jemand?", fragte ich fordernd und sorgte dafür, dass meine Stimme in die Menge getragen wurde und von den umliegenden Wohnhäusern widerhallte. Sie waren fünf oder sechs Stockwerke hoch und bildeten eine angemessene Schallkammer für eine Demonstration wie diese. Nur der sanfte Fluss des strömenden Wassers antwortete mir.

Und dann kamen die anderen Leichen an.

Elias' Männer kippten die Überreste auf einen Haufen, der eines Lagerfeuers würdig war.

Ich hatte das Feuer noch nicht angezündet, denn ich wollte sichergehen, dass sonst niemand mitmachen wollte.

Ich starrte alle an und ließ kein einziges Augenpaar aus, als ich die Menge unter einer Welle der Macht, die mit einem tiefen, gutturalen Ton aus meiner Brust strahlte, in die Knie zwang. Ich forderte von allen, sich mir zu unterwerfen, unabhängig vom Rang. „Das ist *mein* Sektor", sagte ich wütend, weil jemand es in Erwägung gezogen hatte, mich auf diese Weise herauszufordern. „Wenn ihr euch nicht meinem Kommando unterwerfen wollt, dann sprecht jetzt und geht."

Es war still. Niemand wagte es, einen Ton von sich zu geben, bevor alle in die Knie gingen.

Sogar Elias brach unter der Welle meiner Energie zusammen, entweder als Zeichen seines Respekts, oder weil ich wirklich so viel Dominanz ausstrahlte. Vielleicht war es eine Mischung aus beidem.

Es spielte keine Rolle.

Ich sehnte mich nach Gehorsam. Brauchte die Anerkennung meiner Position an der Spitze. Brauchte ihren Respekt.

Ich knurrte wieder zur Betonung und entlud meine Wut in einer Peitsche. Mein Volk hatte es gewagt, zu versuchen, mir meinen zukünftigen Erben zu nehmen.

Meine Gefährtin.

Meine Position.

*Wie könnt ihr es wagen, meine Herrschaft infrage zu stellen?*, knurrte mein Wolf. *Nach allem, was ich gegeben habe?*

Wimmern hallte aus der Menge wider, der Klang wie Musik in meinen Ohren, bis ich es von der einen Frau hörte, die ich nie außerhalb des Schlafzimmers jaulen hören wollte. *Meine Gefährtin.*

Katriana war unter meinem Ausbruch von Dominanz auf die Knie gefallen, und ihre Schultern zitterten, als sie sich vorbeugte, bis ihre Stirn den Boden berührte.

*Nein,* knurrte mein Wolf, *das ist nicht die richtige Position für meine Gefährtin.*

Ich ging vor ihr in die Hocke, fuhr mit meinen Fingern in ihre dunkelroten Strähnen und zog sie sanft nach oben. „Nein, Katriana", flüsterte ich und zwang ihren mit Tränen erfüllten Blick auf mich. „Hier verbeugst du dich nie vor mir." *Im Schlafzimmer, ja, aber nicht vor dem Sektor.* „Steh bitte auf, Kätzchen."

Sie blinzelte, als ihre Kehle arbeitete, um zu schlucken.

Ich gab ihr einen sanften Ruck und half ihr, sich aufzurichten, bevor ich sie in meine Arme zog, während alle anderen in einer unterwürfigen Position um uns herum blieben.

„Du bist meine Gefährtin", sagte ich und streichelte ihre Wange. „Deine Position ist an meiner Seite."

Ihre Lippen öffneten sich, und ich wusste, was sie dachte. Ich konnte es in ihrem Blick sehen. *Zweifel* ...

Bevor sie etwas sagen konnte, reagierte ich und nutzte meinen Griff, um ihren Kopf zur Seite zu drehen.

Ich versenkte meine Zähne in ihrem Hals, um sie zu beanspruchen.

Ich markierte sie als die meine, damit es *jeder* sehen konnte.

*Damit sie es fühlte.*

Sie keuchte auf, und ich konnte ihren Atem spüren, als

ihre Hände meine Schultern umklammerten und unsere Verbindung einrastete. Unsere Paarung war vollendet.

Es fühlte sich an wie ein direkter Pfeil von meinem Herzen in ihres, der uns fürs Leben verband. Es brandmarkte ihre Seele mit meinem Namen und meine Seele mit ihrem.

Noch nie hatte ich mich so vollkommen gefühlt.

So lebendig.

So erfüllt.

Als ihr Blut meine Zunge berührte, erfüllte Ambrosia mein Inneres.

Meine Gefährtin.

Meine Katriana.

Mein Leben.

*Meine.*

# KAT

TRÄNEN FLOSSEN AUS MEINEN AUGEN, nicht vor Schmerz, sondern vor Freude.

Ander Cain hatte mich endlich für sich beansprucht, mich als seine markiert, und dass vor den Augen des gesamten Sektors.

Das Einzige, was ich jetzt wollte, war, ihn zurück in sein Zimmer zu schleifen, um ihn mit meinem sehr willigen Körper ordentlich zu belohnen.

Er ließ mich mit einem Knurren los, aber ich gab ihm keine Chance, zu sprechen, bevor ich seinen Kopf runterzog, um ihn zu küssen. Ich schmeckte mein Blut, und ein gewalttätiger Teil von mir wollte seine Essenz kosten, also biss ich hart auf seine Unterlippe, was ihn dazu brachte, mir ein Knurren entgegenzubringen.

Und dann stöhnte er, als ich an der Wunde saugte und sein dekadentes Blut schluckte.

„Verdammt", hauchte er und hob mich hoch. Ich schlang meine Beine um ihn. Ich brauchte ihn. *Jetzt!*

Das Lagerfeuer konnte warten.

Zur Hölle, sie konnten die verdammten Leichen auch ohne mich verbrennen.

Alles, was ich wollte und brauchte, war, dass mein

Gefährte mich in jeder Hinsicht beanspruchte. „Nimm mich", verlangte ich. „Markiere mich."

Ich schlug mit meinem Rücken gegen eine Wand an der Seite des Gebäudes, das ich nicht einmal bemerkt hatte. Ich hatte auch nicht gespürt, wie er auf das Gebäude zuging, aber er hatte uns aus dem Hof in eine Gasse gebracht und mich in einer Ecke versteckt.

Sie waren immer noch da. Ich *spürte* ihre Anwesenheit, ihre Ehrfurcht und ihre überwältigende Neugierde, einem Alpha zuzusehen, wie er seine Omega in den Wahnsinn trieb.

Es hätte mich stören sollen. Ich hätte Privatsphäre verlangen sollen.

Oh, ich hätte eine Menge Dinge tun und sagen sollen, aber nein, dies war der Ort, an dem ich sein musste. Bei meinem Gefährten.

Ich riss den obersten Knopf von seiner Jeans ab, riss den Reißverschluss herunter und rieb meine Feuchte über seinen Schwanz.

„Du bist verdammt perfekt", staunte Ander und stieß mit einem harten Stoß in mich hinein. „Du bist alles, wovon ich je geträumt habe."

„Härter", forderte ich und grub meine Fersen in seinen festen Hintern. „Mach mich zu deiner, Ander Cain."

Wir waren schmutzig.

Mörderisch.

Wütend.

Bedeckt mit den Überresten unserer Feinde.

Tiere.

*Gepaart.*

Und ich wollte jeden verdammten Zentimeter von ihm in mir spüren. Ich wollte, dass er mich durchbohrte, bis ich schrie.

Seine Lippen prallten auf meine und unsere Essenzen

vermischten sich in unseren Mündern, während seine Zunge um die Vorherrschaft kämpfte. Ich wehrte mich und ließ ihn dafür arbeiten, um meine Unterwerfung auf die beste Weise zu zeigen.

Er wollte mich an seiner Seite haben.

Ich wollte ihn nie wieder verlassen.

Aber ich brauchte seinen Schutz, seine Stärke und seine absolute Überlegenheit. Er gab mir alles, was ich wollte. Seine Hände hielten mich fest, während er mich in Vergessenheit fickte. Ich biss ihn. Er biss mich. Ich leckte ihn. Er leckte mich. Ich schrie. Er knurrte. Ich fuhr mit meinen Nägeln über seinen Rücken, und er drückte mich fester gegen die Wand.

Heftig.

Bestrafend.

*Großartig …*

Ich keuchte, schrie auf und zog ihn mit einer Heftigkeit an mich, gegen die niemand eine Chance hatte, nicht einmal er.

„Du gehörst mir", flüsterte ich ehrfürchtig und wölbte mich gegen ihn. „Mein Alpha."

„Meine Omega."

„Mein Gefährte."

„Meine Liebe", erwiderte er und seine Lippen wanderten meinen Hals hinunter zu der Stelle, an der er mich gebissen hatte, um die Wunde zu säubern. „Ich liebe dich, Katriana Cardona."

*Fünf Worte …*

Mein Herz war versiegelt mit dem Schicksal, das ich endlich akzeptiert hatte.

„Ich liebe dich auch, Ander Cain", sagte ich und nahm seinen Mund erneut ein, während sein Tempo sich verlangsamte.

Beruhigend.

Weich.

*Voller Anbetung.*

Meine Augen begannen, zu tränen, und mein Herz schlug schneller in meiner Brust. Was als intensives Bedürfnis begonnen hatte, hatte sich in einen emotionalen Tanz verwandelt, der von Intimität unterstrichen wurde. Unsere Seelen verbanden sich im Ehebund, während unsere Körper sich als eins bewegten.

*Das ist Liebe.*

Unsere Wölfe heirateten einander auf Lebenszeit.

Niemand würde jemals in der Lage sein, zwischen uns zu kommen.

Wir würden für immer als Team arbeiten, um unser Kind zu erziehen und zu führen ... Zusammen.

Ander leckte sich einen Weg zu meinem Ohr, und sein Atem jagte mir einen Schauer über den Rücken. „Du gehörst mir, Katriana." Sein Knoten explodierte aus ihm heraus und heftete sich an meinen inneren Kanal, als er sich mit einem leisen Stöhnen, das nur für meine Ohren bestimmt war, tief in mir ergoss.

„Und du gehörst mir", erwiderte ich und kam zum Höhepunkt, als ich vor Verzückung erschauderte.

Mein Körper erwärmte sich, und ich nahm kaum den Schnee wahr, der um uns herum fiel. Erst als er sich bewegte, spürte ich die Verletzungen an meinem Rücken, die von dem Gebäude stammten, als er mich dagegen gestemmt hatte, wie ich es gewünscht hatte.

Aber es tat nicht weh.

*Nur wir ...*

Alles auf dieser Welt geschah aus einem Grund, und ich verstand nun mein Schicksal − den Grund meines Daseins.

Ich war von halb-Wolf zu einer ganzer Omega geworden, und meine Existenz war an einen Mann gebunden, der mich in seiner Welt brauchte, um ihm zu helfen, seinen Sektor zu führen.

Nicht um mich zu unterwerfen oder vor seinen Füßen zu kriechen, sondern um als Gefährtin auf meine eigene, einzigartige Weise zu funktionieren.

„Ich möchte mehr über deine Welt erfahren", flüsterte ich. „Wie alles funktioniert."

„Du willst mir helfen, zu überleben", vermutete er.

Ich nickte, bevor er seine Lippen auf meine drückte. „Das hast du mehr, als du weißt." Er küsste mich wieder, diesmal langsamer, als sein Knoten immer noch in mir pulsierte. „Du gibst mir einen Lebensgrund, Katriana. Ich wusste nicht, was mir gefehlt hat, bis ich dich traf."

Seine Zunge glitt in meinen Mund und tanzte träge mit meiner, während unsere Körper von unserem Hochgefühl herunterkamen und sein Knoten mich langsam freigab.

Ander legte seinen Kopf auf meine Schulter und streichelte seinen Biss nach. „Tut es weh?"

Ich schüttelte den Kopf. „Nicht so schlimm wie deine Verweigerung, mich zu beanspruchen."

Er zuckte. „Ich hätte dich am ersten Tag beißen sollen. Ich wusste sofort, dass du mir gehörst. Deshalb habe ich dich in mein Penthouse gebracht."

„Ich bin froh, dass du es nicht getan hast", gab ich zu und streichelte seinen Rücken, während er mich mühelos hochhielt. „Heute bedeutet es mehr. Es ist wie eine Belohnung für alles, was wir durchgemacht haben. Wir haben es verdient." Es klang lächerlich, aber der Glanz in seinem Blick sagte mir, dass er mich verstand.

„Sollen wir das mit einem Lagerfeuer feiern?", fragte er leise und ließ seine Stirn auf meine sinken.

„Unsere Feinde brennen sehen?" Weil sie *unsere* Feinde waren, nicht nur seine. Jeder, der meinen Gefährten bedrohte, bedrohte mich. *Für immer und ewig.*

Wir waren ein Team.

Er nickte. „Ja."

Irgendwie wusste ich, dass es nicht nur eine Antwort auf meine Frage war, sondern auch auf meine Gedanken. Wir konnten die Gedanken des anderen nicht lesen, aber ich spürte ihn in mir. Seine Emotionen vibrierten an einer unsichtbaren Schnur, die unsere Herzen miteinander verband, sodass sie im Gleichklang schlugen. Es war das Gefühl der absoluten Erfüllung, seine Bewunderung und schützende Energie zu spüren. Seine Dominanz. Sein angeborenes Bedürfnis, mich zu verehren. Seine Wärme.

Ich schmiegte mich mit einem Seufzer an ihn. „Wo auch immer du hingehst, ich werde mitkommen."

„Du kannst ab und zu laufen", antwortete er und lächelte mich an, bevor er meinen Kopf küsste. „Es würde mir nichts ausmachen, dir hinterherzulaufen. Sei nur auf die Konsequenzen vorbereitet."

„Konsequenzen wie … ficken?"

„Auf jeden Fall", antwortete er, zog sich aus mir heraus und stellte mich aufrecht hin, bevor er seinen Reißverschluss hochzog. Da ich den Knopf abgerissen hatte, war es das Beste, was er tun konnte. Er sah in dieser tief hängenden Jeans verdammt heiß aus. Er hatte keine Schuhe an, und selbst, wenn seine Füße kalt gewesen wären, hätte er keinen Kommentar abgegeben. Ich vermutete, dass sein Wolf ihn unter Kontrolle hielt.

Er nahm meine Hand, hob sie zu seinen Lippen und drückte einen Kuss auf meinen Handrücken. „Lagerfeuer oder Dusche?"

„Lagerfeuer", sagte ich. „Ich will die Bastarde brennen sehen."

Er grinste, als Zustimmung von ihm ausstrahlte. „Ich auch."

„Aber danach können wir duschen. Vielleicht kannst du mir dann endlich zeigen, wie man sie richtig benutzt."

Seine Augenbraue hob sich. „Du weißt nicht, wie man die Dusche bedient?"

„Hast du nicht die Pfützen bemerkt, nachdem ich in deinem Badezimmer war?"

„Ich dachte, du wärst eine Göre."

Ich schnaubte. „Nein, deine Dusche und ich sind keine Freunde. Ich bin damit aufgewachsen, im See zu baden."

Er musterte mich einen Moment lang und warf dann lachend den Kopf zurück. Er war voller Freude, einem Staunen und unverhohlener Belustigung. „Oh, Katriana. Das Leben, das wir zusammen führen werden …"

Er hob mich in seine Arme und trug mich wie in den Brautzeitschriften, die meine Mutter aufbewahrt hatte.

Mein Herz setzte kurz aus bei der Erinnerung.

Sie war ein Wolf, aber sie hatte es mir nie gesagt.

Ich fragte mich, welche Geheimnisse sie noch hatte, und ob ich sie jemals herausfinden würde. Vielleicht war ich nicht dazu bestimmt, es zu wissen.

Oder vielleicht war dies das Schicksal, das sie schon immer für mich vorgesehen hatte.

Verpaart mit einem Alpha. Beschützt, verliebt und eine eigene Familie.

Kein schlechtes Leben …

*Nein,* dachte ich, als Elias eine Fackel an den Leichenhaufen hielt. *Nein, ich würde sogar so weit gehen, es erstaunlich zu nennen.*

Ich lehnte mich entspannt gegen Ander und lächelte, während ich zusah, wie die Überreste unserer Feinde in Flammen aufgingen.

*Lang lebe der Andorra Sektor,* dachte ich mir.

*Wenn du dich mit mir oder meinem Gefährten anlegst, werden wir dich vernichten.*

# ANDER

*Ein Jahr später*

„WIE LAUFEN die Dinge im Shadowlands Sektor?", fragte ich und entspannte mich in meinem Bürostuhl.

Katriana hatte mir geholfen, eines der ungenutzten Schlafzimmer in ein Büro zu verwandeln, das mir besser diente, als es unser Esstisch getan hatte. Ich hatte vorher nicht wirklich einen gebraucht, aber ihre sexuellen Bedürfnisse während ihres zweiten und dritten Trimesters hatten es fast unmöglich gemacht, mein Penthouse zu verlassen.

Es ging ihr besser, nachdem unser Sohn geboren worden war, aber ich mochte es lieber, sie in der Nähe zu haben.

Dušan lächelte. „Sie haben sich verbessert, seit ich die Sache mit dem Serum geregelt habe."

Es hatte ihn einige Zeit gekostet, alles herauszufinden. Ich hatte nicht nach den Einzelheiten gefragt, aber ich hatte verstanden, dass es um seine neue Gefährtin und die Virusanfälligkeit der Ash Wolves ging.

Das war der primäre genetische Unterschied zwischen uns, denn X-Clan Wölfe waren nicht betroffen, während Ash Wolves sich mit der Krankheit anstecken konnten, wodurch ein ziemlich tödlicher Hybrid entstand. Deshalb hatten wir Maßnahmen ergriffen, um die Ash Wolves zu schützen, die sich mit Mitgliedern des Andorra Sektors gepaart hatten. Das war Teil von Dušans Anforderungen, nicht, dass wir das gebraucht hatten. Wir hätten die Weibchen sowieso geschützt.

„Ich bin froh, dass das geklärt wurde", antwortete ich und bezog mich damit auf die Frage nach dem Serum. „Ich hoffe, das bedeutet, dass ein weiteres Handelsabkommen in unserer gemeinsamen Zukunft liegt."

„Genau deshalb habe ich angerufen", sagte er, „und um zu fragen, was zum Teufel im Wintersektor los ist."

Ich grunzte. „Das ist eine verdammte Sauerei." Mein Vater rief neulich an, um mir einen Überblick über die Situation zu geben.

„Es gibt Gerüchte über eine Revolution", sagte Dušan, lehnte sich an einen Baum und fuhr sich mit den Fingern durch sein dunkles Haar. „Es scheint, dass die Königin der Spiegel alle Hände voll zu tun hat."

„Tut sie das nicht immer?", fragte ich. Der Wintersektor am Polarkreis war ein berüchtigter Beta-Bezirk. Der Sektor hatte nur einen Alpha, ein Weibchen, und ihre drei Omega Männchen als Gefährten. Sie weigerte sich, einen von ihnen zu paaren, und zwang sie alle, um ihre Aufmerksamkeit zu buhlen.

*So eine abscheuliche und grausame Frau ...*

Viele hassten sie, vor allem, weil sie an den begehrten männlichen Omegas festhielt, die in unserer Welt noch seltener waren als Omega Weibchen.

Alpha Weibchen waren genauso selten, daher ihr angeblicher königlicher Status.

„Ich drücke dem Nordsektor die Daumen, dass er sie zu Fall bringt", gab der Alpha des Shadowlands Sektors zu. „Gib die Nachricht an deinen Vater weiter."

„Oder du kannst es ihm selbst sagen, da du mit ihm anscheinend auch Handel betrieben hast", schlug ich vor.

Die Lippen des Alphas pressten sich aufeinander. „Er hat dir davon erzählt."

„Er ist mein Vater", erwiderte ich, zu seiner Belustigung. „Eines Tages wirst du aufhören, Spielchen mit mir zu spielen."

Dušan schmunzelte. „Vielleicht, aber nicht in nächster Zeit."

„Natürlich nicht. Das wäre ja langweilig." Ich zog eine Augenbraue hoch. „Jetzt sag mir, was du tauschen willst."

Jeglicher Humor verschwand, als wir uns in eine Diskussion darüber stürzten, was sein Sektor brauchte, und was er im Gegenzug bereit war, uns anzubieten. Ich verriet nichts, hörte mir seine Bedingungen an und notierte, was mir an jeder einzelnen gefiel oder nicht. Als er fertig war, nickte ich. „Ich werde es mit meinem Rat besprechen und melde mich wieder."

Er atmete aus, ein Schimmer von Respekt in seinem Blick. „Gut. Das gefällt mir an dir, Cain. Du bemühst dich um Diplomatie in einer Welt, in der Diktatoren leicht herrschen könnten."

„Ein Beispiel dafür ist der Wintersektor", murmelte ich.

„Genau."

„Ich melde mich bald", versprach ich, als ich eine Bewegung im Türrahmen wahrnahm.

Dušan verabschiedete sich auf seine übliche Art und Weise, ohne sich zu verabschieden, als meine Partnerin mit unserem Sohn auf ihrer Hüfte hereinkam. Er hatte seine Finger um ihr rotes Haar gewickelt und zerrte daran, wie er es oft zu tun schien.

Wie der Vater, so der Sohn.

Auch ich hatte es genossen, meine Gefährtin an den Haaren zu ziehen.

*Nur auf eine etwas andere Art und Weise ...*

Seine wachsende Mähne aus kastanienbraunem Haar glitzerte im Licht, als seine goldenen Augen sich in meinem Büro umschauten und seine kleine Nase zuckte. Wahrscheinlich fragte er sich, welche Stimme er mit seinem verbesserten Gehör belauscht hatte, und witterte nach irgendetwas, das hier nicht hingehörte.

„Ist alles in Ordnung mit Dušan?", fragte Katriana. Ihr Gesicht glühte vor mütterlicher Wärme. Ihr stand das Muttersein wirklich gut. Ich konnte es kaum erwarten, ihr noch ein Kind zu schenken, aber ich wusste, dass sie noch warten wollte. Das bedeutete, dass wir während ihres Zyklus vorsichtig sein mussten, was wir beide nicht sehr genossen.

„Ander?", fragte sie und schenkte mir ein wissendes Lächeln.

„Dušan und seinen Leuten geht es gut", antwortete ich. „Ich vermute, er hat einen Weg gefunden, die Infizierten zu bekämpfen, aber er hat es nicht bestätigt. Ich hoffe, dass er es getan hat. Für die Sicherheit seines Sektors."

„Ich auch", murmelte sie. „Ich hatte keine Ahnung, dass Ash Wolves nicht immun sind."

„Ich hatte Gerüchte gehört, aber unser Handel hat es bestätigt, als er mir gesagt hat, ich solle Sicherheitsmaßnahmen für die Omegas ergreifen." Ich hob eine Schulter. „Hoffentlich gibt er das, was er gelernt hat, an unsere Wissenschaftler weiter, damit wir sie besser beschützen können."

Katriana nickte. „Ja, das hoffe ich auch." Sie knabberte an ihrer Unterlippe und betrachtete mich einen Moment lang. „Samuel hat angerufen und gefragt, ob er später zum Essen vorbeikommen kann."

„Schon wieder?" Der verdammte Alpha schien meinen Sohn so sehr zu lieben, wie ich es tat. Ich nahm an, dass er eine Art familiäre Verpflichtung fühlte, da er Katrianas entfremdeter Onkel war.

Sie hatte es nicht wirklich verkraftet, dass ihre Mutter ein Wolf war, und es nie erwähnt hatte. Ich konnte es ihr nicht wirklich verübeln.

Ich hatte Samuel nicht gerade verziehen, dass er es mir, als seinem Sektor Alpha, nicht gesagt hatte. Er hatte behauptet, dass er es bis zum Omega- und Alpha-Treffen an diesem Abend nicht bemerkt hatte, weshalb er meine Meinung über das Werben abgefragt hatte. Ich hatte gedacht, er wäre an einer Omega interessiert, aber es war seine Nichte, um die er sich sorgte.

Was für eine dumme Art, es zu zeigen …

„Ich weiß, er ist nicht deine Lieblingsperson, aber er kann gut mit Quim umgehen", murmelte sie und küsste unseren Sohn auf den Kopf. Er gurrte glücklich als Antwort und bewunderte die Aufmerksamkeit seiner Mutter. „Nicht wahr, kleiner Junge?", fragte sie ihn. „Du liebst deinen Onkel Sammy, nicht wahr?"

Ich grinste. „Ich hoffe wirklich, dass er ihn so nennt, wenn er sprechen lernt." Denn Samuel würde es hassen.

„Oh, es wird passieren", antwortete sie. „Vertrau mir."

„Habe ich dir heute schon gesagt, wie sehr ich dich liebe?"

„Hm, nur zweimal", sagte sie, als sie sich gegen die Tür lehnte, „und du hast seit etwa sechs Stunden nicht mehr versucht, mich zu verknoten, also brauche ich vielleicht bald etwas Überzeugungsarbeit."

Meine Lippen spitzten sich. „Ja?" Ich stieß mich von meinem Schreibtisch ab und ging auf sie zu. „Wie wäre es jetzt mit etwas Überzeugungsarbeit?"

„Dein Sohn hat dazu vielleicht etwas zu sagen."

„Wir geben ihm ein Fläschchen und bringen ihn ins Bett."

„Ja, weil das beim letzten Mal so gut geklappt hat", sagte sie scherzhaft.

Ich drängte sie gegen die Tür und beugte mich vor, um sie zu küssen, sehr zum Ärger von Quim, der ein kleines Knurren des Unmuts ausstieß, das mich kichern ließ. „Unser kleiner Alpha testet bereits die Grenzen seines Vaters aus." Ich gab dem Kleinen einen Klaps auf die Nase und lächelte ihn an. „Viel Glück, kleiner Wolf."

Als Antwort versuchte er, in meinen Finger zu beißen, bevor wieder eins dieser Geräusche von ihm kam.

„So beschützend gegenüber deiner Mutter", sinnierte ich stolz. „Du wirst eines Tages ein guter Alpha sein."

„Und ich werde von Testosteron umgeben sein", murmelte Katriana.

„Wir könnten es nächstes Mal auch mit einem Mädchen versuchen", bot ich an.

„Denk nicht einmal daran", schnauzte sie und zeigte mit dem Finger auf mich. „Ich bin lange noch nicht so weit, und du schuldest mir mindestens ein Jahr Orgasmen."

Ich lachte unverhohlen. „Nur ein Jahr?"

„Ich würde ja um ein Jahrzehnt bitten, aber wir wissen beide, dass du vorher noch ein Baby verlangen wirst."

„Verdammt richtig", stimmte ich zu und folgte ihr, als sie den Flur zu unserem Zimmer hinunterging. Ich kannte diesen Gang, den Schwung ihrer Hüften und die Absicht ihres Duftes. Sie würde mir geben, was ich wollte, vorausgesetzt, unser kleiner Quim wäre bereit, ein Nickerchen zu machen.

Und das sollte er auch.

Wie meine Gefährtin gesagt hatte, ich schuldete ihr ein Jahr voller Orgasmen.

Aber ich war ihr so viel mehr schuldig …

Ein Leben voller Vergnügen, genüsslichem Schmerz und einer ganzen Welt voller Glück.

Ich beobachtete voller Ehrfurcht, wie sie unseren kleinen Jungen in sein Nest in der Ecke unseres Zimmers legte, und mein Herz füllte sich mit Anbetung für beide.

Meine Existenz war vollständig und meine Welt ein Werk der Vollkommenheit.

Quim wurde still, als Katriana summte. Sie hatte ihre eigene Version des Schnurrens, das ihn in seine Träume schickte, ähnlich wie meine es bei ihr taten.

Aber als sie sich umdrehte, wusste ich, dass Schlaf die letzte Aktivität war, an die sie dachte.

„Bring mich ins Bett, Gefährte", forderte sie.

Ich lächelte und legte meine Hand in ihren Nacken. „Das klang furchtbar nach einem Befehl, Omega. Was soll ich dagegen tun?"

„Mich daran erinnern, wer mein Alpha ist?", schlug sie vor und blinzelte unschuldig zu mir hoch.

„Hm, das kann ich machen", erwiderte ich und nahm ihren Mund mit einem strafenden Kuss, bevor ich ihr Kleid über ihren Kopf zog. „Leg dich hin und spreiz deine Beine für mich." Sie wich einen Schritt zurück, aber ich packte sie an der Taille und zog sie noch einmal zu mir. „Katriana?"

Sie schluckte, als ihre Augen diesen benommenen Ausdruck annahmen, den ich liebte. „Ja?"

„Du solltest besser verdammt feucht für mich sein", sagte ich und knabberte an ihrer Unterlippe, bevor ich sie mit einem Klaps auf den Arsch entließ.

Sie krabbelte auf das Bett und blickte zaghaft über die Schulter. „Ander?"

Ich wölbte eine Augenbraue und forderte sie auf, zu sprechen.

„Ich bin immer feucht für dich", sagte sie und lächelte, als ich stöhnte.

Mein Weibchen, die fabelhafte Untergebene.

Wenn das die Art war, wie sie spielen wollte, dann war es genau das, was wir tun würden.

Denn ich lebte und atmete für diese Frau.

Meine Gefährtin fürs Leben.

Meine Ewigkeit.

Ich zog mich aus und sah zu, wie sie ihre Beine spreizte, so wie ich es verlangt hatte, wobei ihre feuchte Erregung ihre zarten Oberschenkel überzog.

*Mein,* dachte ich und ging auf sie zu.

*Für immer mein …*

## Das X-Clan-Universum geht weiter mit X-Clan: Das Experiment

**Daciana**

Ich bin eine Tauschgabe. Ein Test. Ein Opfer in einem
Abkommen, von dem ich wenig weiß.

*Flieg zum Andorra Sektor.*
*Erlaube ihnen, zu experimentieren.*
*Paare dich mit einem X-Clan Wolf Alpha.*
*Hoffe auf das Beste.*

Das sind meine Befehle. Das ist mein Schicksal, meine
gegenwärtige Existenz.
Ich kann nicht fliehen, und der Mond ist eine Zeitangabe,
die ich nicht ignorieren kann.
Einer dieser Alphas wird mich holen, vorausgesetzt, unsere
Gene stimmen überein.
Und wenn nicht …
Nun, dieses Schicksal wäre schlimmer als der Tod.

*Tick tack …*
*Triff eine Auswahl.*
*Deine Zukunft hängt davon ab.*

**Elias**
Die hübsche, kleine, blonde Wölfin hat für ihre jungen Jahre schon zu viel Schmerz erlebt.

Das bringt mich dazu, sie binden zu wollen.
Um sie anzubeten.
Um ihr zu zeigen, dass es auch Gutes in dieser Welt geben kann.
Aber unsere Zukunft ist in ein Experiment verwickelt.

Entweder ist sie kompatibel, oder sie ist es nicht. Der Mond wird unser Schicksal bestimmen, oder vielleicht wird mein innerer Wolf für uns entscheiden, denn mit jedem Moment, der vergeht, wird es schwieriger, die Frau nicht zu beanspruchen, von der ich in meinem Herzen weiß, dass sie mir gehört.

*Lauf, Kleine, lauf!*
*Schau nicht zurück.*
*Wenn ich dich erwische …*
*Vielleicht beiße ich ja …*

**Anmerkung der Autorin**: Dies ist eine eigenständige Novelle mit Charakteren aus Andorra Sektor, Buch 1 der X-Clan-Reihe. Sie enthält Elemente aus dem Omega-Verse und hat ein Happy End.

*Wahre Liebe ist ein Mythos.*
*Ein Trick.*
*Ein Weg, die Heldin zu unterwerfen und ihr alles wegzunehmen.*

### Winter Snow

Meine „wahre Liebe" hat sich mit meiner Stiefmutter
verbündet, um mich töten zu lassen und meinen Thron zu
stehlen.

Aber sie haben versagt.
Ich habe mich zurückgezogen und meinen Rachefeldzug
vorbereitet. Ich bin nicht mehr die junge Frau, für die sie
mich einst hielten. Ich komme, um sie zu holen.
Und um mein Königreich zurückzuerobern.

Wer braucht schon Zwerge, wenn man Wölfe hat?

Wer braucht schon Klingen, wenn man Pfeile hat?

Mein Name war Winter Snow.
Jetzt nennt man mich Winters Arrow.
Denn, ich bin hier, um sie alle zu vernichten.

### Kazek Flor

Ich bin kein Prinz, sondern ein Alpha. Ich nehme mir, was ich will, wann ich es will.
Als ich eine sterbende Omega Prinzessin in den Wäldern finde, nehme ich sie mir und mache sie zu meiner.

Ich werde sie trainieren und sie ermutigen. Ich werde ihr helfen, ihre Rache auszuüben, die ihr zusteht.

Dann werden wir gemeinsam den Wintersektor und die Königin der Spiegel stürzen.

*Lauft schneller, kleine Wölfe.*
*Eure ehemalige Prinzessin ist dabei, sich mit mir an ihrer Seite zu erheben.*
*Und uns dürstet es nach eurem Blut …*

**Anmerkung der Autorin:** Dies ist eine eigenständige Schneewittchen-Nacherzählung und im X-Clan Omega-Verse angesiedelt.

**Starke Beschützer. Schicksalsgefährten. Und ein tödliches Geheimnis.**

**Sie nennen mich eine Ausgestoßene, schwach.**

Ich habe mein ganzes Leben lang ums Überleben gekämpft, bin vor einem Angriff auf meine Familie geflohen und habe mich schließlich bei den Ash-Wölfen versteckt. Dieser eine Schritt könnte mein größter Fehler von allen sein. Und ich bin die Königin der Fehler ...

Ich lasse sie glauben, dass ich kaputt bin, lasse sie die Lügen glauben. Ich lasse sie glauben, was sie wollen ... solange es nicht die Wahrheit ist.

Da ist ein Monster in mir, eines aus Zähnen und Klauen und schrecklichem Verlangen. Ich schlucke es hinunter, verstecke mich unter dem Vorwand, normal zu sein. Aber ich bin nicht normal. Ich bin alles andere als das.

Eine Bindung ist das Einzige, was uns retten wird - mich und das Ash-Rudel. Nur brauche ich jemanden, der stark genug ist, die Dunkelheit in mir zu bekämpfen ... und wild genug, um zu bleiben.

Werden die rücksichtslosen Wolfwandler mir helfen, wenn sie die Wahrheit darüber herausfinden, was ich bin?

*Dies ist Buch 1 einer paranormalen Romantrilogie für alle, die starke Beschützer, Wolfswandler und heiße Szenen lieben.*

### Ash Wölfe Reihe
Von Wölfen Verführt
Von Wölfen Beansprucht
Von Wölfen Besessen

## DANKSAGUNG

Diese ganze Idee würde es ohne Erin Bedford und das Zombie 2099 Projekt nicht geben. Ich bin unendlich dankbar, dass ich dabei sein durfte, und habe die Zusammenarbeit mit den anderen Autoren in dieser Sammlung genossen. Wer hätte gedacht, dass eine Apokalypse so unterhaltsam sein kann?

Wie immer schulde ich meinem Mann Dankbarkeit für all seine Unterstützung und Liebe. Dafür, dass er dafür sorgt, dass ich esse, wenn ich eine Deadline habe. Danke, dass du mein Partner bist. Ich liebe dich.

Dieses Buch wäre ohne mein Alpha/Beta-Team nicht möglich gewesen: Katie, Allison, Jean, und Diane. Vielen Dank, dass ihr mir geholfen habt, Ander in Schach zu halten.

Louise und Diane: Ihr haltet mich über Wasser, wenn ich es am meisten brauche. Ich kann euch nicht genug danken – für all eure Hilfe im Hintergrund und dass ihr meine Welt leitet, während ich sie verlasse, um mit den Stimmen zu spielen. Ihr beide bedeutet mir so viel!

Chas und Kathy: Vielen Dank für all eure PR-Hilfe, und dafür, dass ihr mein Leben organisiert habt. Ihr helft mir auf unzählige Arten. Ich bin euch für immer dankbar.

Famous Owls: Danke, dass ihr ein so wichtiger Teil meines Teams seid und mich immer zum Lächeln bringt. Ihr rockt!

An meine Leser: Danke, dass ihr Ander und Kat eine Chance gegeben habt. Es ist eine neue Welt, was für mich immer beängstigend ist, aber ich liebe die Stimmen darin. Ich kann es nicht erwarten, mit Kazek und Winter herumzuexperimentieren.

Bis zum nächsten Mal … xx

*USA Today* Bestsellerautorin Lexi C. Foss ist eine Schriftstellerin, verloren in der Welt der Computer. Sie lebt in Chapel Hill, North Carolina mit ihrem Mann und ihren haarigen Gesellen. Wenn sie nicht gerade schreibt, ist sie mit Sicherheit auf Reisen. Viele der Orte, die sie schon besucht hat, lassen sich in ihren Büchern wiederfinden, einschließlich der mystischen Welt von Hydria, die auf der griechischen Insel Hydra basiert.

Würden Sie gern über Neuerscheinungen informiert werden? Dann tragen Sie sich für ihren Newsletter ein: www. lexicfoss.com/newsletter

Besuchen Sie Lexi im Netz!
www.lexicfoss.com
E-Mail: lexicfoss@gmail.com

## Unsterblich verflucht:

Blood Laws – Blutgesetze (Buch 1)

Forbidden Bonds – Unsterblich entfesselt (Buch 2)

Blood Heart – Blutige Unschuld (Buch 3)

Blood Bonds – Unsterblich geboren (Buch 4)

Angel Bonds – Himmlische Bande (Buch 5)

Blood Seeker – Die Fährte des Blutes (Buch 6)

## Und auch die folgenden Bücher von Lexi C. Foss werden in Kürze auf Deutsch erhältlich sein:

*Aus der Reihe »Unsterblich verflucht«:*

Blood Burden (Buch 6.5)